JN119153

地域の基層と表層

八戸地域から考える

木鎌耕一郎／加来聡伸［編］

はじめに

本書が目指しているのは、八戸地域をフィールドにした「学際的な地域研究」である。本書に掲載された諸論考は、八戸地域の産業、生活、福祉、食、宗教、政治等に顕現する諸事象（表層）の根底に存在し、その基礎を形づくっている構造的ないしは史的な基盤（基層）を、人文系、社会科学系、自然科学系の諸専門領域から洗い出そうとしている。

「地域」という対象は、まことに広範な領域である。地域に暮らす人々は、生身の人間たちから構成されており、当然ながら複合的で偶発的な側面をもっている。さらに、気候や風土、周辺地域や中央との関係性など、さまざまな要因が人々の暮らしや思想を彩ることになる。このような複雑な対象を研究しようとするとき、一本のメスだけで切り込むことはとうていできない。おのずと地域研究は、さまざまな学問領域にまたがる視点が必要となってくる。したがって、本書が企図する専門的な諸学問による「学際的な地域研究」は、斬新な発想ではなく、研究対象によって求められているごく自然な手法である。

本来であれば、地域に関する諸課題について諸学問の専門家が研究会などを通して多様な視点から議論を深めた上で、論文をまとめていくことが理想的である。残念ながら諸々の制約があって、本書に収めた論考はそのようなプロセスを経ることはできなかった。とはいえ、特定の地域について、常にまとまった数の複数の専門分野の研究者が目を向けているとは限らない。その意味で、今回、八戸地域の様々な事象に「おもしろさ」を見いだした、出身も専門も異なる複数のメンバーがつながりあい、その研究成果を収めることができた本書の存在は、ひとつの奇跡である。本書が、さらに多くの領域の研究者たちによって八戸地域研究が進展するための「呼び水」になることを願いたい。

以下に、本書の構成についてごく簡単に紹介する。

第一部「人々の暮らし」の「第１節　戦後八戸市経済の展開」は、全国的な地域開発計画「全国総合開発計画」の展開と八戸市総合計画による地域づくり構想の展開を追いながら、戦後期における八戸経済を整理している。「第２節　八戸市で暮らす自立的な高齢者に対する調査研究」では、社会福祉学の分野から「プロダクティブ・アクティビティ」と自立的高齢者の関係に着目した調査結果を報告したもので、八戸地域の高齢者対策に重要な提言を行っている。

第二部「漁業と流通の諸相」では、八戸地域の伝統的基幹産業の一つである水産業について扱っている。「第1節　地域における水産物流通消費の変化の実相」では、八戸地域の水産物の地域における流通と消費のあり方が昭和 40 年代から 50 年代にかけて大きな転換期にあったことを、データをもとに裏づけている。水産業が近代化する陰で、これまで顧みられなった伝統的な沿岸漁業に可能性を見いだしたのが「第2節　鮫地区の沿岸漁業と漁家の海藻食」である。鮫浦地区における漁業の固有性や食生活を紹介している。「第3節　三八地方の行商」は、「いさばのかっちゃ」の姿で知られるかつての女性行商人の実態を各種の調査から掘り起こしたものであり、これもまた新しい着眼点と言える。また、地域活性化を考える上で「ブランディング」はホットな用語である。「第4節　地域ブランド化をめぐる「地域」概念と商品設計」では、地域ブランド化の対象となる商品に係る「地域」概念の整理を行い、「ポートフォリオ」という概念を用いて、地域資産をベースとした地域ブランド商品の設計の方法と課題を整理している。

第三部「研究課題の多様性」の「第1節　奥州菊に魅せられたひとびと」は、南部地方で常食される食用菊の歴史を扱っている。これほど詳細に奥州菊について検証した論考は他にないであろう。「第2節　八戸のハリストス正教徒パウェル源晟」では、明治初期という比較的早い時期に八戸で宣教したハリストス正教（ロシア正教）を取り上げる。最初期の信徒が、政界のリーダーとして手腕を発揮しながら、時代の流れの中で受難に陥った様子を跡づけている。最後の「第3節　八戸地域の産業研究の系譜」は、先人たちの地域研究の動向を整理したものであり、八戸地域研究の未来のために貴重な情報源となろう。

本書は、これまでにない新しい視点から八戸地域の特性を重層的、複層的に浮かび上がらせることで、これまで積み重ねられてきた八戸地域研究の諸成果に、新たな知見や研究の視点を加えることができたと考えている。読者の皆様には、関心のあるタイトルから自由に読み進んでいただき、忌憚のないご意見を賜ることができれば幸いである。

本書の出版は、「平成 31 年度学校法人光星学院のイノベーションプログラム（基金）」による助成を受けて実現した。関係諸氏、とりわけ本書の完成が助成年度を越えることに理解をいただき、便宜を図って下さった八戸学院大学事務局に深謝申し上げる。

2020 年 3 月

編者　木鎌耕一郎

加来聡伸

第１章　人々の暮らし

第２章　漁業と流通の諸相

地域の基層と表層
八戸地域から考える

目次

第３章　研究課題の多様性

第1章　人々の暮らし

第1節　戦後八戸市経済の展開

田中　哲

はじめに

八戸市は、青森県南東部に位置し、臨海部に大規模な工業港、漁港、商港を有する都市である。全国屈指の水産都市、また北東北随一の工業都市でもある。人口は、228,159 人（2019 年 10 月 1 日現在。住民基本台帳人口集計表による。）である。ちなみに、市制開始（1929 年）以来の人口の動向は、図表 1 のとおりである。

図表1　八戸市の人口の推移

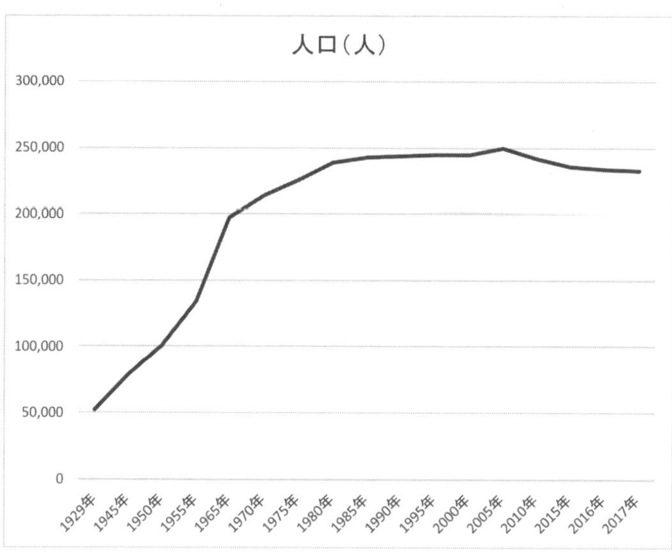

市制施行時は、５万人規模であり、20万人超となったのは、1966（昭和41）年である。24万人を突破したのは、1981（昭和56）年であり、以降2012（平成24）年までの約30年間24万人を維持してきた。2005（平成17）年のピーク時には、249,530人と25万人に迫る勢いであった。

本稿では、八戸市史編纂委員会[2014]に依拠しながら、第一に全国的な地域開発計画である「全国総合開発計画」の展開と八戸市総合計画による地域づくり構想について、次いで第二次大戦後の八戸市経済の展開を概観することを目的とする。というのも、これらの計画や構想を基礎として戦後八戸市経済が展開していった、と考えられるからである。

1　全国総合開発計画と八戸市総合計画

はじめに、戦後における地域開発の展開を「全国総合計画」の展開とそれを受けての八戸市の動向、そして「八戸市総合計画」に基づく地域づくり構想について概観する（以下の叙述は、八戸市史編纂委員会[2014]pp.403~412に依る。以降の引用ではページ数のみを記す）。

1-1　全国総合開発計画と八戸市の動向

(1) 全国総合開発計画

1950（昭和25）年に国土総合開発法が制定された。その中心は、多目的ダム建設を行う河川総合開発であった。62（昭和37）年に全国総合開発計画（全総）が策定され、同年新産業都市建設促進法、64（昭和39）年工業特別地域整備促進法がそれぞれ制定された。全総は、高度成長初期に形成された素材供給型の重化学工業コンビナートを地方に分散させ、地域開発と地域格差の解消を同時に行うことを目的としていた。

八戸地域では、「八戸地区新産業都市建設計画」が策定された。その役割は、臨海部での地場資源を活用する工業開発を中心に、総合的な機能を有する都市建設を行い、東北北部における開発の一拠点として地域格差の是正と雇用の安定を図り、国民経済の発展に資するものとされた。当地域が指定を受けた歴史的背景としては、北奥羽経済開発協議会や1957（昭和32）年の八戸総合振興会（後述）などの設立が基礎を築いていたことがある。また、同年の東北開発三法の制定による東北開発の本格化も影響を与えた。

（2）新全国総合開発計画

1970年代、「経済大国」への道を進みはじめた日本は、四大工業地帯と地方工業地帯とを鉄道・道路・海運などの産業基盤で結ぶ重点投資によって実現しようとした。これは、特に四大工業地帯への生産力と人口等の集中によって、三大都市圏における大気汚染等の進行、生活基盤（住宅・学校など）の不足などの「集積の不利益」が発生したためである。

またこの時期には農家による農業・農地・農村の放棄、農山村からの人口流出、農山村社会の高齢化が進行した。高度経済成長政策と地域開発政策の根本的見直しが必要となった。こうしたなか、1969（昭和44）年に「新全国総合開発計画」が策定され、全国を二地帯三区分として開発を進めていくこととされた。

そしてこれらを新幹線・高速道路・航空路・データ通信網などの交通通信ネットワークで結び付けようと図った。これは、地域間に分業関係を築き、全国を一日行動圏とするネットワーク型の開発構想であった。これを支える行政組織として、広域市町村圏が想定され、都道府県を越える広域的開発の円滑な推進と開発体制の整備が図られた。

八戸地域においても、1971（昭和46）年に八戸地域広域市町村圏事務組合が発足した。発足に当たって、当初計画（1970年から80年まで）では、生産所得の増大などにより生活水準を高めていくとともに、高校進学率を上昇させ、八戸市へ大学を誘致することによって大学進学率を高めるということも目論まれた。その他、博物館の設置、プール・レクリエーション施設を含む運動広場の建設、八戸市公会堂建設、乳幼児死亡率の大幅な引き下げ、水道普及率100％などが盛り込まれていた。

（3）第三次全国総合開発計画

1973（昭和48）年及び79（昭和54）年の二度のオイルショックは重厚長大産業時代の終焉を告げるものであった。81（昭和56）年には「財政再建元年」がかかげられ、地域開発政策は地方自治体を事業主体としたものに転換する方向が模索された。

三全総の特徴は、地方における定住環境の総合的整備を行う定住圏構想であった。これは総合的居住条件（生産環境、自然環境、生活環境）を地方に整備し、若年層を中心とした地方定住の促進によって過密過疎を解消し、地方生活圏の活性化しようとするものである。定住圏とは、主要河川の流域に点在する都市と農山漁村を一体的にとらえた流域生活圏をいい、全国に200ないし300の定住圏を配置するというものであった。1979（昭和54）年、国土庁は「モデル定住圏計画策定要綱」を示し、44圏域がモデル定住圏に指定された。しかし、工業分散政策を持たない三全総は、企業誘致を求める地方自治体から不満の声があがり、定住構想を補う新たな地域産業政策の必要性から「テクノポリス構想」が生み出されることになった。

テクノポリス構想は、1980（昭和55）年3月の「80年代の通産政策ビジョン」に示されたものである。テクノポリスとは、「産」（先端技術産業）・「学」（学術研究機関・試験研究機関）・「住」（潤いのある快適な生活環境）が調和した都市とされ、その目標は、産業構造の知識集約化・高付加価値化（創造的技術立国）と定住構想の同時達成によって、先端産業の保護育成をはかり、重化学工業に変わる輸出型産業を育成することであった。二度にわたるオイルショックによる地方の雇用不安と所得格差の是正を目的とした「リーディング産業」の誘致という地方自治体の要望を反映して、全国26地域が指定された。

1986（昭和51）年7月東北縦貫自動車道青森－浦和間が全線開通した。計画策定から22年の年月を経たものであった。東北縦貫自動車道については89（平成元）年八戸線が供用開始となった。首都圏との結び付きが強まり、産業のうえでも文化面でも八戸地域の発展に大きな影響を与えた。

東北新幹線は、幾多の経緯の後、1982（昭和57）年に大宮－盛岡間が開通し、85（昭和60）年に上野－大宮間が開通することで、首都圏との時間的距離の短縮が図られた。盛岡以北の着工は1991（平成3）年に入ってからで、2002年12月には東北新幹線八戸駅が開業した。

（4）第四次全国総合開発計画から「21世紀の国土のグランドデザイン」へ

1970年代の二度に及ぶオイルショックにより、特に「西側諸国」による「米国依存」の貿易構造是正が求められ、規制緩和と民間活力の強化による内需の拡大政策が図られた。

四全総は、地域主導による地域開発をめざし、それぞれの地域を交通・情報・通信体系の整備により結び付け、交流人口の拡大を図り、東京一極集中を是正しつつ多極分散型の国土を作ろうとするものであった。そこでは、戦略的重点的な地域開発としての大都市圏の再開発と地方農山漁村のリゾート開発が主体となった。大都市圏では（特に首都圏）都心部を高次業務空間とし、周辺都市部を業務核都市と位置付けた。地方圏ではリゾート開発が1987（昭和62）年6月の「総合保養地域整備促進法」（リゾート法）によって志向され、（一）ゆとりある国民生活の実現（二）第三次産業を中心とした地域の活性化、（三）民間活力導入による内需拡大がめざされた。

1980年代の地域開発は、「頭脳立地法」にみられるように、先端技術産業を育成するためのソフト面でのインフラ整備に重点がおかれた。85（昭和60）年には青森市等がテクノポリス開発計画の承認を受けたが、八戸地域では、八戸市を中心とする3市6町2村が84（昭和59）年に、「八戸高度技術産業都市構想」を策定し、翌年、事業を推進する中核的組織として、「財団法人八戸地域高度技術振興センター」を設立した。これが「頭脳立地法」にもとづく承認地域第一号へとつながる。そのエリアは、八戸市・十和田市・三沢市・百石町・六戸町・下田町である。運営主体を株式会社八戸インテリジェントプラザとし、八戸ハイテクパークの管理運営を行っている。

1992（平成4）年には、財団法人八戸地域地場産業振興センター（ユートリー）が設立され、特色ある地場産業の育成・振興をめざしている。91（平成3）年7月には、「南部サンライズ21計画」が策定され、青森県を青森・津軽・南部・下北の4つの地方生活圏としてその広域的な振興方策を計画・立案した。92（平成4）年には、「地方拠点都市法」が制定され、93（平成5）年8月には「八戸地方拠点都市地域基本計画」が策定された。

1998（平成10）年、「21世紀の国土のグランドデザイン」が決定された。この計画は、グローバリゼーションの進展など時代の転換期の中、複数の国土軸からなる「多軸型国土構造」の形成を目指す長期構想を示した。これの実現の基礎を築くため、自立の促進と誇りの持てる地域の創造などの5つの課題に取り組むこととしている。課題達成のため、多自然居住地域の創造などの4つの戦略を掲げた。その特徴は、「参加と連携」を掲げ、地方分権の考え方を国土開発に取り入れようとしていることである。また具体的な財政的裏付けが明確でないことも特徴である。

（5）「国土の総合的点検 －新しい“国のかたち”へ向けて－」

2004（平成16）年5月、「国土審議会調査改革部会報告」、「国土の総合的点検－新しい国のかたちへ向けて－」が公表された。

2002（平成14）年11月に「基本政策部会報告」において、新たな国土計画の体系の基本方向として、国土の利用、開発、保全に関する総合的な計画への転換、計画の指針性の充実、国と地方の役割分担の明確化を示した。その後、前掲部会が設置され、報告書のタイトルのもと、「国土」全般の現状を明らかにし、国土の利用、開発、保全に関する課題について調査審議を進め、報告書が作成された。

わが国はこれまでに経験したことのない大きな転換点を迎えている。第一に、世界に類を見ない急速なペースで少子高齢化及び人口減少が進んできていること、第二に経済のグローバル化の進展、第三に環境問題の深刻化と国民意識の高まりなどである。

この報告書では、こうした状況の中で、国土計画の役割は、国民、地方公共団体、国その他の国土づくりを担う多様な主体が共有できる“国のかたち”を示すことである、との認識のもと、第一に、人口減少・少子高齢化を真正面からとらえ、地域がいかに自立し安定した社会を形成するか、第二に、東アジアの成長、グローバル化の進展を、いかに地域活力の創造にいかしていくか、第三に、地球規模から地域規模までの環境問題への対処など、持続的発展を調和した国土利用へいかに転換していくか、についての方向性を示した。

1-2　八戸市総合計画の策定

地方自治法第２条第４項は「市町村は、その事務を処理するに当たっては、議会の議決を経てその地域における総合的かつ計画的な行政の運営を図るための基本構想を定め、これに即して行うようにしなければならない」とし、総合計画を定め、まちづくりを進めることを規定していた。その後2011（平成23）年の法改正により、策定義務はなくなった。

一般的な構成は次の通りである。自治体のめざす将来像と将来目標を明らかにし、これらを実現するための基本的施策の大綱を示す「基本構想」、そこで定めた目標や基本的施策を実現するために必要な手段や施策を体系的に明らかにした「基本計画」、基本計画に基づき、事業内容、実施時期を明らかにし行財政運営の指針となる「実施計画」である。

（1）八戸市総合計画

八戸市が最初に総合計画を策定したのが1972（昭和47）年３月である。

計画では、序章で「新しい都市づくりのまえに」と題して、目標とする都市像を描き、具体的な施策を提起する前提となる現状分析を行った。これまでの八戸市の発展は、漁業とこれに関連する水産加工業と資源型工業及び都市機能の集約という三つの局面にある。しかし、公害問題や生活関連施設の整備の遅れ、交通問題など生活関連社会資本不足が露呈し、住みよい都市づくりが課題である。

そうした課題を抱えた八戸市の発展のメカニズムは、古くからの日常生活に見合ったメカニズムと大型投資による全国レベルの流通システムを有する新しいメカニズムが交錯するところにある。このバランスを考えながら発展のメカニズムを構築する必要がある。知識・情報産業の展開、高付加価値・高生産性産業への傾斜が進み、社会経済の質的変化に対応した国土形成システムが求められている。巨大工業基地建設、交通体系のネットワーク化、大規模な情報処理システムの形成などが課題となる。

それらの課題を解決すべく新全国総合開発計画に載せられたむつ小川原開発を見据えて八戸市が有すべき機能は「拠点都市機能」である。こうした前提を踏まえて、八戸市が目指すべき都市像を「住みよい、生きがいのある総合的産業都市」と規定し、人口や経済活動の望ましい姿を計画フレーム、これを踏まえた生活環境の整備目標の設定、土地利用の構想を提起した。そして、前述の都市像建設のためのプロジェクトを、ナショナルプロジェクト及びその関連プロジェクト、都市基盤整備のためのプロジェクト、市民生活向上のためのプロジェクト、産業基盤整備のためのプロジェクトの四つに集約した。

(2) 第2次総合計画

前述の総合計画を推進する中で、国内外の社会経済情勢の著しい変化、市財政を初めとする諸条件の変化、さらに1977(昭和52)年11月に閣議決定された第三次全国総合開発計画による、人口や生産機能の大都市への集中の抑制、地方振興を図りつつ国土の均衡ある発展を図る、という基本的視点の提起など、新たな総合計画を策定する必要が出てきた。目指すべき都市像は同一であり、その実現のため、都市発展のための基礎条件の整備、快適で安全な生活環境の確保、など6つの方策を掲げた。

(3) 第3次総合計画

1987(昭和62)年度には、「高齢化、都市化、技術革新・情報化、国際化といった大きな流れの中で、市民の生活様式や産業構造の変化など [中略] 社会経済環境は大きく変化してきており、[中略] 21世紀を展望し、北奥羽地域の中核都市として、一層の飛躍を図るため」(「はじめに」) 第三次総合計画が策定された。この計画において初めて「まちづくり」という言葉が登場する。

計画はまず、現状を分析し、社会経済環境の変化をみる。続けて、「21 世紀への展望」として、人と国土めぐる高齢化、都市化、技術革新・情報化、国際化、価値観の多様化などの動きを示す、と予想する。高齢化に対しては、地域の各主体が住宅、医療、社会参加など総合的に対処する必要を説く。都市化への対応は、社会、産業経済などの各方面にわたる都市機能の充実と集積を図る。技術革新・情報化に対しては、人材育成、試験研究機関等の充実で対処する。国際化に対しては、多面的な国際交流を深めていく。価値観の多様化、高度化への対処もいわれる。「展望」を受けて、課題を提示する。第一に、各種基盤整備を進め、高度技術産業都市を形成すること、第二に、産業の質的高度化をはかり、足腰の強い産業を振興すること、第三に、定住環境と広範な国際交流を可能とする環境整備を行うこと、第四に、新しい時代を創造する人材育成、第五に、新しいふるさとづくりをすすめることである。こうした課題を受けて、将来の都市像は第一次・二次と同様な像を掲げる。その実現のため、自然と調和した機能的なまちづくり、快適で安全なまちづくり、ふれあいのある健やかなまちづくり、明日をひらく人をはぐくむまちづくり、活力ある豊かなまちづくりの５つの柱に沿った施策を展開する、とした。

（4）第4次総合計画

前回の総合計画の策定から、少子高齢化の進展、国際化・情報化の展開、地方分権の加速など社会経済情勢は急激に変化を遂げた。国が掲げる「21 世紀の国土のグランドデザイン」や「新青森県長期総合プラン」の策定なども受けて、「人・産業・文化のフロンティア都市」を将来の都市像と掲げた第四次総合計画が 1998 (平成 10) 年９月に策定された。

はじめに、「都市づくりの歩み」として、八戸市の歴史的展開をみる。そして都市発展のための地域資源として、市民と企業、美しい自然、歴史的遺産と受け継がれた伝統文化、地域つなぐ高速交通ネットワーク、世界に開かれた八戸港と海、都市機能と産業集積を掲げる。

続けて、新しい時代の潮流と都市づくりの課題として、交流と連携、豊かさ志向、自立と参加、共生と共存、創造とフロンティアの５つをあげる。さらに、都市づくりの視点として、生活者の視点、重点性の導入、広域的な視点、国際化の推進、地域福祉の充実、情報化の活用、環境と安全への配慮、八戸らしさの創造があげられる。

前述の都市像に基づいて、戦略プロジェクトして、5項目からなる交流促進プロジェクト、3項目からなる市民活動活性化プロジェクトが提起される。また、6点にわたる施策展開の方向性が提起され、構想を推進していく考え方と体制も提起され、新規性を強調している。

(5) 第5次総合計画

2007 (平成19) 年3月、本格的な地方分権の時代の到来、少子・高齢化の進展、地球規模での環境問題の深刻化、国内外における都市間競争の進展などの社会経済情勢の変化を受けて、「まちづくりビジョン」として第五次総合計画が策定された。計画は、10年間のまちづくりビジョンを示す基本構想と具体的な施策を定めた前期及び後期の推進計画から構成される。

計画は、将来都市像を「海と大地が響きあう北の中核都市～魅力・活力・市民力　あふれる力が次代を拓く」と定めた。はじめに、これまでのまちづくりの歩みを描く。次に、計画を支える地域資源を確認する。まちづくりを支える市民力、めぐまれた自然環境、先人から引き継ぐ歴史・文化、広域交流の拠点機能、北東北の経済をけん引する産業集積、の5つから構成される。次いで、次代のまちづくりの課題が8つの項目に整理される。まちづくりの仕組みの転換、人材の育成と活用、危機管理と市民の安全確保、環境との共生、少子・高齢化への対応、情報社会への対応、地域活力の創出、交流・連携の推進、である。さらに前述の都市像を掲げ、その実現のための自治体経営の仕組みづくりについて、「住民自治の促進」と「自治体経営の強化」を2つの柱として方向性を整理している。分野別の計画の方向性は次のようにまとめられる。人がかがやくまちづくり、活力あるまちづくり、健康・福祉のまちづくり、環境にやさしいまちづくり、安全・安心なまちづくり、である。最後に、「地域別まちづくりの方向」として、全市的な土地利用の方向性と、地域コミュニティにおけるまちづくりの方向が明示される。

(6) 第6次総合計画

2016 (平成28) 年3月、第六次総合計画が策定された。そこでは、時代の動きとして、人口減少・少子高齢社会が到来したこと、2011 (平成23) 年に発災した東日本大震災からの復興と、様々な災害に対する備えを掲げた。八戸市の目指す将来都市像は、「ひと・産業・文化が輝く北の創造都市」であり、この実現のため、総合的に取り組む６つの政策と重点的に推進すべき５つのまちづくり戦略を決めた。６つの政策とは、「子育て・教育・市民活動」「産業・雇用」「防災・防犯・環境」「健康・福祉」「文化・スポーツ・観光」「都市整備・公共交通」であり、５つの戦略プロジェクトは、「人づくり戦略」「生業づくり戦略」「安心づくり戦略」「魅力づくり戦略」「自治体経営戦略」である。

2　海から拓けたまち、八戸
――産業インフラとしての港湾整備・企業進出・工業地帯形成

八戸市は、「海から拓けたまち」であるといわれる。第二次世界大戦終了後の復興も、出発点は港湾という、産業インフラの整備であった。

戦後の食糧不足解消のため、日本政府は食料確保について、1945（昭和20）年、「食糧確保に関する緊急措置方針要領」を発令し、主要食糧の供出促進、化学肥料や農機具の増産、耕地の拡張など決めた。同年11月には、飛行場や練兵場を農地として開墾するため土木技術関係者の協力を仰いだ。また化学肥料の原料である「硫化鉄鉱の供給」に注力した。八戸港では松尾鉱山からの硫化鉄鉱の積出港としての役割が期待されたが、防波堤が未整備であった。このため、（船を沈めて防波堤を築く）沈潜防波堤を建設した。これにより、八戸港の硫化鉄鉱荷役能力は飛躍的に高まり、食糧事情の改善に寄与した。

2-1　三角地帯の造成と臨海工業地帯の建設

1937（昭和12）年から、馬淵川の改修工事が始まっていた（pp.269~272）。これは、堤防を建設して治水を行うための工事であった。しかし、馬淵川右岸への日東化学工業や日本砂鉄工業などの進出により、当該地域を臨海工業地帯とする構想が持ち上がった。この構想は、馬淵川河口の沼館地区付近から放水路を太平洋に向けて開削し、切り替えられた旧河川は締切堤工事を行うと同時に浚渫し、工業港とするものであった。1956（昭和31）年に締切堤工事が竣工し、浚渫工事も行われた。工事の際に生じた土砂は、馬淵川河口の三角形の土地を造成するために利用され、「三角地帯」といわれる工業用地が造成された。

1953（昭和28）年には、八戸地区が工鉱業地帯整備促進法の対象地区へ組み込まれ、「八戸臨海工業地帯建設計画」が立案された。それは、港湾修築計画・道路計画・都市計画・用水計画・工場用地の造成から構成されていた。

港湾修築計画は次のようなものであった。八戸港は多様な機能を有しているが、施設に不備な点が多く、混雑を極めていた。原因としては、接岸施設不足から艀荷役の割合が多く、港内が狭くなっていることであった。計画では、接岸施設の充実、貨物置場の造成、防波堤の築造が目論まれた。港内混雑の解消のため、商港・工業港・漁港を区域割りした。

道路計画は、次のようなものであった。港湾修築後の後背地における物流は鉄道のほか、トラック輸送の増大が見込まれていた。機動的なトラック輸送のための道路整備が必要とされた。そのため、八戸市と後背地を結ぶ重要道路について、改良・舗装・補修・橋梁設置の計画が作成された。

都市計画は次のようなものであった。工場進出に伴う、工場労働者の住宅地域として、類家地区の土地区画整理を行う。重要幹線街路事業は工場地帯への大型車の交通に耐えうる路面整備、路線は、工場地帯から西北方面には砂鉄鉱その他の原材料輸送路の整備、東方には八戸港への連絡路の整備、南方には類家地区への連絡を整備する計画であった。工業用水は、馬淵川から取水し、沈殿池、ポンプ室、配水管を整備する。公園・緑地施設整備事業では、工場労働者の憩いの場となる場所や児童の遊び場となる公園施設を整備する。

2-2　八戸火力発電所の建設と日曹製鋼の進出

臨海工業地帯建設によるエネルギー供給不足の懸念により、火力発電所の建設が要望され、1951（昭和26）年1月、「15万ボルト建設期成同盟会」が設立された（pp.273~274）。1956（昭和31）年、八戸火力発電所が三角地帯に建設されることとなり、58（昭和33）年6月操業を開始した。

火力発電所の建設により、日曹製鋼（現大平洋金属）の誘致が進み、1957（昭和32）年5月に工場が完成、操業が開始された。同社は砂鉄を原料として、電気炉により砂鉄銑の生産を行う企業である。八戸地域の太平洋岸は砂鉄が豊富に埋蔵されており、昭和前期より鉄鋼関連企業が進出していた。砂鉄の精錬には多量の電力を必要とするため、十分な電力供給が企業誘致には必要であったのである。日曹製鋼（現大平洋金属）は、日東化学工業や日本高周波鋼業とともに八戸臨海工業地帯の中核企業となる。

2-3 「北奥羽経済建設協議会」の設立

第二次世界大戦終了後、本格的な工業都市建設に邁進することとなる(pp.283~287)。そのためには、後背地となる北奥羽地域(青森県南地域、岩手県北地域及び秋田県で青森・岩手の両県に隣接する地域)の産業開発を進めるとともに、経済的な結びつきを強めることが必要であると考えられた。そこで、1949(昭和24)年 9 月、「北奥羽経済建設協議会」が設立された。

協議会では、金融機関の設置、観光開発、電力開発の三点に力を注いだ。

①**東北銀行設立(1950(昭和 25)年)**…北奥羽経済圏の産業振興の基盤である中小企業金融の担い手として設立されたのが東北銀行である。本店は盛岡市に置き、支店は岩手県内主要都市、八戸市、秋田県鹿角郡花輪町に置かれた。また、1951(昭和 26)年 2 月、岩手殖産銀行(現岩手銀行)八戸支店が八戸市三日町に設立された。

②**観光開発**…北奥羽地域の観光振興事業として取り組まれたのが、「北奥羽八景」の選定であった。協議会の後援をしていたデーリー東北新聞社主催により、当地域において誇ることのできる観光地を新聞読者が投票するというものであった。これにより、観光地や名勝地の掘り起こしが可能となり観光振興に寄与した。

③**電源開発**…前述したように、1951(昭和 26)年 1 月、「15 万ボルト建設期成同盟会」が設立され、運動を進めた結果、三角地帯に火力発電所を建設することに成功した。

この協議会は、1950(昭和 25)年、国が「国土総合開発法」を制定し、国土総合開発計画に沿って地域開発が進められることとなったことにより、行政区単位での開発が行われることになり、協議会の存在意義が薄れていき、54(昭和 29)年ごろから休止状態となった。

2-4 第二工業地帯造成計画と企業進出

1961(昭和 36)年 9 月、青森県と八戸市は『八戸市第二工業地帯建設計画概要』を策定した(pp.347~350、367 ～ 369)。この背景には、三角地帯に火力発電所が建設され、それに伴って、日曹製鋼(現大平洋金属)が進出し、他の工場建設の余地が狭まるという問題が発生した。1960(昭和 35)年、東北砂鉄鋼業、翌 61(昭和 36)年には東新鋼業が操業を開始し、工業地帯の造成が本格化したのである。前述の『建設計画概要』の内容は次のとおりである。

①**港湾**…工業港として、掘り込み式港湾（海岸の砂丘地帯を掘り込んで作った人口港）を整備する。その内容は

(ア) 防波堤は、外防波堤1,420メートル及び波除堤380メートルを築造する

(イ) 45,000トン級の船舶が入稿可能となるよう港内中央付近を掘り込み、水深12メートルにする

(ウ) 内港西側水際線を公共埠頭築造の余地とする

(エ) 浚渫した土砂や工場の廃滓で現水際線の前面に約92万ヘクタールの埋立地を造成する

(オ) 臨港道路と臨海鉄道を整備する

②**道路**…軟弱地盤に対応した、原料や製品の輸送路線の整備を行う

③**鉄道**…1955（昭和30）年以降、貨物や旅客の増加傾向への対応、工業港の拡張による尻内駅（現八戸駅）の操車場の拡張と第二工業地帯への鉄道敷設が必要となる。そこで鉄道を尻内駅から分岐して八戸線に沿って敷設し、臨海鉄道を建設する

④**工業用地**…中央用地には当時複数の企業が立地しているため、建設計画では、北沼用地（東北砂鉄鋼業、東新鋼業などが操業）と市川用地に工業用地を整備する。

⑤**用水**…工業用水道建設は、馬淵川を取水源とする。

⑥**電力**…前述のとおり火力発電所が建設済みである。

というものであった。

この第二工業地帯の整備により、次のような企業が進出した。

（1）三菱製紙

高度経済成長による製紙需要の増大への対応として、三菱製紙は新工場の建設を計画していた。既存の4工場において増産を行っても需要増大への対応は困難であると判断したためである。当初、三菱製紙は用地選定の条件として、次のような項目をあげていた。

①工場用地内に港湾があること

②後背地に豊富な原木資源の存在（第一目標）

③安価で大量の工業用水の存在

④安価で広大な工場用地

⑤三菱製紙が工業地帯の中心的な地位にあること

次いで、青森県・八戸市との交渉が行われた。条件は、工場用地・社宅敷地の

確保（これについては、1966（昭和41）年に「多賀台住宅団地」として実現した）、専用岸壁や貯木場の建設であった。1966（昭和41）年に協定が取り交わされ、工場建設が始まり、翌67（昭和42）年竣工式が行われた。操業開始当初は、450人ほどが雇用されたが、下請けや資材運搬にかかわる人員をカウントすると、約3,000人の雇用が見込まれた。

（2）八戸製錬

次の進出企業が、八戸製錬である。この企業は、イギリス発の亜鉛・鉛を同時に製錬するISP法という製錬方式による共同製錬所として、1966（昭和41）年に設立されたものである。進出の条件は次のとおりであった。

①太平洋岸にあり海外からの鉱石輸送に便利であること
②大型船の着岸可能性
③鉄道の引き込み線が予定されていること
④労働力供給が豊富であること
⑤新産業都市としての県の補助や免税措置があること

1968（昭和43）年に八戸製錬と青森県・八戸市との間で工場建設に係る協定を締結、翌69（昭和44）年3月、最終工程の精留炉の操業開始により、全面操業となった。こうして、2つの進出企業は、第二工業地帯の中核企業となったのである。

2-5　港湾整備

八戸港は1951（昭和26）年、重要港湾に、60（昭和35）年、特定第三種漁港（利用範囲が全国的である第三種漁港のうち水産業の振興上、特に重要な港湾：特三漁港）にそれぞれ指定された（pp.363～365）。後者の指定は漁港の修築事業に対する国庫補助率が上がることに利点がある。ちなみに、魚市場は1933（昭和8）年に第一魚市場、59（昭和34）年に第二魚市場、75（昭和50）年に第三魚市場が整備された。2012（平成24）年10月には、東日本大震災の被災を乗りこえて、ハサップ対応の「高度衛生管理型荷捌き施設」が完成した。

特三漁港の指定を契機として、産地市場としての整備が精力的に進んだ。1963（昭和38）年、青森県事業として総工費30億6,000万円をかけ、舘鼻下の新漁港修築が計画され、着工した。計画の骨子は、舘鼻下の沿岸域を埋め立て、北洋漁業の根拠地として600から700隻の漁船を収容するというものであり、岸壁の総延長が3,450メートルにも及ぶ大規模な漁港修築であった。71（昭和46）年には、八戸漁港の外郭施設、岸壁、アクセス道路が完成した。

1969（昭和44）年、水産庁は「水産物産地流通加工センター形成事業」を企画・実施した。この事業において、水産庁は流通加工の近代化・高度化を目指して、大型産地の諸機能・諸施設の総合的な拡充に取り掛かった。八戸市は、同年３月に指定を獲得し、第三魚市場の整備を進めた。初めの２年間はマスタープラン及び事業計画の作成等に係る調査事業、71（昭和46）年から73（昭和48）年までは事業実施が計画された。

青森県はこれに対応して、1969（昭和44）年７月に「青森県水産物産地流通加工センター形成調査協議会」を発足させ、「水産物の集出荷と価格形成」「市場施設機構」「冷凍・冷蔵・加工施設」「漁船仕込み施設・労働事情・金融」の４つの部会を設け、課題を整理しながら調査内容をまとめた。その重点事項は、①流通の合理化に伴う流通コストの低減、②需要の高度化に伴う高次加工・冷凍品等の産地加工体制の整備、③労働力確保、④産地における公害防止、廃棄資源の有効利用のための施設整備、であった。

1971（昭和46）年から、八戸市と八戸水産加工業協同組合（加工連）が事業主体となり、具体的な事業が開始された。４年間の総事業費は17億9,000万円で大型産地としての加工機能が整備された。こうして1975（昭和50）年１月に開設された「八戸市営第三魚市場」は、上屋面積6,800メートルの荷捌き場や貨車の引き込み上屋、管理棟、関連事務所を備えた八戸水産物の流通拠点となった。

1960年代以降の港湾整備を概略的にみると次のようになる。

1964（昭和39）年９月　白銀埠頭１万トン岸壁完工
1965（昭和40年）　八太郎北防波堤工事着工
同年７月　木材輸入特定港指定
1970（昭和45）年１月　第二工業港１万5,000トン岸壁供用開始
1971（昭和46）年　植物輸入特定港指定
1971（昭和46）年９月　第二工業港開港
1977（昭和52）年５月　第二工業港５万トン岸壁供用開始
1980（昭和55）年10月　八戸大橋・八太郎大橋全面開通

1990（平成2）年、港湾振興団体の組織化がなされ、「八戸港振興協会」が設立された。同会は設立趣意書の中で、前述のような港湾の発展を踏まえ、「今後、八戸港は21世紀の環太平洋時代に向かい、北米航路ファーストポートとしての戦略的位置の有利さを活かし国際貿易港として、また国内物流の増大や船舶の大

型化などに対応すべく、新たな視点から港湾整備を進めて行く必要があります。このためポートアイランドの建設、ポートルネッサンス21構想（港の従来の機能であった物流だけでなく、人・もの・情報が交流する総合的な港づくりを行うとする構想）による鮫地区、河原木地区の再開発など、重要なプロジェクト計画を持っております。」として、八戸港の国際化を進めていくことを展望している。

国際化を進めていく上で重要なことがらの第一は、外貿コンテナ定期船の八戸寄港である。1992（平成4）年から同協会の運輸関係4社などが調査研究を行った。具体的には、シンガポールのPACIFIC INTERNATIONAL LINES（PIL社）が有望であるとし、同社への寄港を要望した。翌93（平成5）年、中里信男市長（当時）を団長とする官民一体のミッションを編成し、同社を訪れ寄港を要望した。そして、同社のコンテナ定期船の航路が開設された。こうして、外貿コンテナ定期船の八戸寄港が実現した。国際物流拠点化を目指す第一歩が記されたのである。コンテナ定期船受入れのためのハード整備が急がれ、港湾管理者である青森県に対して門型クレーン（コンテナ専用の大型クレーン）設置を要望した。

1994（平成6）年8月に八戸港と東南アジア各港を結ぶコンテナ定期航路の第一船が八太郎一号埠頭に着岸した。完成した門型クレーンを使った荷役作業が行われた。

こうした国際物流拠点化の試みにより、取扱荷物を増大させる必要性が生じた。青森県に対して、八戸港の売り込みを強化・推進するための官民一体となった組織の立ち上げを要望した。これは1995（平成7）年、「八戸港国際物流拠点化推進協議会」として結実した。協議会の事業は、八戸港の内外航路の利用促進などであった。この後、同協議会が中心となって、国内外のコンテナユーザーや新規航路開拓のためのポートセールス活動が積極的に推進された。この後、韓国や中国との定期航路が開設された。

国際化進展戦略の第二は、輸入促進地域（Foreign Access Zone：FAZ）指定運動である。これは、「輸入促進に関する臨時措置法」に基づいて、輸入関連業務施設建設に関して、国の支援が受けられるというものであった。事業主体は県で、事業推進のためには第三セクターを設立する必要があり、「八戸FAZ推進検討委員会」を商工会議所内に設置し、指定獲得に向けた活動を始めた。

1995（平成7）年2月指定条件をクリアするための第三セクター設置のため、会議所会頭を会長とする、「八戸港FAZ推進協議会」が設立された。その結果、1996（平成8）年3月、八戸港は輸入促進地域（FAZ）の指定を受けることとなった。

第三セクターは同年7月株式会社「八戸港貿易センター」(センター) として設立され、八戸港の国際貿易・物流拠点化を目指すFAZ事業が本格的に展開された。

1998(平成10) 年、FAZ事業を推進していくための2つの施設が完成する。ポートアイランド内に建設された貿易活動をソフト面で支援するための施設である、「センター」と八太郎二号埠頭先端部の八戸港国際物流ターミナルである。「センター」には、ジェトロ八戸国際化センターのほか、貿易関係企業数社が入居した。

2016 (平成28) 年3月31日、「センター」は解散し、その役目を終えた。

2-6　水産加工業の展開

漁港としての整備に伴って、水産加工業が発展していき、当地の主要な製造業の位置を確立することとなる (pp.365~366)。

中居裕 [1996] によれば (pp.82~85)、八戸地区における水産加工業の存立条件を、原料、労働力、振興策・基盤整備、資本形成、技術・製品開発、販路・市場などの側面から次のように分析している。

第一の原料については、地場における水揚げという供給条件の存在である。スケトウダラからサバへ、そしてマイワシ、イカと水揚げ資源の交代が比較的スムーズに行われてきたといわれる。しかし、後述の200カイリ規制以降は、閑漁期の加工原料対策として、原料ストック用の冷蔵庫の拡充に伴い、冷凍原料の使用が増加していること、サバ水揚げの減少に伴って地元外からの搬入原料への依存度が高まりつつあること、ミール加工業においては操業度向上対策として広域的な原料調達が図られている、などの原料調達構造の変化がみられるという。

第二の労働力の供給基盤については、ミール加工を除いて、女子労働への依存度が高く、労働集約的な単純労働が主体となっているという特徴がある。八戸地区では、地区内の漁業地区、市街地、あるいは周辺の農村部からの女子労働力がプールされ、調達を容易にしている。最近では、水産加工労働は敬遠される傾向にあり、高齢化も進んでいるといわれる。当地における労働力供給構造においては、女子労働力への依存が存立条件となっているのである。

第三の振興策・基盤整備の側面では、1960年代半ばにおける大型漁港化の進展やそれに伴う水揚げの増大により、後背地機能の整備が進んだ。前述の「水産物産地流通加工センター形成事業」(1969年指定)、同補足整備事業 (1974年指定)、水産物加工拠点総合整備事業 (1982年指定) などの基盤整備事業が推進されてきた。基盤整備事業の中でも、八戸市市川地区に建設された八戸水産加工団地の形成は大きな役割を果たした、とされる。その経緯は次のとおりである。1968（昭和43）年に水産加工業界に対する診断がおこなわれ、①原料確保については心配ない、②付加価値の高い加工品開発や流通ルート・市場開拓の必要性が強調された。③近代化の条件として生産規模の拡大、福利厚生施設の充実、公害防止などが提言された。そして、④以下の条件を満たす「加工団地」の造成が望まれるとした。（ア）労働力の確保に結びつく通勤可能な地域、（イ）水揚市場からの運搬・連絡が短時間ででき、かつ大量輸送が可能な地域（ウ）工業用地が豊富で経営コストを圧迫しない用地単価の地域、である。そして1971（昭和46）年「流通加工センター形成事業」として、館鼻に冷蔵・冷凍、製品保管、集配の三施設を着工し、加工団地は、浜市川に造成した。総面積は、約37万平方メートル（内、工場用地は33万平方メートル）で排水処理施設などの共同利用施設を有している。

第四は資本形成である。1960年代半ば以降における八戸地区のイカ・サバを中心とした売り手市場状態の出荷対応により産地流通段階における資本蓄積を可能とし、再生産段階において、冷凍・冷蔵施設や加工施設などの設備投資に向けられ、水産加工業としての発展を促進した、といわれる。金融面においては、地元金融機関（青森銀行、みちのく銀行、＜旧＞八戸信用金庫[現青い森信用金庫]）との密接な結びつきにより資金調達が可能となったのである。

第五の技術・製品開発においては、八戸地区における水産加工品の太宗は大量処理に基づく低次加工品であることから、新技術や新製品開発意欲に乏しいといわれる。

第六の販路開拓などの市場条件については、当地の水産加工品の出荷ルートは、イカやサバなどで開拓された生鮮出荷ルートであり、卸売市場経由の出荷比率が高いといわれる。

2-7　200カイリ体制への移行と八戸の漁業

昭和52年「漁業水域に関する暫定措置法」により、200カイリ漁業専管水域（漁業に関して沿岸国が排他的権限を行使できる公海＜特定国家の主権に属さず、各国が自由に使用できる海域＞上の水域）を設定され、八戸漁業に大きな影響（衝撃）を与えた（pp.428~430）。水揚量の減少、北洋漁業関連の減船、水産加工基地としての原材料の確保問題などが浮上した。

八戸の水産業については、本書の別稿を参照していただきたい。ここでは、1965年から2015年までの水揚量と水揚高の推移について示しておく。

図表2　水揚量の推移

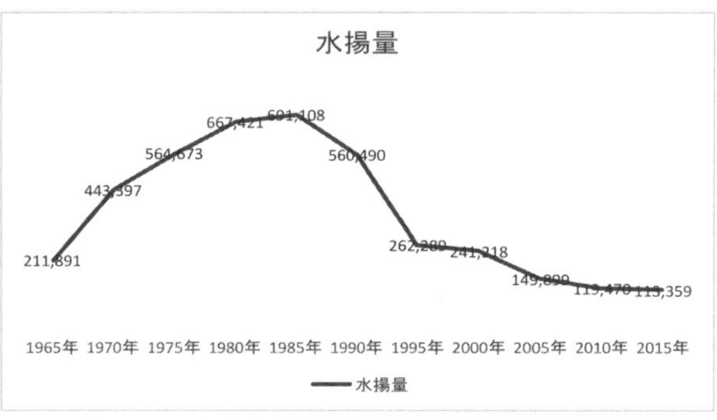

図表3　水揚高の推移

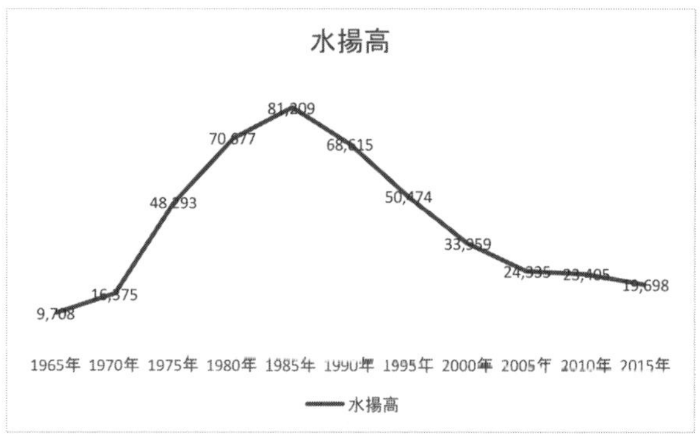

出所）図表2及び3ともに、各年版『八戸市統計表』

3　匠のまち、八戸──新産業都市指定と工業都市としての発展

|3-1|新産業都市指定前史

前述のように、1949（昭和24）年、工業都市建設のために「北奥羽経済建設協議会」が設立され、金融機関の設置、観光開発、電力開発などの活動が活発に展開された。翌1950（昭和25）年に東北銀行が設立され、北奥羽経済圏の産業振興の基盤である中小企業金融の担い手となった。観光開発では、北奥羽新八景が選定された。電力開発では1956（昭和31）年八戸火力発電所が三角地帯に建設されることとなり、1958（昭和33）年に操業が開始された。

また第二工業地帯の造成が計画され、これにより造成された地域に三菱製紙や八戸製錬などが進出し、東北屈指の工業地帯へと発展していった。

|3-2|新産業都市指定獲得に向けた運動と成果

1957（昭和32）年、八戸市総合振興会が設立された（pp.343~347）。その背景には、①1956（昭和31）年財政再建団体に指定され、事業予算の獲得を目指す民間レベルの組織の必要があったこと、②「北奥羽経済建設協議会」（昭和26年北奥羽開発協議会に改称）の活動停止による地域開発の中心となる組織が必要であったこと、③八戸市発展のためには産業・経済全般にわたって総合的に運動を展開する必要があったことなどである。

1962（昭和37）年「新産業都市建設促進法」制定され、産業立地条件及び都市施設を整備することにより、当該地方の開発の中核となるべき地域を指定することとなった。こうした動きを背景に、「八戸地区新産業都市建設計画」が策定された。

当初、八戸地区（八戸市・十和田市・三沢市・五戸町・上北町・六戸町・百石町・下田村・福地村）は指定獲得に名乗りを上げた全国44地区のうち、指定の可能性は低いものとされていた。しかし、青森県・八戸市・各町村・八戸市総合振興会などの各種団体が一丸となった取り組みを進め、当時、「全市的建設目標設定方式」といわれた。その結果、1964（昭和39）年3月、正式指定に至るのである。

指定獲得の成果としては、1966（昭和41）年以降、10年間で500億円以上の資金が地元負担なく港湾整備に投入される枠組みが設定され、八戸港発展の基礎が築かれ、第二工業地帯整備（前述　1（4）参照）による企業誘致（三菱製紙や八戸製錬など）が進展した。両社の進出については前述のとおりである。

3-3 内陸工業地域の建設

臨海工業地帯の形成とともに、内陸工業地域の建設も進んだ (pp.479~482)。前述のように、1972 (昭和47) 年「八戸市総合計画」が策定され、経済力の増強のためには、公害をなくし、所得波及効果の高い工業技術の開発を進め、内陸型の高度加工型工業構造とすること、陸上・海上交通の整備促進、工業団地・流通団地の整備促進を図る、こととした。1976 (昭和51) 年、八戸市・青森県・地域振興整備公団 (地域公団) による八戸西部地区における都市開発構想を策定し、住居地区としての田面木・根城地区 (八戸新都市開発整備) 前山地区大規模内陸工業団地の二地区を「総合産業都市開発構想」の適地に選定した。

1988 (昭和63) 年6月「頭脳立地法」(研究所やソフトウェア業務など首都圏域に集中する傾向にあった業種を地方に分散させる法律) の施行により、青森県が策定・申請していた「八戸地域集積促進計画」が全国第一号として承認され、地域公団による八戸ハイテクパークを造成・分譲することが決定した。1989 (平成元) 年5月には「八戸インテリジェントプラザ」が設立された (後述)。1990 (平成2) 年12月、(10年間進展していなかった) 八戸中核工業団地構想を「(仮称) 北インター工業団地」として、青森県新産業都市建設事業による造成・分譲を委託する開発方式を編み出した。こうして、臨海型・資源型産業に特化していた産業構造に加え、新たに内陸型工業団地を造成し、加工組立・先端技術産業が立地することで産業を多層化し、雇用の安定・拡大を図った。

3-4 インテリジェントプラザの開設

前述のように、テクノポリス構想は、1980 (昭和55) 年3月の「80年代の通産政策ビジョン」に示されたものである (pp.484~486)。テクノポリスの目標は、産業構造の知識集約化・高付加価値化 (創造的技術立国) と定住構想の同時達成によって、先端産業の保護育成をはかり、重化学工業に変わる輸出型産業の育成であった。この構想は、1983 (昭和58) 年3月に「高度技術工業集積地域開発促進法」として法制化された。

こうした流れの中で、1988 (昭和63) 年「地域産業の高度化に寄与する特定事業の集積に関する法律」(いわゆる頭脳立地法) が施行され、これに基づいて、「特定事業の集積の促進に関する計画 (八戸地域集積促進計画:「計画」)」が策定され、1989 (平成元) 年3月15日に通産省 (当時) の承認を受けた。

「計画」の背景には、二度にわたるオイルショックによる社会経済情勢の急激な変化があり、鉄鋼、パルプ、セメント等の素材型や水産加工業を中心とする地域資源依存型の八戸市の産業構造を転換させていかなければならない、という問題意識があった。素材供給基地としての機能を引き続き充実させつつ、製品の高付加価値化、新製品の開発、新分野進出等を促すと共に、このような産業を支援するための研究開発、情報処理、商品開発等の高次機能の強化の必要性が説かれた。また水産加工業を中心とする食品加工等についても高次加工製品の供給による八戸ブランドの確立、バイオテクノロジーを中心とした研究開発能力、生産管理能力を高めていくことによる高付加価値化を図る。計画では、以上のような機能を充実させるため、素材系自然科学研究所やソフトウェア業を中心とする情報サービス業等の特定事業の集積を促進することとした。さらに食品関連、ライフサイエンス関連産業の研究開発能力・生産管理能力の向上のためにこのような集積を促進することを図った。

この計画の中核的な運営主体として、青森県や八戸市は、地域における新産業の発掘・創造、地域企業の技術の高度化を促進する目的で、研究開発支援・情報提供・人材育成等の事業を行う株式会社インテリジェントプラザを設立した。

設立に当たっての資金計画は、総額18億円のうち、出資については地域公団が6億円、青森県１億円、八戸市ほか三町で１億円、民間出資１億円であり、残り９億円はNTTの無利子融資６億3,000万円、民間金融機関２億7,000万円の融資で賄うこととした。

地域公団は、1974（昭和49）年８月に、魅力ある都市の育成整備を行う業務、大都市から地方への工業の再配置の業務、エネルギー革命により疲弊した産炭地の振興を図る業務を中心に地域振興政策を推進する目的で設立されたものである。1989（平成元）年３月には、青森県、八戸市が共同で地域公団に対して出資の要請を行い、同時に出資に関する申出書を提出している。

地域公団は、承認を受けた集積促進計画に係る集積促進地域における特定事業の集積を促進するため、当該地域おいて特定事業の用に供する業務用地の造成、そこにおける利用者の利便に供する施設を整備し、管理・譲渡すること、当該地域おいて産業の高度化に資する研究開発、研修等を行うための施設の整備及び管理の事業を行う者に対し、その事業に必要な資金の出資を行うこと、が法定されている。

3-5　八戸市製造業の統計的確認

以上のような展開等により、製造業の事業所数（図表3）、従業員数（図表4）、製造品等出荷額（図表5）は次のとおりとなった。

図表4　事業所数の推移（単位：事業所）

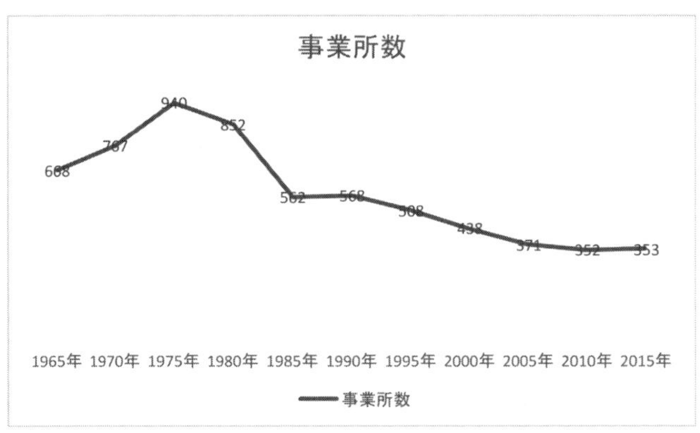

事業所数は、この期間、1975（昭和50）年をピークとして漸減傾向にある。後に見るように、製造品出荷額等は上昇傾向にあるため、1事業所当たりの生産性は向上しているものと推察される。

図表5　従業員数の推移（単位：人）

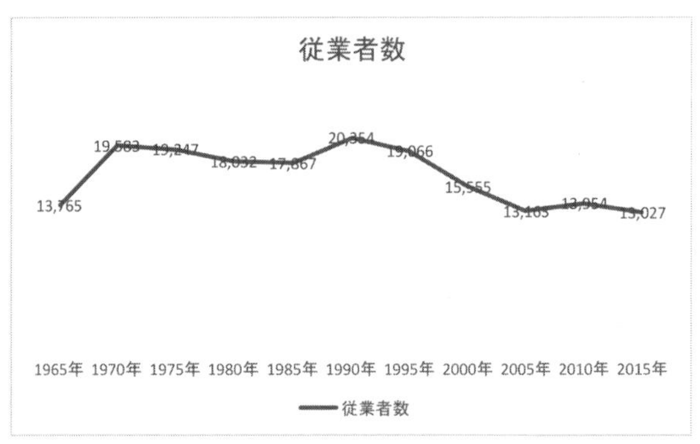

従業員数は、1990（平成2）年をピークとして、これも漸減傾向にある。ピーク時と直近の2015（平成27）年を比べると、36.0%の減少である。1事業所当たりの従業員数は、同期間で、35.8人から13.7人となっている。

図表6　製造品出荷額等の推移（単位：万円）

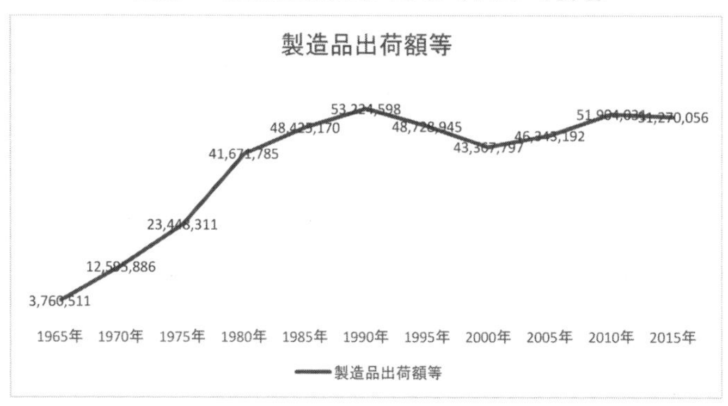

出所）図表3,4,5とも各年版『八戸市統計表』

製造品等出荷額は、この期間では増加している。1事業所当たりの出荷額は1965年の5,629万円から2015年には14億5,200万円と25倍に跳ね上がっている。

4　流通団地の建設と中心商店街

ここでは、流通産業と中心市街地の動向についてみる。

4-1　流通団地の建設

（1）八戸総合卸センター

通産省（現経済産業省）の外郭団体であった、中小企業事業団（現中小企業基盤整備機構）は昭和40年代に「高度化事業」を展開した（pp.475～478）。この事業は、中小企業を協同組合として集団化させ、合理化を進めようとするものである。対象事業は工業団地、商業団地、共同店舗、共同事業施設などであった。この事業の資金的裏づけは、昭和36年の中小企業高度化（店舗の立て直しなど）資金助成制度の制定であった。

1969（昭和44）年1月、協同組合八戸総合卸センターが設立された。67（昭和42）年当時、中心街に立地していた卸問屋は、折からの経済成長とモータリゼーションの進展によって渋滞が発生し、また店舗の拡張にも苦慮していた。交通規制がこれに輪をかけた。この時期の広域商業診断において、卸機能の高度化を図るためにも、問屋の郊外移転及び集団化が必要であるとされた。このことをきっかけとして、商工会議所内で対策を協議し、「集団移動」が議論された。「八戸流通調査会」が組織され、研究が始まった。参加希望者を募り、現八戸駅への名称変更などが議論された。「調査」段階から「建設」段階への移行し、調査会は発展的に解消され、「八戸流通センター建設推進会」に組織替えされた。そこでは、用地選定等の事前対策、買収資金調達、参加企業の確定などが協議された。

卸売団地造成に当たっては、物流協業化用地と情報協業化用地をセットで設置をするマスタープランを描いた。このときの物流と情報の共同化は、全国的なモデルケースとなった。参加企業は設立当初47社であったが、1976（昭和51）年の第二段階補完計画では、新たに20社が加わった。以後、共同配送事業の開始、共同電算センターの設立などを手がけ、さらには高度情報化時代に対応した高品質物流を目指した取り組みが行われた。

（2）八食センター

1977（昭和52）年10月には、協同組合八戸食品流通センター（後に八戸綜合食品センターに改称：現八食センター）が設立され、1980（昭和55）年11月にオープンした。八戸市の生鮮食品小売市場の中核であった陸奥湊駅一帯には鮮魚、塩乾物、雑貨等の小売店がひしめいていた。車社会の到来、200カイリ漁業専管区域の設定、あいつぐ食品スーパーの進出などの環境変化により、1972（昭和47）年度の診断で、地盤沈下が指摘された。1977（昭和52）年、八戸市中央卸売市場の開設（ちなみに、開設年度の青果部の取扱金額は、約17億円であった。2017（平成29）年度には、約222億円となった。）により卸売機能が二重化するなどの危機感から、建設の動きが同年頃から活発となった。研究会を設立して調査を行い、協同組合八戸食品流通センターが設立された。オープン当初は入居者の多くが売り上げ不振や資金不足で脱退していった。しかし、組合員の努力の結果、遠方からの顧客も獲得し、東北新幹線八戸駅開業以降は連日の盛況を誇るまでに発展した。

（3）八戸流通センター

八戸ハイテクパークの建設など知財産業の集積が進む中、住宅環境を整備し、さらに東北新幹線開業を視野に入れながら、1975（昭和50）年に「八戸新都市基本構想」が策定された。約330ヘクタールの計画区域のうち、4分の1は住宅部分とし、1万7,000人の居住人口を想定した計画であった。八戸ニュータウンづくりの始まりである。77（昭和52）年、「八戸流通基地構想」の中で、30ヘクタールの流通基地が計画された。

これの基本的考え方は、東北縦貫八戸自動車道によって流入する大型車の荷受け、市内及び周辺への配送の合理化・効率化を図る結節機能を有する流通基地を建設しようとするものであった。さらに高速交通時代の物流秩序によって流通基地を建設し、卸売業・倉庫業・トラック業を結合して、業界の合理化と八戸経済圏の拡充強化を図ることも意図された。同年、八戸商工会議所内に「八戸流通基地建設促進協議会」が結成され、民間レベルでの事業化が企図された。

1979（昭和 54）年には「八戸流通基地環境予測調査」が行われ、1980（昭和 55）年度には実施に向けての事前調査が行われた。翌 81（昭和 56）年、「実施計画書」が作成された。86（昭和 61）年 6 月、「八戸流通卸業協同組合」の発足により法人化され、事業の受け皿が確定した。様々な困難を乗り越えながら平成 2 年度 4 社、3 年度 11 社、5 年度 12 社がそれぞれ建設を完了した。94（平成 6）年 4 月に「八戸流通卸業協同組合」は「協同組合八戸流通センター」に名称変更し、現在に至っている。

4-2 中心商店街

（1）中央大手小売資本の進出

1964（昭和 39）年の新産業都市指定により、八戸市の工業は目覚しい発展を遂げた（pp.433 ～ 435）。しかし、当時の商業界は停滞していると認識されていた。そのようななか、中央大手小売資本の進出に揺れる。68（昭和 43）年 6 月 23 日に八戸丸光百貨店が開店した。当時の地元百貨店は丸美屋、三萬の二店舗、三春屋、三元などの呉服・洋品店などが中心街に立地していた。大部分は小規模な小売店であった。八戸市中心街の一等地への進出であり既存百貨店 2 店の 2 倍以上の申請面積ということで、大店法（大規模小売店舗法：一定規模以上の小売店舗が各地に進出する際、店舗建設前に、通産省（現経済産業省）に届け出をし、周辺の中小小売業に大きな影響を及ぼすと通産大臣（現経済産業大臣）が判断した場合、店舗面積の縮小等を勧告する制度）に基づく商業活動調整協議会（同法に基づいて進出先地域で店舗面積等の項目について審議する会議体）において 1 年に及ぶ審議を行い、30 パーセントの面積カットで結審した。

大型店の進出はその後も続き、1970（昭和 45）年、長崎屋八戸店が八日町に、71（昭和 46）年東北ニチイ八戸店が六日町に進出し、中心街は大型店攻勢にさらされた。一方で地元百貨店である丸美屋は、69（昭和 44）年に閉店を余儀なくされた。この後、80（昭和55）年には、イトーヨーカ堂が中心街に進出し、既存店と激しい競争を繰り広げる。

（2）ショッピングセンター建設

中央商業資本の進出などによる中心街の交通渋滞と駐車場難が指摘され、消費者の不満は高まりつつあった。そうした状況下、商工会議所は郊外型ショッピングセンター（SC）の建設について議論を進めた。1978（昭和53）年6月、「郊外ショッピングセンター研究会」、さらなる具体的事業推進のため79（昭和54）年5月、「八戸郊外ショッピングセンター建設促進協議会」を設立した。80（昭和55）年、土地取得を目的として八戸ショッピングセンター開発株式会社が設立され、建設に向けた動きが本格化した。最終的には、88（昭和63）年4月、八戸ショッピングセンター開発株式会社が長崎屋（後に経営破綻）を核店舗とする出店表明が行われ、90（平成2）年11月に「ラピア」が誕生する。用地は紆余曲折を経て、八戸鋼業及び三永製鉄跡地が選定された。ものづくりの衰退と商業の繁栄（産業構造の転換）の象徴する出来事であった。

（3）中心市街地活性化研究会

郊外型ショッピングセンターの進出など、中心市街地の空洞化が顕著となり、活性化に向けての数々の取組みが行われている。大型店の進出により、売場面積の占有率が飛躍的に上がり、地元小売業は苦境に立たされた。中心街も含めた商業環境の激変に対応するため、1975（昭和50）年度の商工会議所最重点事業として、「八戸地域商業近代化地域計画策定事業」が行われることとなった。産官学の連携の下、「住みよいまちづくり」を前提として、85（昭和60）年を目標年次としてビジョンづくりに取り組んだ。報告書の策定により、第一に八戸市商業が有するポテンシャルと現状の問題点が明らかになったこと、第二に、商業者をはじめとする関係者の「まちづくり」についての意識が高まった、といわれている。この計画と歩調を合わせて、青年会議所メンバーによる「ラブ・はちのへ」運動が展開されたさらに、これを契機として中心市街地（商店街）の活性化のための組織を作る必要性が意識され、「中心商業街区活性化研究会」が発足した。

1982（昭和57）年5月に発足した「研究会」は、三日町、十三日町、廿三日町、六日町、十六日町、八日町、中央通り、番町、朔日町、ロー町の経営者が参加し、中心街活性化に関する問題を取り上げ議論し、行政に対しても意見具申を行いながら、研究会自体も活性化事業に取り組んだ。具体的には、82（昭和57）年10月、共通駐車券事業、共通商品券事業（89（平成元）年7月）、キャブシステムの一部実現及びそれに伴う十三日町の整備促進、花小路通りプランの策定などであった。

このうち共通商品券事業は、「はちのへ共通商品券協同組合」を1989（平成元）年4月に発足させて具体化された。当時、東北地方では始めての事業化であった。この事業の特徴は、小売業以外にも理美容、タクシー、ホテルなどが加盟し、利用可能となっている点である。発足後、発行高は順調に推移し、現在では発行高全国上位となっている。

なお、現在、中心市街地の活性化については、「中心市街地における市街地の整備改善及び商業棟の活性化の一体的推進に関する法律」（中心市街地活性化法）に基づき、三次にわたる「中心市街地活性化計画」を策定し、活性化に向けた各種の取組が行われている。

おわりに

本稿では、主として八戸市史編纂委員会[2014]に依拠しながら、全国的な地域開発計画とそれに伴う八戸市の動向を確認したのち、第二次世界大戦後の八戸市経済の展開を、港湾整備等のインフラ整備、製造業・流通業の動向について概観した。

引用・参考文献
八戸市史編纂委員会[2014]『新編　八戸市史　通史編Ⅲ　近現代』八戸市、2014年3月
中居裕[1996]『水産物市場と産地の機能展開』成山堂書店、1996年2月

本稿は、年号及びその後の動向をふまえた叙述を付加し、八戸市史編纂委員会[2014]pp.403～412、pp.269～272、pp.273～274、pp.283～287、pp.365～366、中居裕[1996] pp.82～85、八戸市史編纂委員会[2014]pp.428～430、pp.343～347、pp.479～482、pp.484～486、pp.433～435、475～478、に依拠して執筆した。

第2節　八戸市で暮らす自立的な高齢者に対する社会福祉調査研究
―高齢者のプロダクティブ・アクティビティとその関連要因―

小柳　達也

はじめに

わが国は世界に例をみないスピードで高齢化が進んでおり、2015年時点で65歳以上の人口は3,392万人、高齢化率は26.7%となっている[1]。また同時に、少子化や人口減少の傾向も顕著にみられる[2]。

高齢者の多くは退職により仕事という役割がなくなっていることから、ボランティアやその他の援助行動は失われた役割を埋める方法として機能することがある[3,4,5]とされている。高齢者の社会参加活動の推進やそのための社会的環境の整備の推進を支えることに関する法的根拠としては、老人福祉法の基本理念にあたる第3条の第1項において、「老人は、老齢に伴つて生ずる心身の変化を自覚して、常に心身の健康を保持し、又は、その知識と経験を活用して、社会的活動に参加するように努めるものとする。」とされている。また、同法同条第2項において、「老人は、その希望と能力とに応じ、適当な仕事に従事する機会その他社会的活動に参加する機会を与えられるものとする。」とされている。そして、高齢社会対策基本法第2条第1項において、「国民が生涯にわたって就業その他の多様な社会的活動に参加する機会が確保される公正で活力ある社会」の構築が高齢社会対策の基本理念の1つとして掲げられている。

このような社会的状況のなか、増加する高齢人口を有用な人的資源として捉えるButlerとGleasonの提唱したプロダクティブ・エイジング（productive aging）[6]に対する関心がますます高まっている[7]。プロダクティブ・エイジングとは、「高齢者がプロダクティブ・アクティビティ（productive activity）が可能な状態で加齢し、そのような行動を行うこと」[8]と定義される。また、プロダクティブ・アクティビティとは、「有償、無償を問わずに物やサービスを生み出す活動」[9]と定義され、身体・心理面に問題が少ない高齢者にとっての選択的な行動として推進されている[10]。内閣府の世論調査[11]によると、わが国の60歳以上の人の半数以上が「社会のために役立ちたい」と思っている。そして、高齢者の大部分が自立的な生活を営んでいることからも、プロダクティブ・アクティビティの実行が期待可能な母集団の規模は潜在的に小さくないと考えられる。近年では、高齢者に対する過度な依存性のイメージを拭い去るとともに、当事者の活動をプロダクティブ・アクティビティという概念で捉えた研究の蓄積が求められているとの指摘[12]がみられる。既存の研究においては、高齢期における多様な活動と幸福感の関連に着目しそれを検証した研究は多くみられるものの、高齢者の活動をプロダクティブ・アクティビティという観点から捉えて検討したものは少ない[13]。それでも、ボランティアなどを含むプロダクティブ・アクティビティが高齢者の主観的幸福感（subjective well-being）に関連するという報告[7,14,15,16]もみられるようになっている。このような知見の蓄積により、高齢者のプロダクティブ・アクティビティの推進が社会のみならず当事者自身の利益につながるという指摘[17]が裏付けられている。

ところで、青木と松本[18]は、プロダクティブ・エイジングのための高齢者の意欲や意識を強化し、行動を起こさせる属性として自己効力感（self-efficacy；以下、SE）が注目されていることについて、この概念の特性や社会情勢を踏まえながら理論的に説明している。このSEという概念は、「自己の行動遂行可能性の認知、すなわち、ある結果を生み出すために必要な行動をどの程度うまく行うことができるのかという個人の確信」[19]と定義されるが、在宅高齢者の社会参加活動意向との関連が予想される心理的要因[20]とされている。概念提唱者のBandura[19]は、SEについて、個人が如何に多くの努力を払おうとするか、あるいは嫌悪的な状況に如何に長く耐えることができるかを決定するという点で、個人の行動に長期的に影響を及ぼすと指摘している[21]。この指摘に基づけば、高齢者がプロダクティブ・アクティビティを能動的、且つ継続的に実行していくうえでSEは重要な要因とも考えられる。また厚生労働省[22]は、地域包括ケアシステムの構築にあたり欠くことのできない地域社会内の互助において、そこで暮らす高齢者によるボランティアを含む援助活動、あるいは就労などの社会的活動に期待している様相にあるが、このような活動は紛れもなくプロダクティブ・アクティビティにあたり、その円滑な推進には当事者のエンパワメントに関する議論、あるいは支援実践も必要となろう。高齢者を含む地域住民のエンパワメントについては、保健福祉学からの研究アプローチ[23]がみられるが、人はエンパワメントの過程を通してSEが発達する[24]ともいわれている。実際に、エンパワメントの指標の開発に関する既存の研究において、SEが用いられているもの[25,26,27]がみられる[28]。SEは、社会的学習理論（social learning theory）や社会的認知理論（social cognitive theory）の中核をなす概念であり、これを背景として、高齢者に対する他者による働きかけや当事者を取り巻く環境の整備、調整を当該理論に基づき予測的に実践することが可能な点に有用性が見出せる。そして、この概念には一般性の次元が存在するが、日常生活場面などの一般的な場面におけるSEを一般的SE（general self-efficacy；以下、GSE）[29]という。地域で暮らす自立的な高齢者のなかでも、GSEの理論的特性からその程度が高い人は日常生活のなかでプロダクティブ・アクティビティをより積極的に行なっていることが予測できようが、その検証、あるいはこのような議論については、重要性は認められてもその積み重ねが浅く、両概念の関連について諸要因を含めて実証的に分析、検証した研究ともなると皆無に近い。

そこで本節では、「自立的な高齢者はGSEの程度の高いほうがプロダクティブ・アクティビティを実行している」という仮説を設け、その検証を目的とする。保健福祉学においては、当事者やボランティアなどを巻き込んだ「参加型」の仕組みの構築や普及などが求められている[30]が、本研究は、高齢社会対策の展開のなかで高齢者のプロダクティブ・アクティビティを推進する方策を立案しようとする際、あるいは実際に当事者を支援する際の一知見となり得るため一定の意義があろう。

1　研究方法

1-1　主要概念の説明と定義

(1) 自立的な高齢者

国際連合による報告書「The Aging of populations and its economic and social implications」[31]に基づくと、高齢者は「65歳以上の人」と捉えることができるが、本研究では、「『要支援1』以上の要介護認定を受けていない」「バスを利用可能」という2つの条件をクリアする70歳以上の高齢者を「自立的な高齢者」として、操作的に定義した。

(2) プロダクティブ・アクティビティ

高齢者のプロダクティブ・アクティビティは、有償労働（paid work）と無償労働（unpaid work）からなる概念[32]とされる。そこで、本研究のプロダクティブ・

アクティビティの定義は、岡本[12]にならい、Herzogら[9]による「有償であろうとなかろうとモノやサービスをうみだす活動で、家事、子どもの世話、ボランティア、家族や友人への支援のような活動が含まれる」を用いることにした。そして、プロダクティブ・アクティビティを有償労働、家庭内無償労働、家庭外無償労働の3つの領域から捉えることにした。そのため、この3領域から高齢者のプロダクティブ・アクティビティを捉えた柴田ら[16]の研究を参考として、「有償労働」を「収入を伴う仕事（家族従業、パート・アルバイトを含む）」、「家庭内無償労働」を「『家事（草取りや水やり、自転車の手入れ、家具などの修繕などを含む）』『買い物』『子守り』『介護・看病』」、「家庭外無償労働」を「『道路や公園の掃除など地域を良くする活動』『物を作って寄付したり、募金や古切手などを送る活動』『高齢者や障害者、子ども、福祉施設などに対する奉仕活動』『地域の活動や趣味などの会の世話役、手伝い』『民生委員、保護司、行政委員などの公的な奉仕活動』『友人や近所の人のために何らかの手伝い（家事や買い物、用事の手伝い、介護・看病など）』『その他の奉仕活動』」とそれぞれ具体的に定義した。その際、柴田ら[16]の研究における「家庭内の無償労働」を「家庭内無償労働」、「奉仕・ボランティア活動」を「家庭外無償労働」としたが、活動内容については変更せずに使用した。

(3) GSE

SEは、提唱者のBandura[19]によって前述のように定義されている。本来、SEは特定の課題と密接に結びついた認知であるが、この概念には一般性の次元がある[29]。すなわち、個々の課題を超越した一般的場面におけるSEといえるGSEが存在する[29]とされる。これらを踏まえ、本研究ではGSEを「日常生活などの一般的場面における自己の行動遂行可能性の認知、すなわち、ある結果を生み出すために必要な行動をどの程度うまく行うことができるのかという個人の確信」と定義した。

1-2 調査の対象と方法

調査対象地である青森県八戸市の総人口は約23万5千人であり、そのうち65歳以上の人口が約6万5千人、70歳以上の人口が約4万5千人である（2016年9月現在）[33]。八戸市[34]は、1929年に市制施行された当時の人口は5万2千人ほどであったが、2005年の市町村合併により人口が大幅に増加した。そして、2014年に可決・成立した改正地方自治法に基づき、2017年1月より中核市となっている。

内閣府の調査[35]によると、高齢人口層が特に厚い 1947 年から 1949 年に生まれたいわゆる「団塊の世代」において、一般的な高齢者のイメージを「70 歳以上」とする回答が全体の 42.8% を占め最も高く、これに「75 歳以上」と「80 歳以上」をあわせると約 80% に達している。このような実情を考慮し、調査対象母集団は、八戸市に居住している 70 歳以上の自立的な高齢者とした。また、本研究の実施にあたり、八戸市に立ち上がった保健・医療・福祉・研究・教育関連領域の従事者から構成される「八戸市生活支援体制整備事業研究会」にて、市内に在住する高齢者の移動手段について検討が行われた。その際、高齢者の運転事故の多発などを背景として運転免許証の自主返納施策が全国的に推進されるなか、八戸市内の高齢者において、バスが自家用車を代替する重要な社会資源であることについて認識し合われた。八戸市は、高齢者の社会参加の促進と生きがいつくりのため、市営バスおよび南部バス（民間バス会社）で使用可能な 1 年間有効の高齢者バス特別乗車証（はつらつ共有バス券；以下、バス券）を市内に住所を有する 70 歳以上の申請者に対して交付（一定の所得以下の人：4,000 円、一定の所得を超過する人：8,000 円）している[36]。このバス券の交付を受ける高齢者の大多数は、保健・医療・福祉機関・施設に住所を有しない所謂「在宅高齢者」である。そこで、八戸市高齢福祉課へバス券の交付を受けに訪れた高齢者に対して行政サービスが提供された後、調査協力依頼を行い、調査協力に同意した人に対して対面による無記名の自記式質問紙調査を実施した。プロダクティブ・アクティビティをさす 3 つの領域それぞれの具体的内容については、前述した柴田ら[16]の研究を参考として設けた項目を質問紙に記載したが、情報量がやや多くなったため調査協力者による質問紙への記入時、調査者が調査協力者からの疑問に応じ、適宜説明を行うことが可能な体制をとった。また、八戸市には 12 の日常生活圏域が存在しており、それぞれの圏域ごとの偏りを可能な限り防ぐために、調査協力依頼時に調査対象者が属する圏域を確認したうえで層化的に調査協力依頼を行った。

2016 年 6 月から 9 月にかけて、合計 218 人の高齢者を対象として調査を行なった。

1-3 調査項目および変数の点数化

(1) 基本属性

基本属性として、「性別（1項目）」「年齢（1項目）」「学歴（1項目）」を設けた。「性別」については、「男性」「女性」の2カテゴリとした。また、「年齢」については、平均年齢（標準誤差）を確認した後、「70歳以上79歳未満」「80歳以上」の2カテゴリに分けた。そして、「学歴」については、「高等学校卒以下（未就学・尋常小学校・新制小学校・旧制高等小学校・新制中学校卒）」「高等学校卒以上（旧制中学校・新制高等学校・旧制専門学校・短期大学・大学・大学院卒）」の2カテゴリに分けた。

(2) 身体・活動能力的要因

身体・活動能力的要因として、「手段的自立能力（instrumental activity of daily living；以下、IADL能力）（5項目）」「インターネット利用の有無（1項目）」を設けた。「IADL能力」は、古谷野ら[37]がLawtonの階層モデルに基づき、高次の生活能力を評価するために開発した13項目の多次元尺度である「老研式活動能力指標（TMIG Index of Competence）」の下位尺度を使用した。この下位尺度は5項目から構成されるが、できない項目がない場合は「障害なし」、1項目以上できない項目がある場合は「障害あり」と2カテゴリに分けた。そして、「インターネット利用の有無」については、「なし」「あり」の2カテゴリとした。

(3) 心理的要因

心理的要因として、本研究において主として着目した「GSE(16項目)」を設けた。「GSE」の測定には、坂野と東條[38]が開発した「一般性セルフ・エフィカシー尺度（以下、GESE）」を使用した。GESEは16の質問からなり、「行動の積極性」「失敗に対する不安」「能力の社会的位置づけ」の3因子より構成される。回答は二件法で、得点は0から16点に分布し、得点の高いほうがGSEの高いことを示す。またGESEは、一般成人のGSEを測定する尺度として高い信頼性と妥当性を有している（Kuder-Richardsonの21式による信頼度係数は$\gamma = .81$、再テスト法による相関関係は$\gamma = .84$）[21]。さらにGESEは、「地域福祉向上パワースケール」との間に有意な相関が確認28）されている。本研究では、GESEの合計点を確認した後にその高低の程度をあらわす5段階評定値21）、すなわち、「LOW（成人男性：0点～4点、成人女性：0点～3点）」「RATHER LOW（成人男性：5点～8点、成人女性：4点～7点）」「MEDIATE（成人男性：9点～11点、成人女性：8点～10点）」「RATHER HIGH（成人男性：12点～15点、成人女性：11点～14点）」「HIGH（成人男性：16点、成人女性：15点～16点）」を考慮して、「LOW」「RATHER LOW」「MEDIATE」

を「非高値群」、「RATHER HIGH」「HIGH」を「高値群」と２カテゴリに分けた。

(4) 社会的要因

社会的要因として、「家族形態（1項目）」「配偶者の有無（1項目）」「子どもの有無（1項目）」「暮らし向き（1項目）」を設けた。また、「家族形態」については、「独居」「夫婦のみ」「その他」の３カテゴリに分けた。また、「配偶者の有無」「子どもの有無」については、それぞれ「なし」「あり」の２カテゴリとした。また、「暮らし向き」については、「普通以下」「普通以上」と２カテゴリに分けた。そして、居住年数については、「30年未満」「30年以上」の２カテゴリに分けた。

(5) プロダクティブ・アクティビティ

従属変数である「プロダクティブ・アクティビティ（3項目）」については、有償労働、家庭内無償労働、家庭外無償労働の３つの要因について「していない」「している」の２カテゴリに分けた。

1-4 分析方法

回収データの単純集計を行なった後、有償労働、家庭内無償労働、家庭外無償労働それぞれと各変数との２変数間の関係をみるためにχ^2検定を行なった。そして、他の変数による影響を除去するために、χ^2検定の結果から統計的に有意な関連が確認された各変数を独立変数、有償労働、家庭内無償労働、家庭外無償労働それぞれを従属変数とする強制投入法による２項ロジスティック回帰分析を行なった。このようにして、プロダクティブ・アクティビティをさす３領域それぞれに関連する要因を分析した。この統計分析には、SPSS Statistics24.0を使用した。

2　研究結果

回収された 188 件（回収率 89.9%）の質問紙のうち、全ての質問項目に欠損のないこと、且つ、「要支援 1」以上の要介護認定を受けていないことが確認されたもののみを有効回答とし、結果的に 169 件を分析対象とした。

| 2-1 | 分析対象者の属性とプロダクティブ・アクティビティの実行状況

分析対象者全体の基本属性の分布を表 1 に示す。分析対象者の 66.9%（113 人）は女性、また、平均年齢は 80.4 歳（標準偏差 5.7）であった。また、GSE の程度をさす 2 群では、回答者が多いものから「非高値群」が 66.9%（113 人）、「高値群」が 33.1%（56 人）であった。

そして、表 2 に示すように、プロダクティブ・アクティビティとして捉えた 3 つの変数それぞれについて、有償労働を行なっている人は全体の 10.1%（17 人）、また、家庭内無償労働を行なっている人は 88.8%（150 人）、そして、家庭外無償労働を行なっている人は 24.9%（42 人）であった。すなわち、家庭内無償労働、家庭外無償労働、有償労働の順に実行率が高かったことになる。

表1　分析対象者の属性

(n = 169)

変数	度数	割合または平均値 (標準偏差)
性別：女性	113	66.9%
年齢（歳）	-	80.4（5.7）
年齢層		
70歳から79歳	73	43.2%
80歳以上	96	56.8%
学歴		
高等学校卒以下	89	52.6%
高等学校卒以上	80	47.4%
IADL能力		
障害なし	133	78.7%
障害あり	36	21.3%
家族形態		
独居	40	23.7%
夫婦のみ	45	26.6%
その他	84	49.7%
配偶者の有無		
なし	85	50.3%
あり	84	49.7%
子どもの有無		
なし	19	11.2%
あり	150	88.8%
暮らし向き		
普通以下	11	6.5%
普通以上	158	93.5%
居住年数		
30年未満	9	5.3%
30年以上	160	94.7%
インターネット利用の有無		
なし	159	94.1%
あり	10	5.9%
GSE		
非高値群	113	66.9%
高値群	56	33.1%

表2　プロダクティブ・アクティビティ3領域の実行状況　(n = 169)

変数	カテゴリ	度数	該当割合
有償労働	している	17	10.1%
	していない	152	89.9%
家庭内無償労働	している	150	88.8%
	していない	19	11.2%
家庭外無償労働	している	42	24.9%
	していない	127	75.1%

｜2-2｜プロダクティブ・アクティビティと他の変数との2変数間の関係

プロダクティブ・アクティビティとして捉えた３つの変数と諸変数との２変数間の関係について χ^2検定を行なった結果を表３に示す。

家庭外無償労働において、性別、家族形態、配偶者の有無、GSE と統計的に有意な差が確認された。

家庭外無償労働と統計的に有意な差があった変数のカテゴリごとの実行率について、まず、性別は「男性」が 37.5%、「女性」が 18.6%、次に、家族形態は「独居」が 15.0%、「夫婦のみ」が 42.2%、「その他」が 20.2%、次に、配偶者の有無は「なし」が 14.1%、「あり」が 35.7%、そして、GSE は「非高値群」が 19.4%、「高値群」が 35.7% であった。

一方、有償労働と家庭内無償労働と他の変数の間には、統計的に有意な差は確認されなかった。また、プロダクティブ・アクティビティをさす変数同士において全ての組み合わせで χ^2検定を試みたが、統計的に有意な差は確認されなかった。

｜2-3｜プロダクティブ・アクティビティに関連する要因

プロダクティブ・アクティビティとして捉えた３つの変数それぞれの実行要因を探るため、それらを従属変数として強制投入法による２項ロジスティック回帰分析を行った（表４）。

その結果、GSE の高値群は非高値群よりも家庭外無償労働を行なっている者の割合が有意に多かった。GSE の高値群（基準：非高値群）と家庭外無償労働の関連において、オッズ（確率）比は 2.36 であり、95%CI（confidence interval）は 1.10-5.08、有意水準 5% で統計的に有意であることが確認された。つまり、家庭外無償労働については、GSE の非高値群よりも高値群のほうが約 2.3 倍行なっていた。

また、回帰式全体の -2 対数尤度は 169.36、χ^2(df) は 20.16 (5) であり、有意水準 1% で統計的に有意であることが確認された。

一方、GSE 以外の独立変数とプロダクティブ・アクティビティをさす 3 つの変数との関連はみられなかった。

表3　分析対象者の属性別のプロダクティブ・アクティビティ3領域の実行状況

変数	カテゴリ	該当者数(人)	有償労働実行率(%)	家庭内無償労働実行率(%)	家庭外無償労働実行率(%)
性別	男性	56	8.9	82.1	37.5 **
	女性	113	10.6	92.0	18.6
年齢	70～79歳	73	9.2	91.8	28.8
	80歳以上	96	10.4	86.5	21.9
学歴	高等学校卒以下	89	11.2	91.0	22.5
	高等学校卒以上	80	8.8	86.3	27.5
IADL能力	障害なし	133	9.8	89.5	24.1
	障害あり	36	11.1	86.1	27.8
家族形態	独居	40	12.5	92.5	15.0 **
	夫婦のみ	45	6.7	80.0	42.2
	その他	84	11.7	91.7	20.2
配偶者の有無	なし	85	10.6	92.9	14.1 **
	あり	84	9.5	84.5	35.7
子どもの有無	なし	19	5.3	78.9	21.1
	あり	150	10.7	90.0	25.3
暮らし向き	普通以下	11	9.1	81.8	45.5
	普通以上	158	10.1	89.2	23.4
居住年数	30年未満	9	11.1	88.9	33.3
	30年以上	160	10.0	88.8	24.4
インターネット	なし	159	8.8	89.9	24.5
利用の有無	あり	10	30.0	70.0	30.0
有償労働	していない	152		88.8	25.7
	している	17		88.2	17.6
家庭内無償労働	していない	19	10.5		21.1
	している	150	10.0		25.3
家庭外無償労働	していない	127	11.0	88.2	
	している	42	7.1	90.5	
GSE	非高値群	113	23.3	85.8	19.4 *
	高値群	56	7.1	94.6	35.7

* p < .05, ** p < .01

注：プロダクティブ・アクティビティをさす3つの変数と各変数の関連を観察するためにχ^2検定を行った。
そして、統計的に有意な結果にアスタリスクを付した。

3　考察

3-1　分析対象者の属性とプロダクティブ・アクティビティの実行状況

わが国の全産業における 65 歳以上の雇用者数は上昇傾向にあり、2015 年時点で 458 万人[1]となり、(65 歳以上の) 高齢人口全体の 13.5% を占めている。分析対象者のうち、有償労働を行なっている人の割合は 10.1% (約 1 割) であったため、全体の数値よりもやや低いことになる。この数値については、本研究が 65 歳から 69 歳までを含まずに 70 歳以上の高齢者を調査対象としたことを考慮すれば理解が困難ではない。

家庭内無償労働は分析対象者の大半が行なっていた。これは、本研究において家庭内無償労働の内容を幅広く捉えたことが影響した結果と考えられる。それにしても、分析対象者の家族形態の半数以上が独居あるいは夫婦のみであったことから、家事 (草取りや水やり、自転車の手入れ、家具などの修繕などを含む) や買い物などを暮らしの継続のために行わなくてはならない高齢者が少なくないのではないかと考えられる。

他方、家庭外無償労働は分析対象者の 24.9% (約 2.5 割) が行なっていた。わが国の 60 歳以上の人を対象とした内閣府の調査[39]によると、「現在行っている社会的な活動 (グループや団体、複数の人で行っている社会や家族を支える活動のこと。活動内容が社会や家族を支える活動であっても、単なるご近所づきあいによるものは含まない。)」がある人は 30.1% と約 3 割にとどまり、残りの約 7 割 (69.9%) の人は特にこのような活動はしていない。すなわち、家庭外無償労働の実行者割合についても、本研究が 60 歳から 69 歳までを含まずに 70 歳以上の高齢者を調査対象としたことを考慮すれば理解に困らない数値といえよう。

3-2　プロダクティブ・アクティビティとGSEとの関連

強制投入法による 2 項ロジスティック回帰分析の結果、プロダクティブ・アクティビティとして捉えた 3 つの従属変数のうち、有償労働と家庭内無償労働については、全ての独立変数と関連がみられなかった。その一方、家庭外無償労働については、GSE との関連がみられた。具体的には、自立的な高齢者において、GSE の程度が高いほうがプロダクティブ・アクティビティをさす 3 つの要因のうち家庭外無償労働を行なっている者の割合が有意に多かった。したがって、本研究の仮説は部分的に証明されたといえよう。これについては、GSE が日常生活場面で人がどの程度多くの努力を払おうとするのか、あるいは困難にどの程度耐えられるのかを決定する要因[40]とされることに起因する可能性がある。すなわち、自立的な高齢者が日常生活のなかで家庭外無償労働を行なっていくには、それが当事者にとって意欲のわく活動であったとしても、ときには何らかの困難を伴うことが予想されよう。そうした際、GSEの程度が高い人のほうがその時々の状況の適応の前提となる意欲・モチベーションを有し、実行にむすびつきやすいのではないかと考えられる。このように、GSEの程度は家庭外無償労働の促進・阻害要因の１つと考えることができよう。

有償労働とGSEとの間に関連がみられなかったことについては、その活動を行う状況や理由が影響している可能性もある。すなわち、自立的な高齢者においても、GSEの程度にかかわらず、社会的・経済的な暮らしを維持するうえで必要に迫られ有償労働を行なっている人が少なくないであろう。その実態が原因となり、両要因間の関連が認められなかったように考えられる。実際にわが国では、高年齢者といえる60歳以上の人（施設入所者以外）のうち７割強が就労を希望しているが、その継続理由として最も多くを占めるのが「収入が欲しいから（49.0%）」であり、今後の就労意欲として「収入の伴う仕事をしたい（続けたい）」と思う人が44.9%いる一方で、「収入の伴う仕事をしたくない（辞めたい）」と思う人が54.9%いることが分かっている[1]。必要な収入を得ることを目的とした就労意欲は心理的要因のなかでも強力であろう。今後さらなる検証が必要であるが、有償労働を行なっている多くの高齢者においてこの意欲が強く働いている場合は、GSEなど他の心理的要因とその活動との間に関連が生じにくいのではなかろうか。

他方、家庭内無償労働とGSEとの間にも関連がみられなかったが、この活動として具体的に定義した「『家事（草取りや水やり、自転車の手入れ、家具などの修繕などを含む）』『買い物』『子守り』『介護・看病』」は、有償労働と同様に多くの場合、暮らしの継続のために必要性に迫られて行なわれることが考えられる。そのため、GSEと家庭内無償労働との間に関連がみられなかったものと推察される。SEの程度の変動に影響を与える主要な情報源の１つに「遂行行動の達成」がある[19]が、この概念の提唱者のBandura[41]が説明するように、もし、簡単に成功してしまうような体験が大半であれば、人は即時的な結果を期待するようになる。その場合、SEの程度の向上につながらないが、家庭内無償労働についても、これが自立的な高齢者にとってルーティン（routine）となっていれば、GSEの程度は変動せず、その活動の実行にも関連しないものと考えられる。

3-3　本研究の限界と今後の課題

本研究の限界と今後の課題を挙げたい。第一に、本研究における調査の母集団は「70歳以上の自立的な高齢者」であるが、標本は「八戸市で暮らす70歳以上でバス券の交付を受ける高齢者」であったことから、サンプル・セレクション・バイアス（sample selection bias）が大きく、結果の一般化は困難である。

第二に、本研究がプロダクティブ・アクティビティとして捉えた3領域、すなわち、有償労働、家庭内無償労働、家庭外無償労働は必ずしもバスの利用を要しない。本研究は、「バスを利用可能」という条件を設けたことにより、対象とする高齢者が限定的であったといわざるを得ない。また、バス券の利用者には自家用車の運転が困難となった高齢者が少なからず含まれることも考えられる。

第三に、本研究において主要な独立変数として設けたGSEは、実際にプロダクティブ・アクティビティをさす3要因のうち1要因と関連していたものの、青木と松本[18]が「先行研究を吟味する限り、SEは次（今後）の目標設定や行動遂行に影響を与え、その結果（遂行行動の達成や生理学的状態）がSE形成に影響を与えるという相互連関的な因果関係の連鎖のなかにある。したがって、SEとその関連要因とは、規定し、規定される相互規定の循環的な因果関係にあると考えるほうが順当であろう。」と指摘しているように、両概念の因果関係についての解釈には慎重にならねばならない。その因果関係の解明のためには、対象地域の地域性を精査したうえで、共分散構造分析やベイジアン・ネットワークなどを分析手法として取り入れた仮説検証型の本格的な縦断研究により知見を見出していくことが必要となろう。

おわりに

本研究において、自立的な高齢者はGSEの程度の高まりにより家庭外無償労働の実行率が増すことが示唆された。

日本老年学会[42]は、年齢区分の再検討により、「従来の定義による高齢者を、社会の支え手でありモチベーションを持った存在として捉えなおす」ことができるとその意義を強調している。またこれにより、「迫りつつある超高齢社会を明るく活力のあるものにする」ことができるとしている。既に述べたが、青木と松本[18]により、プロダクティブ・エイジングのための高齢者の意欲や意識を強化し、行動を起こさせる属性として SE が注目されていることが理論的に説明されている。本研究は、高齢者を取りまく社会の趨勢を踏まえたうえで、その理論的な説明について実証的なアプローチによる検証を行ったものである。またプロダクティブ・アクティビティは、社会・経済への肯定的影響がしばしば注目されているが、これを行う当事者が享受する恩恵についても具体的に明らかとされてきている[7,14,15,16]。課題は残ったが、このような研究の動向を踏まえ、当事者主体、且つ実践に根ざした科学である保健福祉学[43]の視座より研究アプローチを試みることはかなった。

本研究で得られた知見は、高齢社会対策の展開のために当事者である高齢者のプロダクティブ・アクティビティについて議論する際、あるいは実際に当事者を支援する際に役立つ可能性がある。

付記

本節は、八戸市からの調査協力及び「平成28年度八戸学院大学特別研究費」の助成を受けて実施した組織的な研究の成果物（既発表論文）[44]に幾分かの改訂を加えたものである。

なお、本研究は、八戸学院大学研究倫理委員会の指針を遵守して実施した（2016年7月19日承認）。調査者から調査対象者に対して、書面と口頭にて調査協力は強制でないこと、途中の辞退も自由なこと、調査結果は統計的に処理され、個人を特定できない形でデータ化し、高齢者の生活支援体制の整備および研究目的以外には利用しないことについて説明したうえで調査協力依頼を行った。そして、調査協力に同意をした人に対してのみ調査を実施する体制をとった。このような方法により、調査対象者の調査協力に対する任意性の確保に配慮した。

引用・参考文献一覧

1　内閣府．平成28年版高齢社会白書．日経印刷．2016.

2　総務省統計局．人口推計（平成28年10月1日現在）．
http://www.stat.go.jp/data/jinsui/2016np/index.htm（2017年6月1日アクセス）.

3　Chambre SM, Good deeds in old age: Volunteering by the new leisure class. Lexington Books. 1987.

4　Hunter KI, Linn MW. Psychosocial differences between elderly volunteers and non-volunteers. International Journal of Aging and Human Development. 1980-81. 12. 205-221.

5　Ward RA. The meaning of voluntary association participation to older people. Journal of Gerontology. 1979. 34. 438-445.

6　Butler RN, Gleason HP eds. Productive aging: Enhancing vitality in late life. Springer. 1985.

7　山口静枝，近藤昊，柴田博．農村地域の自立高齢者におけるproductive activitiesが主観的幸福感に及ぼす影響．応用老年学．2012．6（1）．59-69.

8　齊藤ゆか．ボランタリー活動とプロダクティヴ・エイジング．ミネルヴァ書房．2006.

9　Herzog AR, Kahn RN, Morgan JN. Age differences in productive activities. Journal of Gerontology. 1989. 44. 129-138.

10　藤田綾子．高齢者の学習講座参加によるプロダクティブ・エイジング志向性の変容．甲子園大学紀要．2013．40．65-71.

11　内閣府．社会意識に関する世論調査．http://survey.gov-online.go.jp/h27/h27-shakai/index.html（2017.04.11アクセス）.

12　岡本秀明．高齢者のプロダクティブ・アクティビティに関連する要因：有償労働、家庭内及び家庭外無償労働の3領域における男女別の検討．老年社会科学．2008．29（4）．526-538.

13　岡本秀明．地域高齢者のプロダクティブな活動への関与とwell-beingの関連．日本公衆衛生雑誌．2009．56（10）．713-723.

14　Baker LA, Cahalin LP, Gerst K, et al. Productive activities and subjective well-being among older adults: The influence of number of activities and time commitment. Social Indicators Research. 2005. 73. 431–458.

15　Wahrendorf M, Siegrist J. Are changes in productive activities of older people associated with changes in their well-being? Results of a longitudinal European study. European Journal of Ageing. 2010. 7 (2) . 59-68.

16 柴田博，杉原陽子，杉澤秀博．中高年日本人における社会貢献活動の規定要因と心身のウェルビーイングに与える影響：2つの代表性のあるパネルの縦断的分析．応用老年学，2012．6 (1)．21-38.
17 Bath PA, Deeg D. Social engagement and health outcomes among older people: Introduction to a special section. European Journal of Ageing. 2005. 2. 24-30.
18 青木邦男，松本耕二．在宅高齢者のセルフ・エフィカシーとそれに関連する要因．社会福祉学. 2001．41 (2)．35-48.
19 Bandura A. Self-efficacy: Toward a unifying theory of behavioral change. Psychological Review. 1977. 84. 191-215.
20 岡本秀明，岡田進一，白澤政和．在宅高齢者の社会参加活動意向の充足状況と基本属性等との関連. 生活科学研究誌．2003．2．263-272.
21 坂野雄二．一般性セルフ・エフィカシー尺度の：妥当性の検討．早稲田大学人間科学研究．1989. 2 (1)．91-98.
22 厚生労働省．介護予防・日常生活支援総合事業の基本的考え方.
http://www.mhlw.go.jp/file/06-Seisakujouhou-12300000-Roukenkyoku/0000074692.pdf (2017年6月1日アクセス).
23 渡辺裕一．地域住民の高齢者支援パワー尺度の作成とその保健福祉学的意義．日本保健福祉学会誌. 2013．19 (2)．59-63.
24 Cox EO, Parsons RJ. Empowerment-oriented social work practice with the elderly. Brooks/Cole Publishing. 1994. 小松源助監訳．高齢者エンパワーメントの基礎：ソーシャルワーク実践の発展を目指して．1997．相川書房.
25 Segal SP, Silverman C, Temkin T. Measuring empowerment in client-run self-help agencies. Community Mental Health Journal. 1995. 31 (3) . 215-227.
26 Rogers ES, Chamberlin J, Ellison ML, et al. A consumer-constructed scale to measure empowerment among users of mental health services. Psychiatric Services. 1997. 48 (8) . 1042-1047.
27 Man D. Community-based empowerment programme for families with a brain injured survivor: an outcome study. Brain Injury. 1999. 13 (6) . 433-445.
28 渡辺裕一．地域福祉における住民参加促進の実証的検討を目指して：住民が地域福祉向上に働きかけるパワーの測定の試み．社会福祉学評論．2004．4．7-17.
29 竹綱誠一郎，鎌原雅彦，沢崎俊之．自己効力に関する研究の動向と問題，教育心理学研究．1988. 36 (2)．172-184.
30 安梅勅江．保健福祉学に期待するもの．日本保健福祉学会誌．2008．14 (2)．13-15.
31 United Nations. The Aging of populations and its economic and social implications. The Dept. 1956.
32 Sherraden M, Morrow-Howell N, Hinterlong J, et al. 2001. Productive aging: Theoretical choices and directions. In Productive aging: Concepts and challenges, eds. by Morrow-Howell N, Hinterlong J, Sherraden M. Baltimore: The John Hopkins University Press.
33 八戸市．八戸市人口データ (平成28年度).
http://www.city.hachinohe.aomori.jp/index.cfm/8,94931,15,html
(2017年5月15日アクセス).
34 八戸市．青森県八戸市の概要.
http://www.city.hachinohe.aomori.jp/index.cfm/8%2C137%2C15%2Chtml

(2017年5月15日アクセス).

35 内閣府.「団塊の世代の意識に関する調査」結果(概要).
http://www8.cao.go.jp/kourei/ishiki/h24/kenkyu/gaiyo/pdf/kekka.pdf
(2016年3月1日アクセス).

36 八戸市. 生きがいと健康づくりのために(各種サービスの提供).
https://www.city.hachinohe.aomori.jp/index.cfm/25,1965,108,html
(2017年5月15日アクセス).

37 古谷野亘, 柴田博, 中里克治, ほか. 地域老人における活動能力の測定：老研式活動能力指標の開発. 日本公衆衛生雑誌. 1987. 34(3). 109-114.

38 坂野雄二, 東條光彦. 一般性セルフ・エフィカシー尺度作成の試み. 行動療法研究. 1986. 12(1). 73-82.

39 内閣府. 平成28年高齢者の経済・生活環境に関する調査結果(全体版).
http://www8.cao.go.jp/kourei/ishiki/h28/sougou/zentai/index.html
(2017年5月15日アクセス).

40 加藤佐千子. E有料老人ホーム入居高齢者の自己効力感と食生活・身体状況・活動状況・生活意識との関連. 京都ノートルダム女子大学研究紀要. 2007. 37. 1-14.

41 Bandura A eds. Self-Efficacy in Changing Societies. Cambridge University Press. 1995. 本明寛・野口京子監訳. 激動社会の中の自己効力. 金子書房. 1997.

42 日本老年学会. 高齢者の定義と区分に関する、日本老年学会・日本老年医学会高齢者に関する定義検討ワーキンググループからの提言. http://www.geront.jp/news/pdf/topic_170106_01_01.pdf(2017年6月2日アクセス).

43 安梅勅江. 新たな保健福祉学の展開に向けて：当事者主体の学際学融合研究とエンパワメント. 日本保健福祉学会誌. 2013. 19(1). 1-10.

44 小柳達也. 高齢者のプロダクティブ・アクティビティとその関連要因：自立的な高齢者の自己効力感に着目した調査・研究. 日本保健福祉学会誌. 2018. 24(2). 3-15.

第2章　漁業と流通の諸相

第1節　地域における水産物流通消費の変化の実相
—八戸地区の昭和40～50年代の考察—

中居　裕

はじめに

八戸地区における水産物の流通（消費地）と消費は、地域内の産地との関係のもとで長らく成立してきた。当地区は、早くから水産都市として発展してきたところであり、臨海部に漁港、魚市場、出荷・冷凍・加工などの産地機能を集積させ、そこから供給される水産物を基盤に自立的な地域流通体系が構築されてきたとともに地域色に富んだ食と消費が確立されてきたからである。

しかし、水産物をめぐる産地と流通との関係は、昭和40年代に至ると急速に崩れていった。その要因となったのは、地域流通を支えてきた域内産地の供給機能の変質であった。それは、域内産地の発展・変貌が他方において地域流通向けの供給の後退を招いていたからである。

そうした変化に対して地域流通における供給は地域外からの集荷に大きくシフトしていったが、しかしその転換は必ずしも円滑に進捗していかなかった。その障害となっていたのは、集荷を担う消費地卸売機能の脆弱性にあった。

これらの供給面における混迷が当地区の水産物流通消費に変化や停滞をもたらし、それが昭和40年代から50年代における当地区の水産物流通消費の実態であった。

1　地域流通の再編と流通消費条件の変容

八戸地区における水産物の地域流通は、早くから域内産地からの供給関係のもとに形成され、昭和30年代まで続いてきた。域内産地は、それまで三陸北部の近・沿海を主漁場とする漁船漁業の漁業・水揚基地として発達してきたところであり、またそこで水揚げされる魚介類を原料としてスルメを主体に缶詰・魚粕・魚油などの加工産地としても発展してきたところである。同時に、産地市場は地域流通に対する供給機能も有し、水揚げされた生鮮魚介が地場供給されてきた。水産物の生鮮市場が未成熟で局地的であった当時にあっては、そうした域内流通の介在が産地形成の重要な要件ともなっていた。このように当地区は地元産地市場からの恵まれた供給条件によって地域流通の成立を可能にしてきたのである。

しかしながら、地域における産地と流通との有機的関連は域内産地における拠点型産地の形成に向けた新たな胎動が始まる昭和40年代に入ると大きく修正されていくことになる。

表1　八戸魚市場における漁業種別・魚種別水揚量推移

		実数（トン）				構成比（%）			
		昭和30年	昭和40年	昭和50年	昭和60年	昭和30年	昭和40年	昭和50年	昭和60年
計		110,361	211,891	564,673	691,108	100.0	100.0	100.0	100.0
漁業種類別	イカ釣漁業（近海・遠海）	62,178	69,951	9,653	1,790	56.3	33.0	1.7	0.3
	イカ釣漁業（船凍）			67,010	68,358			11.9	9.9
	イカ流網漁業				49,965				7.2
	機船底引網漁業（船凍）			18,214	2,947			3.2	0.4
	機船底引網漁業（生鮮）	18,727	53,305	193,406	15,472	17.0	25.2	34.3	2.2
	サバまき網漁業		23,512	258,727	469,740		11.1	45.8	68.0
	サンマ棒受網漁業	8,571	6,851	3,510	4,475	7.8	3.2	0.6	0.6
	メヌキ漁業（延縄・縦縄・刺網）	4,557	3,674	372		4.1	1.7	0.1	
	（小計）	94,033	157,293	550,892	612,747	85.2	74.2	97.6	88.7
	その他	16,328	54,598	13,781	78,361	14.8	25.8	2.4	11.3
魚種別	ヒラメ・カレイ類	7,080	6,063	3,769	1,956	6.4	2.9	0.7	0.3
	メヌケ	8,561	3,077	3,061	521	7.8	1.5	0.5	0.1
	キチジ	1,686	2,407	3,062	1,041	1.5	1.1	0.5	0.2
	スケトウダラ	2,284	34,253	182,339	5,932	2.1	16.2	32.3	0.9
	イカ（生鮮）	62,741	69,951	9,662	3,246	56.9	33.0	1.7	0.5
	イカ（船凍）			66,777	116,434			11.8	16.8
	イワシ	856	4,944	1,017	447,941	0.8	2.3	0.2	64.8
	サバ	9,691	66,112	258,331	54,987	8.8	31.2	45.7	8.0
	サンマ	8,901	6,851	3,522	4,491	8.1	3.2	0.6	0.6
	（小計）	101,800	193,658	531,540	636,549	92.2	91.4	94.1	92.1
	その他	8,561	18,233	33,133	54,559	7.8	8.6	5.9	7.9

資料：㈱八戸魚市場『八戸魚市場五十年史』、及び八戸市『八戸の水産統計資料編 昭和60年版』より作成。

当地区における産地の基盤形成は、漁港及び魚市場の整備とともに大正年代から図られてきたが、本格的に進捗するのは昭和30年代以降のことである。そのなかで、漁港・魚市場及び加工団地などの基盤整備と冷蔵・冷凍施設や加工施設などの背後機能の充実といった産地体制の確立がなされ、さらにそれらの集積と相乗する方向で水揚げの継続的な拡大が図られることで、当該産地は北部太平洋海域における拠点的な漁港・産地市場として急速に台頭してきたのである。その水揚げの主体となったのが、時期を同じくして展開の図られた大型イカ釣漁業や大・中型まき網漁業、北洋底びき網漁業といった量産型の漁船漁業であった。その一方で、従来まで水揚げの主体となってきた近・沿海操業の中小業種の多くは、規模拡大、新規業種への転換、衰退・廃業などの形で水揚げの場から次第に姿を消していったのである（表1）。さらに、そうした大型業種による集中水揚げを反映して、水揚げ魚種もイカ、サバ、イワシ、スケソウダラの4魚種を主体とした構成に大きく変化していった。

同時に、そうした水揚げの拡大を背景に当該産地は出荷・加工産地としての展開を急速に推し進められてきたのである。特に、冷凍イカと生鮮サバの拠点的な出荷産地として、また前記の4魚種を原料基盤とした大規模な加工産地として展開していったのである。

こうした産地展開が、地域流通との関係に重大な変化をもたらした。それは、第一に当該産地の展開が全国市場との対応関係に置かれたものであり、それが水産物市場の未成熟な状況の中で構築されてきた既存の地域市場との対応関係を稀薄化させる方向で作用してきた点である。産地機能の面でも、全国市場に向けた出荷機能や冷凍・加工機能の充実に重点が置かれるなかで、地域流通に対する供給は二次的機能として位置付けられてきたからである。

しかも、第二に特定業種に依拠した水揚げの選択的拡大と一方での近・沿海魚種の淘汰といった水揚げ構造の再編は、魚種構成における多様性の喪失と単調化を招き、それによって地域流通に対する供給機能を品揃えの面から後退させている点である。

これらは、域内産地の発展的展開が一面で地域流通に対する供給機能を後退させることによって域内流通の再編を招いていったことを物語っている。

このような供給面からの地域流通の再編が、昭和40年代前半を画期として強力に推し進められていったのである。それは、域内産地における供給機能の後退と他方での域外移入への対応強化といった供給体制上の変化として推進されていくことになるが、実態としてはそうした状況の変化に対する対応が必ずしもスムーズに進んでいなかった。そのことは、域外移入に対する依存が長らく従来までの供給体制の補給的レベルに留まっていたこと、さらに集荷の面で全国流通との対応を本格化させるのも昭和50年代に入ってからであったことでも明らかである。

こうした集荷面の対応の立ち遅れが、域内供給機能の低下とともに供給面における空洞化現象を招いて流通・消費条件の劣悪化をもたらす重大な要因ともなっていた。特に、それは当地区での都市形成に伴う消費人口の増加、需要増大あるいは水産物小売構造の変化などとも相まって流通面での品揃えの貧弱性、品質の劣悪性、価格の割高性などの流通面における問題、さらには消費水準の低さ、内容的な貧弱さなどの消費面での問題、となってよりシビアに顕在化していたのである。

こうした供給面の混乱を招いた要因としては、地域外集荷を図っていくための、特に卸売段階における機能・体制の脆弱性の問題があった。当地区のような消費人口を抱えた都市では、その需要規模・性向に対処可能な集荷機能を持った卸売業者や消費地卸売市場の介在がみられるが、当地区の場合、そうした消費地卸売市場に水産物部門が設置されなかったことなどの域外集荷のための機能形成や体制整備が大幅に立ち遅れていたからである。そこでの最大の理由は、地域の卸売流通を担う流通勢力が強力に存在し、移入機能を補完的に担うことで、それに関わる新たな流通機構・主体の形成を困難としてきたからに他ならない。

そうした流通勢力としては、陸奥湊駅前通り商店街と産地仲買業者があげられる。前者は市内湊地区の陸奥湊駅前通りに展開する商店街である。ここには、中核となる市営魚菜小売市場をはじめとして大小13の小売市場（それらの延べ小売店舗数は市営市場の145店を筆頭に約370店にのぼった）や卸売業者の出店などの水産物関連施設・店舗及びその他の各種店舗が軒を連ね、水産物の一大商業地区が形成されていたからである。

近年、顧客吸引力の劣化や小売シェアの後退などによって地盤沈下が著しいとは言え、水産物の商業エリアとしては青森市の駅前市場などとともに東日本でも有数の規模を誇るものであった。同商店街は、もともとその背後地に展開する魚市場・産地と地域流通の媒体として機能発揮することで発展の基盤を造ってきたところであり、そうした意味からも八戸における水産物流通を卸・小売の両面から主導的に担ってきたところである。

卸売面では、戦後の担ぎ屋・行商などの買出し基地として栄えた昭和20～30年代に比べるならば、買出し人口は大幅に減少しているものの、当市及び周辺市町村の小売業者や料・飲食業者などの仕入先としては依然重要な位置を占めていた。市内において水産物小売の主流をなす食品スーパーの大半が水産物の仕入れにおいて何らかの形で当商店街に依存し、その卸売機能を担ってきたのが主に魚菜市場の小売業者や同商店街に店舗を構える卸売業者（産地仲買業者・移入卸業者）であった。域外からの移入機能を担ってきたのもそれらの業者であった。

他方の小売面では、集客エリアの縮小やスーパー型業態店の追い上げなどによって全盛期の精彩は失われたものの周辺地区などの地元消費者に対する小売マーケットとしての重要性は失われていない。なお、当市西部の尻内地区にも中央卸売市場（青果物）に隣接して、魚菜市場の分場とも言える協同組合方式の小売市場「八食センター」（昭和55年開設）があり（表2参照）、ここにも鮮魚・塩干関係を主体に70店の小売店舗が集まっている。

表2　八食センターの部会別売上額推移　単位：百万円

	水産部会	塩干部会	その他部会	合計
昭和57年	1,495	397	1,295	3,187
58年	1,503	375	1,423	3,301
59年	1,722	354	1,436	3,512
60年	1,897	405	1,474	3,776
60／57年	1.27	1.02	1.14	1.18

八食センター資料

後者の産地仲買業者は、当該産地の発展を流通・加工サイドから支えてきた勢力であり、全体として経営規模が大きく、特に大・中規模クラスの層が厚いことも特徴としてあげられる。しかも、業態的に出荷から冷凍・冷蔵、加工、地元卸にわたって総合的に営んでいる者が多い。そうしたなかで、地元卸機能は仲買の機能遂行において必ずしも積極的な位置付けを与えられていないとはいえ、当地区の水産物流通においては地元水揚品の地域流通に対する供給機能、あるいは近年重要性の増しつつある域外移入品の供給機能といった地元向けの卸売機能を担うことで重要な役回りを演じている。当地区の仲買業者の大半がこうした地元以外から仕入れているが（八戸市水産課の調査では業者全体の4分の3弱の44業者、表3）、しかしその多くは自家加工用の原料魚の調達であり、そうした意味においては地域流通向けの域外仕入れを恒常的に扱っている業者は主要なところで10業者前後と多くない。それらのなかには、上述の商店街に出店を構えるものも多い。

このような既存の流通勢力に依存できたことが、域外仕入れを担当する新規勢力の構築を必要としなかったこと、さらにそれが域外集荷の立ち遅れを生んできたのである。

表3　卸売業者の仕入れにおける移入魚比率（昭和59年）

移入魚の比率	業者数
10%未満	14
10～19%	10
20～29%	5
30～39%	6
40～49%	2
50～59%	2
60～69%	1
70～79%	3
80～89%	
90～99%	
100%	1
計	44

資料：八戸市「八戸における鮮魚流通実態調査」（昭和61年）

加えて、そうした既存勢力が域外移入機能を担っていくために、機能上あるいは対応力の面で大きな限界を有していた。第一は域外からの集荷機能が本来的に消費地サイドの卸売業者に属する機能であり、産地仲買業者にとっては必ずしも得意とする機能分野でなかったことである。第二は魚菜市場、八食センターなどの小売業者のなかには、自らも地元外から直荷引きするものも多いが、しかしそうした域外仕入れは全体に小口で、かつ補充的で、限定されたものであったからである。このような限界性が、域外移入による供給を補給的レベルに留まらせてきたと同時に域外移入への対応を積極化させてこなかった理由であった。

むしろ、問題となるのは、行政サイドの対応であった。つまり、それは問題状況に対する行政側の対策が効果的に取られてこなかったためであり、根本的には消費地的視点に立った流通政策の欠如が問題解決をより遅らせてきた。まさにそれは中央卸売市場の開設において水産物部門が付設されなかったことに集約される。

ただし、消費地卸売市場の開設に際し水産物卸売部門を付設しなかったのは八戸地区だけでなく、大型の産地卸売市場を地区内に既設してきた地区の全てに共通することであった。それは、それらの地区における水産物の地域流通が地元の産地市場を中心に成立していたからに他ならない。

こうした供給面での問題の解消がはかられるのは、域外集荷の条件整備が進められた主に昭和50年代に入ってからである。

それは、第一に域外集荷のための機能の集積が図られてきたことである。そのなかでマグロ専門の移入業者などの専業的な移入卸の形成が一定進んでいた。また、大手の仲買業者のなかには、移入卸部門の強化や既述の陸奥湊駅前への出店をはかるものも出てきていた。

第二に青森・盛岡などの近隣都市での中央卸売市場の整備によって集荷の利便性が高まったことである（表5）。当地区における水産物の移入先は、その全国流通化を背景に従来までの三陸や道南などの産地から東京、仙台、盛岡、花巻、青森、札幌などと広域化・多様化していったが、なかでも地理的に至近距離にある青森と盛岡の中央卸売市場に対する依存が高くなっていた。反対に青森や盛岡の市場にとって八戸地区は、その低品質性や割高性の固定化につながっていることにも注目しておかねばならない。つまり、両市場からの転送は、流通過程の多段階化を促し、それが品質の低下あるいは流通コストの増大を招いていたからである。

第三に、小売流通における大型量販店や食品スーパーなどの新規業態店の展開とそれらの水産物販売部門の強化が供給条件改善の重要な牽引力となってきたことである。当地区におけるスーパーマーケット型業態店の展開は昭和 40 年代に始まるが、しかしそのなかで水産物など生鮮食品部門を重視した展開が本格的に進められるのは大型量販店の進出や食品スーパーの展開の進む昭和 50 年代半ば以降のことである。それと相まって、昭和 40 年代まで地区内の水産物小売流通を主体的に担ってきた魚屋や食料雑貨店などの小売店が陸奥湊駅前通りの小売市場や八食センターを除いて、地区内から急速に姿を消していったのである（表 4、表 5）。そうした新規業態店の台頭に伴って、集荷・仕入れを地域外に依拠することで品揃えや刺身部門などの充実などが図られるとともに域外集荷に依存した仕入れ面での対応強化が図られてきたのである。この間における当地区の水産物流通・消費の変化が、こうした新規業態店の展開に主導されたものであると評することができる。因みに、昭和 50 年代当時、当地区には 4 店舗の大型量販店と地元資本の 6 社・約 30 店舗の食品スーパーが存在していた。

このなかで、当地区の水産物流通・消費条件は、全国レベルで低い水準にあるが次第に好転していった。しかし、域外集荷に対する依存強化の方向が、一面で地域流通の全国流通への統合の過程でもあり、それが水産物消費をめぐる地域性の喪失をさらに加速させていったのである。

表4　水産物関係小売業の商店数及び年間販売額推移

	商店数（店）				年間販売額（百万円）			
	鮮魚小売業	各種食料品小売業	各種商品小売業	うち、実際に水産物を取り扱った小売業の商店数	鮮魚小売業	各種食料品小売業	各種商品小売業	うち、実際に水産物を取り扱った小売業の販売額
昭和60年	209	238	7	399	6,719	36,391	16,662	11,823
57年	232	248	6	434	6,013	24,852	23,184	9,459
54年	243	269	8	457	4,532	20,110	20,919	6,952
51年	239	287	4	412	4,255	11,143	5,192	6,012
49年	251	・・・	3	405	3,857	7,472	9,760	4,296
47年	257	278	7	409	1,709	4,877	2,823	2,215
45年	311	240	13	448	2,185	2,810	2,919	2,444
43年	297	222	4	399	1,110	1,882	1,248	1,283

資料：商業統計

表5　八戸市の食品スーパー主要4社における鮮魚部門売上推移

	鮮魚部門売上高（百万円）					売上全体に占める鮮魚部門比率（％）				
	三春屋	中央スーパー	ユニバース	よこまちストア	合計	三春屋	中央スーパー	ユニバース	よこまちストア	合計
昭和52年度	1,080	587	517	86	2,271	31.1	14.5	14.1	14.9	19.3
53年度	1,213	602	565	147	2,527	30.8	14.3	14.2	14.9	19.3
54年度	1,410	587	745	253	2,996	32.0	14.3	14.8	18.2	20.1
55年度	1,371	531	727	206	2,837	32.7	13.2	14.3	17.4	19.6
56年度	944	542	859	232	2,578	30.5	11.8	15.0	17.6	17.5
57年度	1,138	590	887	239	2,854	32.2	12.3	15.1	18.0	18.4
58年度	1,402	552	919	204	3,078	33.0	11.6	14.9	16.2	18.7
59年度	1,458	496	1,138	180	3,272	34.3	11.3	15.0	14.6	17.6
60年度	1,508	474	1,151	198	3,331	34.3	11.0	14.8	16.4	18.8

資料：八戸信用金庫調べ

図1　八戸地区における水産物の流通経路

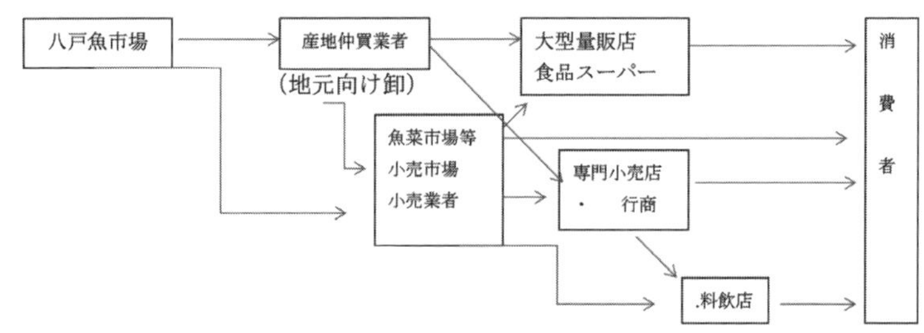

2　水産物消費の変化と特徴

ここでは、水産物消費について昭和 40 ～ 50 年代の変化と昭和 60 年代の実態について考察していきたい。なお、昭和 60 年代としたのは、同年代が昭和 40 ～ 50 年代における変化のひとつの到達点とも言えるからである。

2-1｜水産物消費の変化とその特徴

当地区における水産物消費は、昭和 40 年代を画期として急激な変化を遂げたことは既に述べた通りである。そうした変化はまさに昭和 40 年代以降における域内産地の発展・変貌に伴う水産物供給条件の変容、水産物小売流通構造の再編などの流通環境要因の変化と高度経済成長下での消費生活条件の急激な変容を反映したものであり、それはつまるところ一つの時代的所産であった。しかもそうした変化が消費品目の変化にとどまらず消費形態あるいは消費の地域性・伝統性をも伴ったものであった。

当地区の水産物消費の状況を変化の起こる以前の昭和 30 年代について概観すると、以下の通りである。

昭和 30 年代は、当地区における域内産地と域内流通の相互関係が最も機能的に発揮された時期であった。つまり、域内流通にとって最も恵まれた供給条件を獲得できたからである。

同年代に、当地区で流通・消費していた主要な水産物をあげると、魚介類としては　マイカ（スルメイカ）、サバ（マサバ）、セグロイワシ（カタクチイワシ）、ウバガレイ（ナメタ）、マガレイ（スナガレイ）、サメガレイ、オイラン、ヒラメ、タラ（マダラ）、ニシン、サンマ、ホッケ、キンキン（キチジ）、メヌケ、サメ（アブラツノザメ）、ハモ、クジラ（赤身、脂身）、タコ（ミズダコ）、カニ（ヘラツメガニ）、ホヤ、ホッキガイなど、海藻類としてはメカブ、コンブ、ワカメ、フノリ、マッモなどがある。さらに、水産加工品としては、干し・焼きカレイ、開き干し（サンマ、ホッケ、キンキンなど）、燻製品（さつま揚げ・竹輪）、海藻製品（ひきコンブ、アカハタ餅、味噌漬けコンブ・ワカメなど）、スルメ、コウナゴ、干しダラ、身欠きニシン、塩・焼ガゼ（ウニ）などがある。

ここでの特徴は、第一に当地区の水産物消費が域内産地からの供給に規定されたものとなっている点である。なかでも、生鮮魚介類の消費は、地元産地市場の水揚げを反映したものとなっており、その魚種構成も産地市場における水揚業種や操業海域等を反映して、多様かつ独特なものとなっている。魚種の中には、ウバガレイ、サメガレイ、マダラ、キンキン、アブラツノザメ、ヘラツメガニ、ホヤ、ホッキガイ、（メカブ）などの地域色の強い魚種も多く含まれ、それが当地での水産物消費の特徴の重要な構成要素ともなっていた。さらに、加工品の大半も地場産であり、そのなかにはひきコンブやアカハタ餅のような当地区の特産品もある。

第二に、そうした魚介類を中心として、魚と食との調和した地域の生活スタイルが創りだされていた点である。それは、日常的な、いわゆる『ケの日』の食生活が季節毎に出回る魚を中心に営まれていたことでも明らかである。そうした季節を代表する魚としては、春のニシン・メカブ、夏のイカ・ホッキ・カニ、秋のサンマ・イワシ（～春）、冬のマタラなどがあった。一方、年中行事や慶弔事などの、いわゆる『ハレの日』の料理も、魚介類を主体に構成されており、なかでも最大の行事である年越し・正月においてはマダラ、ウバガレイ、マダコ、ナマコ、塩クジラは欠かせない食材であった。特に、マダラはその中心となる魚であった。

一般に、正月料理に使用する魚によって、地域をサケ、ブリ、タイの三大圏に分類されるが、秋田から青森にかけた北東北地域はマタラ圏として新たに分類に加えることができよう。

第三に、そうした状況と相まって調理・魚食形態においても地域的な特徴が認められることである。なかでも、特徴的なのは、刺身などの生食形態による消費嗜好が全般的に希薄な点である。当地区で生食に供せられるのはホヤやナマコを除くと、せいぜいスルメイカだけといってもよい。魚介類は概して煮るか、焼くかの何等かの調理が加えられている。当地区の場合、郷土料理的な魚料理はあまり多くないが、代表的なものをあげるならば、クジラ汁（クジラの白身と野菜を味噌仕立てにしたもの）、イワシの煮なます（イワシと大根おろしを煮たもの）、タラの子あえ（マダラの子と大根・人参を煮たもの）、いちご煮（ウニとアワビの潮汁、ただし浜方面の料理）などがある。

こうした昭和 30 年代までの水産物の消費構造は、昭和 40 年代に入ると大きく変化していくことになる。それは、水産物消費をめぐる従来構造の解体・再編として、特に消費品目の大幅縮減として現出している。つまり、それまで消費に供されてきた魚介類の多くが、流通・消費の場から急速に消えていったからに他ならない。残った品目についても種類の変更や移入品などとの代替といった形で実質的に変化しているものも多い。先にあげた昭和 30 年代に消費されていた主な魚介類のうち、カタクチイワシ、ニシン、キンキン、メヌケ、マダラ、ウバガレイ、カニ、サメ、ホッキガイなどは、昭和 40 年代の早い時期に食卓から消えるか、もしくは食卓に載る頻度が極端に少なくなった食材である。また、サンマのように、地元水揚げから他地産からの移入に切り替わった物や、イカのように前浜の生イカから沖合・遠洋の冷凍イカへと内容的に変更された魚種もある。加工品においてもスルメ、コウナゴなどが生産減少とともに消費の場から消えていった。

こうした事態を招いた要因としては、基本的に域内産地の変貌、特に産地市場における水揚げ構造の変化が指摘されるが、さらに当地区前浜の沿岸漁業の衰退、対象資源の変動・減少、市場・価格条件の新規獲得なども要因として無視できない。このような消費品目の減少に対して冷凍魚（北洋凍魚など）や加工品への代替あるいは他産地などからの補完的移入なども図られるわけであるが、しかしながらこの時期の消費の内実は品揃え・内容とも従前までと比べて貧弱なものであった。一方で、地域性をもった魚種の淘汰は、それとの関わりによって形成されてきた消費の地域特性を大きく喪失させた。

これらの状況は、域外集荷への対応の立ち遅れとも関わって、昭和 50 年代半ばまで続くのであるが、一方においてその局面打開の動きも出てきていた。その契機となったのが、大型量販店や食品スーパーなどの新規業態店による水産物小売市場への本格参入であった（表 8 参照）。そうした小売市場での水産物需要（・品揃え）の増大と相まって、域外集荷の積極化など供給面での対応の充実も図られたためである。

表6　魚介類の1世帯当たり平均1か月間の都市別支出金額（昭和60年）

	1世帯当たり年平均1か月間の支出金額（円）	全国を100とした各都市の指数
全国平均	10,325	100
東北地方	10,826	105
青森市	12,487	121
盛岡市	10,596	103
秋田市	11,283	109
山形市	10,126	98
八戸市	6,778	66

資料：総務庁「家計調査年報」昭和60年版。ただし、八戸市は八戸市資料。

このような流通・供給面での活性化の動きは、消費サイドにおいても新たな変化を生じさせている。その第一が、新規商材の導入による消費品目の増加・充実である。特に、刺身用商材については、元来生食慣習の希薄なところであったため、刺身商材は少ないところであったが、マグロ・カジキ、カツオ、ハマチなどを中心とした刺身商材の流通拡大やマダラ、メヌケなどの既存魚種での刺身商材化などによって多様化している。

第二は、刺身商材の増加と相まった消費形態・性向における生食消費の伸長である。当地区における水産物消費の形態は、従来まで惣菜魚的消費が主流となってきたが、前記の動向とも相まって生食消費が大きく浸透してきた。

第三は、消費の全国的標準化・同質化への傾斜である。全国的に水産物消費の標準化・同質化傾向が強められるなかで、当地区は域外集荷機能の立ち遅れとも相まってそうした傾向への対応を留保してきた。しかし、域外集荷への依存、特に全国流通との関係強化のなかで、品目構成や消費形態の変化とともに標準化・同質化への傾向を強めていった。

第四は、消費における小売流通サイドからの規定性の強化である。主に50年代以降における当地区の水産物流通がスーパー型業態店に主導されたものであるが、そのことは当地区の水産物消費が当該業態のマーチャンダイジングに強く規定されたものであることを明らかにしている。前記の第一、二、三もそれとの関係のなかで位置付けられる。

こうした変化のなかで、それまでのマイナーな条件を引きずりながら、新たな消費構造の構築が進められてきたのである。

2-2　水産物消費の動向と地域特性

当地区の水産物消費の動向については家計調査年報や卸売市場年報などの手掛かりとなる消費データがないことから把握が事実上困難なことから、ここでは昭和 60 年代に実施したヒアリング調査に基づいて消費者の購買行動の側面から水産物消費の動向を探っている。

当地区における水産物の消費品目は、域外集荷の強化によって増加傾向にあったものの消費地卸売市場の開設される都市に比べれば概して少ない。因みに、小売段階における取扱品目数は、大型量販店で 230 アイテム前後、中堅食品スーパーで約 200 アイテム前後である。通常、食品スーパーでは約 300 アイテム前後であることから、アイテム数がかなり少ない。

こうした消費品目は、冷凍魚、鮮魚、刺身商材及び加工品に構成されているが、なかでも冷凍魚の占める比率が高くなっている。

冷凍魚としては、主にニシン、サンマ、イカ、アカウオ、ギンダラ、サケ（輸入ベニサケ中心）、カレイ類（北洋凍魚中心）、エビなどがあり、消費の最も多いのはイカ類（スルメイカ、ニュージーランドイカ、アルゼンチンイカなど）である。傾向としては、塩サケも含めてサケ（切身）の伸長が著しい。

鮮魚については、地元水揚げ品を主体にすることから、品目的にもサバ、ホッケ、イワシ（マイワシ）、サンマ、カレイ類、スケソウダラ、ホヤなど相当限定されたものとなっている。ボリューム的にはサバ、ホッケが中心で、マダラ・アキサケの鮮魚（切身）が増えている。

さらに刺身商材については、当地区においてその流通が本格化するのは昭和 50 年代に入ってからであり、その品目数は少ない。刺身商材として供給されている主な品目には、マグロ・カジキ類、カツオ、ハマチ、イカ、タコなどがあるが、主力はメバチ、キハダの冷凍赤身マグロである。また、マダラ、メヌケ、アブラカレイなど、従来惣菜魚として用いられてきた既存魚種の刺身商材化も進められているが、商材の選択幅は依然狭い。

なお、当地区の生食消費の特徴として挙げられるのが、全国的にも珍しいメカジキの刺身である。このようにメカジキの刺身が指向された背景には、当地区の場合、祝い事の酒肴として紅白に盛り合わせた刺身料理が供され、その際の刺身商材として紅のマグロに対して白のメカジキが用いられてきたことがあげられる。

最後に、加工品についてであるが、その主力となるのが塩干品、塩蔵魚卵品、燻製品である。塩干品としては塩サバ、開きホッケ、干しカレイ、塩サケ（輸入ベニサケ中心)、シシャモなどが主力である。塩蔵魚卵品は、主にスジコとタラコであり、消費の伸びが大きな商材の一つである。特に輸入もののベニコ(ベニサケの卵)の伸びが著しい。ただし、アキコ(アキサケの卵)は不人気である。燻製品は、竹輪、揚げ物が中心であるが、消費量は他の都市に比べて少ないといわれる。貝製品は、主にボイル・ホタテ(生鮮、冷凍)であり、殻付きの生鮮貝や生鮮貝柱も含めてホタテの消費の伸びが大きい。以上の消費品目の構成を前項の昭和30年代のそれと比較するならば、この間での水産物消費の変化の一端が明らかである。

表6は、八戸市と東北の主要都市における1世帯当たり年平均1ヶ月の魚介類支出金額を比較したものである。

これによれば、昭和60年の場合、当市の支出金額が比較した都市のなかで最も低い6,778円となっており、それは全国平均の3分の2、最も多い青森市の半分強に過ぎない。こうした消費の都市間格差は、各都市の世帯購買力・消費性向を現すものであると同時に、それぞれの都市の集荷・供給条件を一面で反映したものと考えられる。当市を除く各都市においては、消費地卸売市場の整備がなされており、それが消費地卸売市場の整備されていない当市との格差を生じさせている基本的要因と考えられる。そのことは、域外集荷に全面的に依存しなければならない海無し都市の盛岡市と山形市のほうが当市より消費支出が多いことで説明される。また、青森市が突出している理由としては、陸奥湾・津軽海峡・日本海各沿岸の水産物集散市場としての機能を有しているからであり、それは同市の魚介類消費における品目構成に端的に表現されている。

そうしたなかで当市の消費支出だけが特に低くなっている理由については、基本的に流通・供給条件の問題と消費構造そのものに求めていくことができるが、それらについては既に述べてきたとおりであるが消費の面から2点だけ指摘しておかねばならない。

第一は、消費の主体が低価格帯の鮮魚・冷凍魚及び加工品で構成されており、それが昭和40・50年代における消費の構造を規定している点である。

第二は、生食消費の脆弱性である。生食消費は昭和50年代頃から増加しつつあったと言え、消費全体に占める比率は未だ低い水準におかれていたためである。そこには、生食消費を制約している慣習的あるいは流通上の問題が指摘される。前者については、当地区における生食慣習の希薄性が指摘され、後者については生食を構成させる刺身商材の流通・販売上の限界性が大きく指摘される。それはつまるところ、刺身商材の価格設定と関わるものであり、消費の主体をなす低価格商材がその価格差別化の抑制材料となっているためである。そのことが、高価格商材の導入を抑制させて、品揃えの面から消費拡大を難しくしていたものと思われる。当地区の刺身商材の主力が赤身マグロ、カツオなどに限定されている理由もそこにある。

このような消費の構造が当地区の魚介類への支出を低水準に抑えてきたと思われる。

おわりに

昭和40～50年代は、八戸地区における水産物の流通消費にとって重大な転換期であった。その状況は当地区も含めて大型産地を抱えた地区に対して一般的に持ってきたイメージと大きく掛け離れたものであった。そこには、産地を抱えることによるプラス・イメージと裏腹な、むしろ大型産地を抱えたことによるマイナス・イメージだけが強く映し出されているかに見える。それがまさに産地の発展・変貌のなかでそれとの有機的構成を喪失することで変質を余儀なくされた地域における消費地流通消・消費の実相であった。

第2節　鮫地区の沿岸漁業と漁家の海藻食

加来聡伸・久保宣子

はじめに

青森県八戸市は、全国の中でも漁業が盛んな地域であり、特にイカ、サバ、イワシ、スケトウダラの水揚げ量が多いことで知られている。中でも多獲性魚のイカやサバは、昭和40年代から50年代にかけて全国へ供給された魚種であり、スーパーマーケットの普及とともに一般家庭でよく食されることとなった。その大きな要因は、この時期に全国的な冷凍技術の進展が見られ、鮮度保持機能が飛躍的に上がり、生産から消費までの物流の距離が広がったためであった。また、冷凍魚の出現は、流通構造にも大きな影響を与え、冷凍魚を中心に取扱いを始めた商社や大手水産会社等が、卸売業者に代わって価格形成や供給力に対して支配力を増し、市場を通さないスーパーマーケットとの相対取引が拡大したことで、産地の拡大と消費構造の変化が見られたからであった。

このように市場が大きく変遷した時期において八戸市の漁業は、大手資本の支配下に属しながら、特に冷凍イカの市場に応えるべく、港では冷凍庫施設や冷凍船の整備が進められると、水産会社の漁船、他県の漁船等と共に、ニュージーランドやアルゼンチンといった遠洋漁業を中心に日本一の水揚げ量を4回も達成するほど、規模を拡大させてきたのである。その後、排他的経済水域（EEZと以下略す）の制度化によって、水揚げ量を減少させることになるが、依然として全国の水産物の供給基地として、高い水揚げ量を誇っている。

しかしながら、このような規模の経済を狙いとする漁業は、今日の漁業資源の減少化やEEZに見られる漁業規制の影響により効率化を図れなくなってきている。八戸においても、例外はなく、近年の水揚げ量は、昭和63（1988）年の約816千トンをピークとして、その後のEEZの実施によって大きく減少し、平成30(2018)年ではピーク時の約8分の1に当たる108千トンとなっている。これらの減少魚種は、八戸漁業を特徴づけるイカ、サバ、イワシがそのほとんどである。世界的な人口増加の現象に加え、新興国の食習慣の変遷が起こっている昨今において、国内の漁業資源を今以上に確保することは難しく、その上で、全国の多獲性魚を中心とした漁業地域同様に、八戸市においても再編の岐路に立たされているといえる。

一方で、漁業資源を確保するという視点に立てば、限られた資源の中で持続的な経営を行っていこうとする養殖業をはじめとした沿岸漁業の在り方が注目されている。八戸市は、上述のように近代漁業の形成により大型の漁船が停泊し、水揚げできるような漁港の整備および水揚げに関わる冷凍庫などの加工施設が整備されてきたが、鮫浦地区を見れば、蕪島周辺および以南において、大きな開発が行われていない箇所もある。そこでは、現在でも「潜(かつ)ぎ」と呼ばれる伝統漁業の採介藻業が行われており、沿岸漁業を中心に展開してきた地域である。漁獲高などは、他の地域と比べ低いものの、この地域固有のアカバギンナンソウ（以下は通称のあかはたと略す）やすきこんぶといった食材などを生産している。また、漁業の衰退に伴う後継者の不足はこの地域でも同様に課題となっているものの、スモールビジネスとして、何らかの形で採介藻業が維持されてきた。

そこで本節では、近年の沿岸漁業が注目される中において、昭和40年代以降の鮫浦地区の沿岸漁業の様子を概観し、鮫浦漁業の経緯、「潜ぎ」と呼ばれる生業、そこに生活する人たちの食生活を整理することで持続的な経営の可能性を探りながら、地域の食を支えてきた実態について明らかにする。

1　市場再編下での八戸港と鮫浦地区の漁業展開

(1) 水産物市場の再編下

水産物市場で取り扱う魚介類は、通常、保存期間が極めて短く、鮮度や形、色、大きさといった個体差があることから公平に取引を行う場合、市場によるセリ取引が有効である。特に水産物は、農産物と比較しても鮮度保持が短いという商品特性を有していることから、効率的な集荷と分配を行う市場の機能は市場の拡大と共に不可欠であった。これに、鉄道や道路のインフラが整い、かつ冷蔵庫、氷冷製造などが漁港や市場に整備されたことで、鮮度保持機能を高めつつ、早急な輸送によって全国流通が可能となったのである。特に東京都内は戦後の高度経済成長期に世界でも類を見ないほど、人口密度が高くなったことから、大消費地へと成長し、全国の水産物は東京都へと集中していった。その水産物を取り扱う東京都中央卸売市場は築地、大森、足立の3か所であったが、その3か所の総年間取扱量は、83万トン（1978年）であるのに対し、築地市場だけで90％の75万トンを扱っていた[1]ことから、全国からの水産物は築地市場を核に東京都へ集まっていた。そのため、築地市場は、全国流通の拠点市場であるとともに、集散市場、全国の相場をリードする「建値」市場としての性格を有していたのである。

しかし、昭和40年代から見られた冷凍魚の登場によって、流通条件の変化が起こると築地市場の卸売市場においても取扱の変化が現れるようになった。すなわち、①築地市場の取扱において高価格漁あるいは高級魚が選択される。②価格形成における卸売業者の指導性が強まり、需給コントロールを通じて、価格操作、高値誘導が行われた。③供給側からの卸売価格に対する影響力が強化され、産地の大型出荷者（団体）あるいは大手水産・商社などが「指値」、「建値」の形で市場外からの価格形成力を強めた。特に大手水産・商社の水産物流通への参入強化が図られる中で、大手が掌握する冷凍魚がその主流商品として出回ることになったのである。つまり、この市場再編下とは、築地市場の卸売業者を核とする東京都の生鮮水産物が全国の相場を決定させる機能を有していたが、冷凍魚の出現によって料亭などの外食産業に対する高級魚の取扱にシフトさせるとともに、このような商品を扱う卸売業者の支配力を一層強くさせる一方で、市場外流通は大手水産や商社が冷凍魚を中心に支配力を高めていった。

いわゆる流通革命という形でチャネルリーダーのシフトが完全に起こった訳ではないが、商品によって取り扱うすみ分けが起きたと言える。ただし、築地市場において冷凍魚を扱っていないわけではない。むしろ、冷凍魚の取扱量は昭和30年後半から増加し、昭和46（1971）年には鮮魚を上回って、それ以後も主流となっていったのである。それほど冷凍魚の出現は、保存や保管が困難であった鮮魚の商品特性を脱し、新たに冷凍魚という市場を生み出すほどの革新的な出来事であったといえる。そして、冷凍魚の出現により、水産物市場は市場取引、価格形成、流通構造に大きな構造変化をもたらしたのである。

市場取引に関しては、セリ取引によって細かく商品評価をする必要がないことから、見本や情報のみで取引を行えるようになり、相対取引が一般的となる。そして、この相対取引は、非公開であることからその販売方法にも変化が起こり、基本的には市場外での取引となる他、倉庫に保存している水産物の物理的移動を伴わない「名義変更」による「倉売り」が現れる他（いわゆる商物分離）、一船買い（漁獲物を一船丸ごと買い取る）が行われ、予め定められた予定販売価格に従って取引が行われるようになったのである。また、このような取引を進めている大手水産資本と商社が、卸売市場に対する供給量を増す中で、大手価格指導性・管理価格化を強められ、代わりに市場内の卸売業者の指導性（築地市場の場合は高級魚へシフト）が低下していったのである。さらに、このころは、全国の地方市場の整備が進められた時期である。このような外的要因も相まって、これまで築地市場からの「転送」に依存していた周辺の地方市場は、新たに誕生した地方市場と同様に、市場の制度的制約のない場外問屋や大手水産・商社などからの集荷力を強めた結果、築地市場の「転送」機能が低下し、その支配力も弱まることになったのである。特にマグロは、築地市場の転送品目のなかでもっとも多かったのであるが、マグロを専門に扱う問屋が台頭する中で周辺市場は直接出荷によって、大きく減少してきている。

このように市場再編とは、大手水産資本や商社による水産物流通への介入によって、産地の供給源から流通に至るまでの大手支配が席巻され始めたことを指している。特に大手商社は、水産物輸入の拡大や冷凍マグロにみられた一船買いによる産地の掌握、場外問屋の設立とその系列化や冷蔵保有の強化などによる国内販売体制の確立が進められたのである。当然、八戸市でもこの市場に対応するように展開されてきたのである。

(2) 市場再編下における八戸漁業の展開

八戸市の漁業の特徴は、多獲性魚を中心とする大型産地として、全国でも屈指の漁獲量を上げているところにある。特に北洋漁業基地として釧路港とともに八戸港では、サバ、スケトウダラの多獲性魚を中心に漁獲量が拡大していったのであるが、この多獲性魚は加工業を必須とさせるもので、八戸港では冷蔵や氷冷、加工施設などの背後施設が普及したこととセットで展開されてきたのである[2]。

サバに関してみると、サイズに合わせ、大サバ（450 ～ 500g 以上）であれば生鮮出荷、中サバ（450 ～ 500 g ～ 250g）であれば、フィレやシメサバの一般加工向けの原料や缶詰向けの加工原料、小サバ（250 g 以下）であればミール・魚油向けの加工原料や養殖漁業用餌料向け凍結原料として使われていた。これは、大・中型まき網漁業によって大量水揚げされるサバにおいて、非生鮮出荷サイズの中小サバの加工や処理が必ず発生するため、これらの商品化の条件こそが、サバの主産地形成において絶対条件であったことを意味していたのである。これを裏付けるように昭和 45（1970）年から昭和 59（1984）年までのサバのサイズによる配分を見れば、例年６割以上が非生鮮出荷向けで配分されている（表１）。このように、八戸では、サバの漁獲量が全国でも屈指になった背景に、加工業の展開がセットとなって進展してきたのである。

表1　八戸におけるサバの用途別仕分け率

サイズ / 用途	水揚げ量	〈大サバ〉	〈中サバ〉			〈小サバ〉
		生鮮出荷向け	缶詰加工向け	その他食用加工品加工向け	冷凍向け	ミール・魚油加工向け
年（昭和）	トン	%	%	%	%	%
45	222,016	33.0	21.1	10.6	20.3	15.0
48	253,390	37.8	10.5	17.3	27.6	7.3
50	258,581	32.6	16.6	7.4	32.2	11.2
51	108,964	27.9	17.8	9.0	35.6	9.7
52	236,385	15.6	21.8	4.4	32.1	23.6
53	456,477	16.6	4.7	2.7	20.3	55.7
54	410,537	20.7	15.1	2.1	30.8	31.3
55	333,235	32.0	22.2	3.0	29.3	13.5
56	164,324	51.1	12.1	6.8	30.0	－
57	132,889	36.6	16.4	9.0	35.0	－
58	131,054	36.6	15.7	10.9	34.7	2.1
59	61,239	39.9	21.0	4.0	35.1	－

資料：中居裕『水産物市場と産地の機能展開』P.81表3 - 2 - 4引用
農林水産省「水産物流通統計年報」

一方、スケトウダラの加工業は、昭和34（1959）年に北海道の水産試験場において冷凍スケトウダラのすり身を用いた練製品の技術が開発されると、八戸でもちくわの原料としてスケトウダラを利用されるようになったのが始まりである。スケトウダラもサバ同様に、多獲性魚であったが、練り物利用以前は、魚卵の利用（タラコ）の他、干しダラ（八戸市内ではなく、農山村で保存食として利用され、二束三文で購入されていた）などの低次加工の利用しか行われず、切り身に関しては一部地域のみの利用が見られるが、戦後食料難の時代に配給されていた鮮度の悪くなった魚として認識されていたためか、圧倒的な資源量に対し、漁獲量はそれほど多くなかった魚である。だが、八戸においてこのスケトウダラの練製品加工業はイワシ絞り粕、スルメ干しの低次加工以外に登場したため、高次加工として付加価値が高まったことと、サバ・イカの端境期における加工を行うことで漁業全体の通年操業が図られたこと、などの理由から昭和40年代後半は、花形商材として位置したのである。しかし、EEZの問題以降は、スケトウダラの漁獲量は激減し、以降はサバ・イカ等の冷凍魚に加工原魚の転換が図られ、昭和50年代においては冷蔵施設の拡幅が進められた。

イカ漁業に関しては、八戸の沿岸漁業において古くから漁獲されていた水産物であるが、イカの漁獲量を日本一に伸ばした背景には、冷蔵庫の機能が基本となり、サバ同様に、生鮮品をメインに出荷されてきた。保存などの目的からイカ塩辛、スルメ干しの加工品が作られてきたが、冷凍イカ、ロールイカなど加工業が共に展開することにより、漁獲量を伸ばしてきたのである。

また、マイワシも八戸では昔から漁獲されていた魚種で、主に魚粕による肥料や魚油として利用されてきたものである。この昭和40年代後半の加工業の発展とともに絞り粕からミール業へと変革していくのであるが、これまで直火式による小規模かつ粗放的な加工であったのが、オートメーション化による機械化が進み、市川地区を中心とした水産加工団地においてスチームドライヤー方式のホールミール工場へと転換された。これにより、一日当たりの生産性が高まる他、歩留まりの解消や品質が向上することになった。なお、魚粕ないしミールは必ずしもマイワシを原料にしているわけではない。資源に恵まれていた八戸においてマイワシは昭和40年代では一時漁獲量の減少がみられたが、代わりにスケトウダラやサバの漁獲量が増加したことで、これらを利用し、EEZの問題以後はマイワシの漁獲量が回復するなど、原料不足による影響は回避され、八戸を代表する加工業として位置してきた。

このように、多獲性の4種の魚種を中心とした八戸漁業において、加工業と冷凍庫の背後施設は必要不可欠なものとして展開されてきたが、これらを整備する上では各種の振興策や基盤形成事業などが活用されてきた経緯がある。特に昭和40年代からの全国的な大型漁港への展開に伴う水揚げ拡大を背景に、産地流通加工センター形成事業（44年指定）、同補足整備事業（49年指定）、水産物流通加工拠点総合整備事業（57年指定）などの基盤整備事業が推進されてきた。これらは、水揚げの拡大、取引システムの合理化等の面で加工業に寄与するもので利用されてこられた。中でも加工業に直接関わった事業として市川地区の八戸水産加工団地が形成されたものがあり、この時期に水産加工業が大きく推進する。

中居氏の調査[3]によるとこの市川地区の加工団地は先のミール関係を主体（9社）に冷凍・冷蔵6社、缶詰4社、珍味4社、関連5社が進出し、八戸市の水産物加工生産額の40%（昭和59年の売上600億弱に対し）を占めるほどの規模であった。

また、この時期の八戸の加工業者の経営体の構成をみれば（昭和59年）、冷凍が57経営体、一般加工が45経営体、魚粕・魚油8経営体、珍味6経営体、缶詰

5 経営体の計 121 経営体であり、そのほとんどが冷凍と一般加工で占められている[4]。この経営体の中には大きく 2 つの資本性格を有しており、1 つは旧来からの地元の産地仲買業者、冷蔵業者・加工業者、組合・団体によるもので、もう 1 つは地元外から進出してきた水産会社、商社、大都市中央卸売市場卸売会社などの子会社、支店、工場などである。中居によれば[5]、大手・中堅はこのうち、34 経営体存在し、地元 24 経営体、地元外 10 経営体に分けられ、特に地元組の経営体はサバに重点をおいた経営展開がなされてきたのに対し、地元外の経営体はイカに重点をおいてきたとされる。

図1　八戸市の主要魚種別水揚げ量の推移（八戸市ホームページより引用）

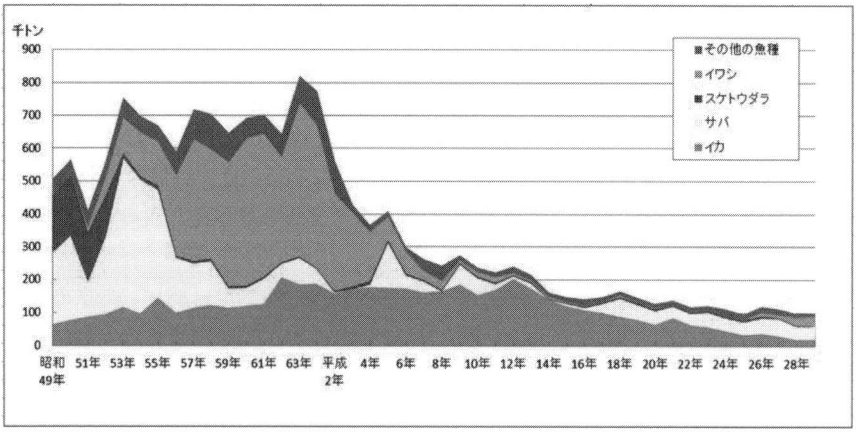

以上、八戸の漁業の展開には加工業を伴うものであったが、それは生鮮出荷をメインに展開されてきたため、加工業は冷凍・冷蔵と併営されつつ、冷凍部門の付随的部分として展開されてきたことに特徴があったといえる。このような展開は、水産物の全国市場に対応すべく、図られてきたことは言うまでもないが、この冷凍加工品は大手水産の供給掌握の大きな商材分野であったため、市場外取引を進めた大手水産会社の流通支配化の中で、八戸でも展開されてきたのである。また、これらの展開は八戸港において見られてきたが、加工業の規模拡大は市川加工団地に代表される他、白銀地区や小中野地区などで図られてきたのである。

最後に、これまでの漁獲量の推移を確認すれば図 1 の通りである。依然として、4 種の多獲性魚によって、八戸漁業は支えられているが、これらの魚種は年々減少傾向にある。規模の経済を狙いとした漁業産地は、資源の減少とともに現在加工業も含め、再編を余儀なくされていることは言うまでもない。

(3)鮫浦地区の開発と沿岸漁業

すでに見てきたように水産物市場にとって昭和40年代から50年代は、冷凍魚の出現により、ドラスティックな変化を遂げてきた。それは、これまで沿岸で獲れていた水産物が地域の漁業を規定してきたのに対して、昭和40年以降は漁船の大型化も相まって、産地の市場対応が地域の漁業を大きく決定していくことを意味していた。八戸の漁業においては、多獲性魚の拠点基地として冷凍庫と水産加工業のセットにより、市場対応を果たしてきたのである。

一方、この時期の鮫浦地区では、大型化の市場対応を果たそうとする動きがみられるものの、基本的には採介藻業を中心とする沿岸漁業の展開が見られた。昭和40年代の拡大期には鮫浦地区も、北洋への遠洋漁業が盛んになり、漁船の冷凍化や漁港の冷凍庫が設置され、オホーツク海域でのカニやキンキ、サケ、マスなどの高級魚を漁獲していた。多獲性魚に関しては、イカ等を中心に漁獲していたが、鮫浦地区では、市営第1魚市場が大型化されなかったことから多獲性魚はそれほど展開されず、高級魚獲得に特化していった。代わって、白銀地区の市営第3魚市場（昭和50(1975)年に開設）、小中野地区の市営第2魚市場（昭和34(1959)年に開設）がその大衆魚の処理・加工の受入漁港として位置づけられたことによって、EEZの問題以前の鮫浦地区は、遠洋漁業による高級魚などを漁獲し生産額を高めたが、EEZの問題以降は、もっぱら沿岸漁業を中心に展開されてきた。特に第2魚市場の開設は、昭和30年代に拡大していく漁船の大型化によるイカ、サバ、スケトウダラの処理等に応えるものとして建設されたものであり、漁港のすみ分けが図られると同時に漁業組合のすみ分けへと繋がっていったのである。

また、その後の昭和37(1962)年における「新産業都市建設促進法」による地域指定を八戸市が受けたことも漁港のすみ分けに大きな影響を与えた。当初、八戸港を近代化させることで交易を広げようと構想した神田重雄らの八戸港の開発目的は、水産物資源を効率よく配給するための整備だけに限らず、北東北の貿易の窓口として大型輸送船を入港させることであった。そして、港湾機能をさらに進めるための工業開発が上記の地域指定により大きく進展されたことで、八戸港は港湾埋立や防波堤建設、大型岸壁の建設が進み、工業港と漁港の港湾機能の分化がより一層図られ、大型の漁船を受け入れられる漁港の整備が展開されたのであった。

これらの大型化は時代の経過とともに鮫浦地区の以西において、小中野地区、市川地区、ポートアイランドの建設などで建設されてきた。しかし、これらの開発は産業の促進を図る一方で、海を汚し、漁業資源にも大きな影響を与えるものとなった。例えば、かつてのホッキ貝漁が盛んであった白銀地区ではその姿をなくし、市川地区においてもホッキ貝資源の減少が見られ、市川漁協のホッキ貝漁は資源保護を重視した漁へと転換を余儀なくされた[6]。この他、新井田川河口付近において、獲られていたモクズガニも姿を消し、海面の汚れとともに郷土食としていた地場資源が枯渇していったのである。つまり、八戸漁業は遠洋漁業の推進により、沿岸漁業によって漁獲していた多種類の魚種から単一大型化の大衆魚へと変貌し、同時にそのインフラ整備のさなかで郷土料理の資源となる魚種やセグロイワシや小女子などの「前浜」の資源を失い、食の多様性が失われた時期でもあった。加えて、八戸の魚介類の消費は、八戸の消費卸売市場の形成が全国よりも遅かったことから[7]、「前浜」の多様な魚種を消費する構造であったが、「前浜」資源の枯渇によって食生活は全国一律へと変貌し、郷土の食を風化させることになった。

いずれにせよ、八戸港の開発は普遍的な問題である一方での成長と他方での自然破壊という功罪を見せながら展開されてきたのである。しかし、先にも述べているように鮫浦地区は蕪島以西においては、八戸港の開発とともに漁港の埋立や岸壁工事が行われたが、蕪島以東に関しては、むしろほとんど手が加えられていない状態である。これは、鮫浦地区の地形に関係しており、蕪島以東は青森県の太平洋沿岸最南端に位置し、特に八戸市鮫浦から階上にかけて岩礁地帯が多くなっていることから、開発するには不向きであったと言える（詳しくは、次節以降を参照）。さらに、この場所は、冬季水温が低く沿岸域は岩礁域が多く起伏に富んで広がっていることから、海藻の生育に有利な海域特性を備えており、特にウニ、アワビ、こんぶといった生息条件としては、極めて恵まれていると指摘されている[8]。また、中でも鮫浦地区の海藻の分布は、近隣の南浜地区、階上地区と比較して最も高い水準にあるとされることから、鮫浦漁民の生活を支えてきた一漁業資源として重宝され、その開発の抑制へと繋がったのかもしれない。

表２　鮫浦漁業における漁業権

漁業免許	明治43年申請	昭和13年更新	昭和61年時点	2018年時点
タナゴ網	○	○	○（タナゴの小型定置網）	
アワビ	○	○	○	○
ウニ	○	○	—	○
サメガイ	○	○		
ヒメガイ	○	○		
ホッキガイ	○	○	○	
イガイ	○	○		
ホヤ	○	○	—	○
ナマコ	○	○	○	○
コンブ	○	○	○	○
ワカメ	○	○	○	○
ツノマタ	○	○	○	○
ノリ	○	○		
マツモ	○	○	○	
テングサ	○	○	○	
ヒジキ	○	○		
アサリ	○	○		
エラコ		○		○
フノリ		○	○	○
サイベ		○		
アカハタ		○	○	○
タコ			○	○
ヤリイカ			○	
コウナゴ			○	
サケ（刺し網）			○	○
マス（刺し網）			○	
カレイ（刺し網）			○	○
ヒラメ（刺し網）			○	○
カニ（刺し網）			○	○
コンブ養殖			○	○
ワカメ養殖			○	
ホタテ養殖			○	○
すじめ養殖				○
アマノリ				○
ギンナンソウ				○
ソイ、アイナメ篭漁業				○
はも（あなご）胴漁業				○

資料：明治43年と昭和13年は青森県水産史編纂委員会『戦前における漁業権免許原簿』1987年、昭和61年は熊谷拓治（他）『八戸漁連30年史』1987年、P.209、2018年は鮫浦漁協組合資料より

注：— は、おそらく継続して操業していたと予想されるが、資料の文面からは確認出来なかったため、不明とする。

その根拠に鮫浦地区の漁業が、青森県の専用漁業権の免許が開始された明治42（1909）年から今日まで、アワビ、ウニ、ホヤ、ナマコ、コンブ等の主力商品

に関しては大きく変わっていないことが分かる（表2）。時代の流れとともに漁業資源の減少や漁法の変化や経営の不採算性の問題から現在では見かけなくなった魚種もあるが、マツモやノリなどは現在でも自給的に食されているものもある。

鮫浦漁協の2017年度実績の水揚げ高は約1億3千5百万円であるが、漁業別の水揚げ高構成比でみれば、ウニ漁業が31％、潜水器漁業が17％、たこ漁業が13％、アワビが4％、こんぶ、すじめ、わかめ、ふのり、あかはた、つのまたの海藻類の漁業（採取、養殖含む）が12％となる。なお、海藻類ではこんぶ漁業が一番活発であり、こんぶ漁業で全体の5％、養殖のこんぶ（すきこんぶ）で3.6％の水揚げ高となっている。すきこんぶは八戸の郷土食で古くから煮物として食されているが、人参、ゴボウ、身欠きにしんと一緒に煮込んだ「すき昆布」という缶詰の商品が鮫浦漁協から生産されており、お土産などとして販売されている。また、この地区において最も特質すべき点は、あかはたと呼ばれる海藻であり、この地域特有の郷土食である。あかはたは味噌汁などに入れて食べる他、あかはたが溶けるまで蒸気で熱し、すり潰し、型に入れ、冷やして食べる「あかはたもち」という郷土料理がある。この他にも「ざるめ」や「あかもく」と呼ばれる海藻が採取されるなど、この地域特有の食材が生産されている。

このように、鮫浦地区の漁業は、岩礁地帯という特有な地形により大幅な開発が行われなかったが、むしろ自然条件に恵まれた採介藻業が生き残り、これらが地域の食材を支え、食の多様性を維持してきた。

表3　八戸市における沿岸漁業協同組合員数の変化

	1973		1983		1989		1996	
	総数	正組合員	総数	正組合員	総数	正組合員	総数	正組合員
市川	158	158	157	157	160	160	159	158
八戸市	134	116	122	94	89	68	54	45
八戸市白銀	300	179	275	144	224	119	159	83
八戸鮫浦	322	206	317	156	307	133	215	94
八戸市南浜	436	401	542	511	542	513	551	513

資料：青森県水産部『水産業協同組合の概況』各年次

（4）鮫浦地区漁業の変遷

最後に鮫浦地区の漁業が戦後どのように展開されてきたのか見ていくとする。

八戸市の沿岸地区組合に位置する漁業協同組合数の変化をみると、市川地区と八戸市南浜地区の組合数は大きく減少していないが、反対に八戸市、八戸市白銀、八戸鮫浦の漁協が著しく減少している（表 3）。また、正組合員の割合を見れば、鮫浦漁業と白銀漁業は 4 割、5 割程度に過ぎず、漁業に従事する組合員が減ってきている。このような差が表れているのには、大きくは EEZ の問題以降における多獲性魚の漁獲減少に伴う影響が考えられ、八戸市と白銀、鮫浦漁協は減少を余儀なくされたが、市川漁協や南浜漁協は沿岸漁業の回復を早い段階から行ってきたことと半農半漁という兼業体制が維持につながったものと考えられる。

例えば、市川漁協では零細漁業として半農半漁の特徴を有しながらイワシ漁で栄えた地域であったが、昭和 40 年代を境に漁獲量が減少し、ホッキ貝の移植放流を始め、サケの孵化滞留事業、ホタテのパイロット事業など養殖業に力を入れながら兼業という環境の中で漁家の生活を支えてきた。また南浜漁協でも零細でかつ半農半漁という特徴を有しながら高度経済成長期の中で八戸市への労働力を流失させつつ、沿岸漁業を衰退させてきたが、南浜漁業は岩礁地帯の漁場であったことから岩礁爆破や漁礁ブロックなど昭和 30 年代ころより資源の増殖保全事業を展開し、昭和 40 年代後半にはわかめ・アワビなどの漁場造成が行われてきた。

南浜漁業も市川漁協同様に、沿岸漁業の養殖業の事業を図ることで、漁業の再編に努め維持されてきた地域である。ただし、これらの養殖業が必ずしも全て成功を収めてきたわけではないし、専用漁業として収入が大幅に向上したわけでもなく、あくまで兼業とのセットの中で維持されてきたと考えるべきであろう[9]。

一方、鮫浦漁協では岩礁地帯であったことから古くから沿岸漁業を中心に展開されてきたことは先にも述べてきたとおりである。また、大型漁船化が進んだ昭和 30 年代での鮫浦漁業は、「昭和三十五年ころの「八戸鮫浦漁業協同組合」は四百名の組合員のうち、三分の一が和船漁業者であり、残りは海藻採取を生業とするか、釣り子としてイカ釣り漁船に乗り込む零細漁業者であった[10]」とされており、沖合に対応するような自営漁師が少なく、かつ沿岸対応しかできなかったとされる。そして、昭和 40 年ころになると南浜漁業と同じく、岩礁爆破によるこんぶ・わかめ・ふのりなどの海藻類の繁殖やわかめの養殖事業、アワビやサザエの稚魚放流などの事業が図られた。その後、わかめの養殖事業は採算が悪かったことから現在では養殖がおこなわれていないが、代わりにこんぶの養殖を拡大させながら、ウニ、アワビの移植によって現在の採介藻業の形になっていった。特にウニ、アワビの移植は、鮫浦漁業の漁獲高が高い事業であるが、これが本格化したのは、ポートアイランド建設時における鮫魚港近くに設置された防波堤の工事において、同時にこんぶの生息地を造成させる工事がきっかけであり、比較的近年の対応である。

このように、鮫浦地区でも周りの市川、南浜地区と同様に養殖業等の再編によって維持に努めてきたが、やはり組合員数は減少してきている。これは、鮫浦漁協における近代化の漁業転換が図られなかった漁師が、八戸の産業ないしは白銀などの大型漁船の乗組員へと就職していったと考えられる。鮫浦漁業は、もともと半農半漁という下地はなく、専門漁業であったが先に見たように零細であったか、ないしは自営ではない者も多かったことから、大半が他産業へ吸収されたものと推察されるである。例えば、漁業センサスの統計では、専業別で自営漁業経営体の性格を先の地域と比較してみると、市川地区と南浜地区は兼業漁業がほとんどでしかも「自営漁業が従」の割合がそれぞれ76.9%、50%である。それに対し、八戸地区は漁業専業率が37.3%、「自営漁業が主」である兼業を合わせると67.5%であり、鮫地区はそれぞれ27.1%、43.9%となって漁業依存度が比較的高いのである（表4）。

表4　八戸市における漁業種類・自営漁業経営体

地区	自営漁業の専業別				自営漁業で後継者のいる経営
	計	専業	兼業		
			自営主	自営従	
八戸	228	85	69	74	38
（鮫）	107	29	18	58	8
市川	13	1	2	10	2
南浜	54	7	20	27	6

資料：「第9次漁業センサス」1993年

注（1）鮫地区は八戸地区の内数である。

ただし、鮫地区の就業者が統計の通り、現状を表しているかは注意が必要[11]である。漁業センサスの漁業就業者の定義は就業の主従に関わらず、年間30日以上の海上作業に従事するものである。一方で、水産業協同組合法による漁業正組合員は、年間90日以上（漁業を営み又はそれに従事する場合）ないしは年間30日以上（特定区画漁業権及び第一種共同漁業を内容とする共同漁業権の場合）の漁業日数の者が該当されている。漁業センサスは海上作業を漁業就業者とするが、漁業組合員では漁業に関連する業務も含まれるため、捉え方が異なる。つまり、海藻の採取は海上で行われず、磯での採取を行えばセンサス上では漁業就業者とみなされないが、組合員としては含まれる可能性がある。

そこで、改めて表3において鮫浦地区の組合数を見れば、正組合員数と准組合員数は減少傾向にあるが、比較的准組合員の割合は他地区に比べ高い。正組合員の中でも、海上作業、陸上作業の両方を行う者は多いであろうが、海藻の採取時期と量に限度があるため、陸上作業を中心とした漁業者は、それほど多くはないと考えられる。一方、准組合員は年間30日未満の漁業を行うことから、採介藻を中心に少量の生産物を地元小売店等へ提供する者らが多いと推察される。

これらの人々は、現在、高齢者や女性の活動を見聞きすることから、准組合員は、高齢者や女性が多いと考えられる[12]。

以上のように、鮫浦地区では、採介藻業を伝統漁業として未だその生産が行われているが、その背景には、大幅な近代漁業の開発が行われにくく、豊かな資源が確保できるところに特殊な条件があったと考えられる。また、そのような環境下の中で、海藻食を自給的に利用したい人や少量の生産を行う者にとっては、准組合員の資格を取得している者もいるようであり、特に高齢者や女性の活動が関連していると推察される。このような資源供給の場は、共有資源（コモンズ）としての性格を持ち合わせた漁場でもあるといえ、今後は、どのような漁業活動が行われ、かつ地域住民の生活にどの程度影響を与えているかについて、具体的な調査を行うことが課題である。いずれにせよ、このような地域特有の食材およびそれらに関連する料理が地域文化の維持へと繋がっていたものと推察されるのである。

2　鮫浦漁港の歴史と伝統

(1) 鮫浦地区の漁場環境

鮫浦地区の地形や気候について、全国沿岸漁業振興開発協会の報告書[13]は、次のように述べている。青森県の太平洋沿岸最南端の地形は、特に八戸市鮫浦から階上にかけて岩礁地帯が多くなっている。冬季水温が低く沿岸域は岩礁域が広がっていることから、海藻の生育に有利な海域特性を備えている。気象は、太平洋式気候で、夏は30℃を超す日が数日あるが、概してしのぎやすく、冬は東北地方の北部にありながら降雪量は比較的少ない。春から夏にかけては偏東風（ヤマセ）が、冬は西風が卓越する。

鮫浦地区は、岩礁域が多く、起伏に富んでいるため対象生物（ウニ、アワビ、こんぶ）の生息条件としては、極めて恵まれており、海藻類も豊富な状態である。

入り組んだ急深な地形であるため実際に操業できる範囲は狭い。海底地形はリアス式海岸を反映して勾配が大きく、岩礁域が卓越しており、水深 20 m まで及ぶ。海藻の物理環境条件は良好である。鮫浦地区の海藻の分布は、近隣の南浜地区、階上地区と比較し最も高い水準にある。

（2）八戸港開発の玄関口となった歴史

岩見[14]によると八戸藩時代から鮫浦は、物流の重要な地点にありながら、天然の良港となる地形に恵まれず、危険な港とおそれられていた。鮫築港の始まりは、明治 12（1879）年までさかのぼる。当時、八戸町柏崎村戸長神山守衛から県に鮫港修築願いが出されたことで顕在化した[15]。その後、大正 8（1919）年の起工式、昭和 8（1933）年の竣工式と、八戸町柏崎村戸長神山守衛から県に鮫港修築願いが提出されてから着工・完成まで半世紀以上かかっており、当時の人々の悲願だったことが推測される。

小野[16]は、八戸港と八戸水産業推進の功労者として永く記憶すべき人物として、浦山太吉・長谷川藤次郎・神田重雄ら 3 人の名前をあげている。昭和 40（1965）年から 5 期 20 年わたり八戸市政を行った秋山皐二郎は回顧録[17]の中で、その 3 人について次のように記している。浦山太吉は港湾整備の構想をうちだした人、長谷川藤次郎は八戸の漁業を近代化した最大の功労者、神田重雄は港湾整備に力を注いだ人であるとしている。また、藩政時代から飢きんに苦しめられ、海を開けば八戸は必ず開ける－と努力を重ねてきた結果が、新都市として大きな実を結んだと回顧している。

県南各地に題材をとらえ生活、風俗はじめ、埋もれている伝承のたぐいを発掘し、昭和 47（1972）年から 49（1974）年に東奥日報に連載されたものをまとめた南部覚え書き[18]がある。八戸港の発展に伴う食生活の変化について次のように述べている。「鮫の蕪島から、先祖々久保付近の岩礁一帯は、昔から土地の漁師にとって海さちの宝庫であった。採られたものは浜からじかに「いさば」の手で台所へと直結ルートで届けられた。これは、魚市場出現以前の話である。漁港の整備と漁船の大型化が進むにつれて漁法も質より量への転換を余儀なくされた。岸壁にはスタントロールと呼ばれる五百トン級の底引き船が威力を誇示している。漁場はカムチャツカ、アリューシャン、アラスカ、ベーリングなどの海域である。」このことからは、八戸港の発展に伴う漁法や物流の変化が、食卓事情にも影響を及ぼしていることがわかる。

(3) 蕪島にいるウミネコ

鮫浦地区には、蕪島がある。大正11(1922)年にウミネコの繁殖地として、国の天然記念物に指定されている。現在、みちのくトレイルの出発点となっている場所である。「鮫浦眺望図」は、八戸を代表する日本画家、七尾英鳳が昭和5(1930)年に描いた屏風である。そこには、埋め立て工事が行われる前の鮫浦が描かれている。蕪島に続く道路はなく、橋が架かかり、空にはウミネコが羽ばたいている風景である。岩見[19]によると、当時の神田市長が、発展する八戸の海の陰に失う鮫浦の風景があり、それに心を痛め鮫から種差の海岸線の自然保護に努め、名勝地に指定したとある。

ウミネコとカモメの区別は難しい。「カモメ」はカモメ科の１種で、体長は４５センチほどで、翼の上面や背が灰色、腹と尾は白く、くちばしと足は黄色、翼の先には白い斑点がある。一方、「ウミネコ」は、全長47センチくらいで、尾の先の黒い帯や黄色いくちばしの先の赤と黒の模様などが「カモメ」と異なる部分である。漢字で「海猫」と書くのは、鳴き声が猫のものに似ていることに由来する[7]。

ウミネコについて古いものでは、約100年前に調査研究された記録が残っている。

1923年、今からおよそ100年前に和田千蔵[20]は「教育画報」において「陸奥蕪嶋の鷗」という題名でウミネコの生態を調査し、蕪島に出現する鷗の種類や蕪島産ウミネコの習性について写真と共に研究報告している。蕪島のことを、「蕪島は青森縣三戸郡鮫村の北方海岸近く横はれる一小島」紹介している。八戸市は、昭和4(1929)年に当時の八戸町・小中野町・港町及び鮫村の４町村の合併により市政を施行している。つまり、八戸市が誕生する前に蕪島のウミネコについて調査研究された記録となる。和田は、漁業との関係についても報告しており、漁師には「漁場を教えてくれる鳥」として大切にされていることが記されている。そのため、研究報告の中ではウミネコを保護することが蕪島付近の漁業に影響すると考えられ、世の物質的変化による影響と共に保護の重要性が示唆されている。「大正十一年三月八日附を以て史跡名勝天然記念物保存法により其の保存方を指定して永遠に保存せむとする機運に向ひたるは誠に喜ぶべき現象となりとす」と記されている。蕪島のウミネコは、法によって守られるだけではなく、地元住民の保護活動があったことも記されている。「鮫村青年団長福島富八郎氏以下団員一致協力して此れが保護に従事せしため…」約100年たった今も、ウミネコの見守りは地元住民の手で行われ続けており、地元住民による保護活動の功績は大きい。

他にも、1935 年、小松正躬[21]は「青森県八戸市大字鮫町蕪島に於けるウミネコの生態」という題名で和田と同様に写真と共にウミネコの営巣から巣立ち後、雛の療育や食性など詳細に研究報告している。その中で、ウミネコと水産業の関係について「八戸付近の漁師は古来ウミネコは神の御使で漁業の案内者なりとして信仰的に保護してきた」としている。

二つの研究報告からは、今も昔も変わらない蕪島にいるウミネコの姿が明らかとなっている。これらの文献目録は、昭和 44 (1969) 年に青森県生物学会八戸支部が、天然記念物蕪島のウミネコに関する文献目録など研究資料として作成したものである。このことは、時代を超えて地域の人々がウミネコの生態を大事にしていることを裏付けている。開発と発展により大きな成長を遂げた港と 100 年近く姿を変えない蕪島のウミネコは、相反しているようにみえる。人々の暮らしにおいて、成長や発展をすることと伝統や習慣を守ることは、どちらも重要なことである。それらが共存する姿が今も受け継がれていることは、地域の大きな財産となる。

(4) 今も残っている海藻食

鮫浦地区で現在も食べられている海藻について表に示した。

1) 採取場所と方法

海岸で海藻が生息する場所は、潮間帯と漸深帯の大きく二つに分けることができる[22]。潮間帯は、潮の満ち引きによって一日の一定時間干上がってしまう場所である。潮間帯は、満潮時の海面から干潮時の海面まで、深さによって上部潮間帯・中部潮間帯・下部潮間帯に分けられる。漸深帯は、干潮時の海面から水深数十メートルまでである。満潮時の水面を高潮線、干潮時の水面を低潮線という。

海藻を採取するには、潮の満ち引きが重要である。海の高さは一定ではない。月の引力で海水が引っ張られ、月の動きと太陽の動きによって、その現象はおきている。満潮時と干潮時の海岸の景色は、全く異なるものとなる。日本の太平洋側の満潮と干潮の差は、1.5 m あるとされ、干潮時には岩場が顔をだす。干潮時の水面を低潮線というが、低潮線により近い中部潮間帯・下部潮間帯に生息しているような、のり・まつも (まつぼ)・あかはた・ふのり・つのまた・ひじきは、干潮時間に合わせて岩場で採取することになる。

岩にくっつくように生息しているのり・まつも（まつぼ）・ふのり・ひじきは、岩肌からむしり取るように採っていく。波に寄せられ、海面を浮遊しているあかはた・つのまた・わかめ・こんぶ・てんぐさは、「かぎ」とよばれる道具を使い、ひっかけるように採っていく。「かぎ」は1.5 m前後の竹の棒の先に、海藻がひっかけられるように先が曲がった小さな金属が付けられた竹製の棒である。棒の長さは、使う人や使う場所、使う目的によって異なる。先端に取り付けられた金具は、取れてしまわないように紐で固定されている。採った海藻は、魚釣りの時に使われるものと同じようなすくい網（たも網）に入れていく。「たも」と呼ばれており、海藻がこぼれ落ちないように網の目が細かくなっている。

2）採取時期

海藻には季節変化がある。海藻は陸上の植物と違って冬から春にかけて種類・量ともに最も多くなり、初夏には胞子などを放出して枯れてしまうものも多い。水温が低下すると肉眼で見える大きさへと成長する。

通称名で、のり・まつも（まつぼ）・あかはた・ふのり・つのまた・ざるめ・ひじき・わかめ・こんぶ・てんぐさが挙げられる。生息している場所は、種類によって違い、比較的浅い上部潮間帯から水深20 mほどまでである。採れる時期は、ほとんどの海藻が１月から４月までとなるが、こんぶは７月から９月、てんぐさは年中となっている。

3）処理や調理の方法

八戸港の発展に伴う漁法や物流の変化が、食卓事情にも影響を及ぼしていることは前述したが、鮫浦地区には今も残っている海藻食文化がある。現在も食べられている海藻は、10種類ほどある。

のりは、貝などの不純物を取り除ききれいに洗う。板海苔の原料や佃煮にして食べられる。板海苔は、生のりを包丁で細かくたたき、水と混ぜ合わせる。それを和紙を透くように薄く均一に広げた後、乾燥させて作る。天然の岩のりは、甘みがあり、あぶった板海苔は、香ばしさと奥深い甘さが楽しめる。

まつも（まつぼ）は、硬い根の部分を切り取り、貝などの不純物を取り除ききれいに洗う。生のまま、熱い汁ものに入れると、茶色から鮮やかな緑色へと一瞬で変化して器の中を彩る。また、その形状から、出汁がよくからむ特徴がありうまみを感じやすい。乾燥させ保存できるようにしたものもある。

あかはたは、硬い根の部分を切り取り、貝などの不純物を取り除ききれいに洗う。生のまま一口大に切り、味噌汁の具にすることができる。他に郷土料理「あかはたもち」の原料となる。「もち」と呼ばれるが、餅のような食感はなく甘くもない。「あかはたもち」を作るときに必要なものは、「あかはた」だけである。あかはたを蒸して冷やし固めたものが「あかはたもち」である。時々、店頭にならんでいる「あかはたもち」の表面をよくみると、ござの目のような跡かたが見えるが、これは蒸してつぶしたあかはたをござの上にのばして冷やし固めるからである。似たような海藻食では、佐渡島の「えごねり」、福岡の「おきゅうと」があげられる。

ふのりは、砂を丁寧に洗い流し、根の部分をきれいに取り除く。お椀の中に浮かぶ味噌汁の具になる。

つのまたは、硬い根の部分を切り取り、貝などの不純物を取り除ききれいに洗う。生のまま一口大に切り、味噌汁の具になる。見た目が、あかはたとよく似ているが、食感はまったく違う。つのまたは、あかはたに比べて、つるっとした食感が特徴的である。

ざるめは、一見、わかめに似た色や形をしているが、全体的にざるの目のような穴があいている。硬い根の部分を切り取り、煮物やおでんの具となる。乾燥保存もできる。

わかめは、採取時期によりわずかながら食感が異なる。採れ始めの早い時期のわかめは、薄く軽めの食感である。また、めかぶは、わかめの一部であり根元部分である。めかぶは、粘りが強い食感であり、わかめの食感とは異なる。部位が違うだけで異なる食材となる。

こんぶは、天然と養殖がある。天然のこんぶは、岩場などで天日干しされる。昆布巻の原料やだし昆布となる。また、前述のように、養殖のこんぶは、茹でて細く刻んだ後、四角い型に薄く広げて乾燥し、すきこんぶに加工される。煮物として食される。

表に示しているように、ほとんどの海藻は寒い時期に採取するため、それは容易ではない。海藻は、寒い冬から春の始まりにかけて食べられるものが多い。まだ雪や氷の冬景色が残る岩場で採取するが、見えない海の中で季節変化は起こっており、海藻は春の訪れを準備していることを知らせてくれる。海藻の多くは、まだ寒さが残る時期に、潮がひいた岩場の水の中に手を入れて採取する。冬の海は、冷たく厳しいが、それは海の恵みの味をより一層引き立てる役割を果たす。また、食べるためには、そのままで食べられるものはなく、手間ひまをかけた下処理が必要となる。下処理には、細かい作業と時間が必要である。

多種多様な海藻食は、季節や伝統を感じることができるため、食生活を豊かにしてくれる。素朴な味わいであるが、海藻の採取方法や採取時期・調理方法には、先人たちの知恵の積み重ねがある。しかしながら、手間がかかるものや不便を感じるものは敬遠されやすい。今後は、資源の減少や担い手不足などによる知恵と技術の継承が課題になることが予想される。

表5　鮫浦地区で現在も食べられている海藻

通称	のり	まつも（まつぼ）	あかはた	ふのり	つのまた
標準和名	ハバノリ	マツモ	アカバギンナンソウ	フクロフノリ	ツノマタ
	幅海苔	松藻	赤葉銀杏草	袋布海苔	角叉
環境	潮間帯中・下部	潮間帯上部・中部の岩上	潮間帯下部から潮間帯上部	潮間帯上部の岩上、転石上	潮間帯下部
採れる時期	1月から3月	1月から3月	1月下旬から4月上旬	1月下旬から4月上旬	2月下旬から4月下旬
処理の方法	不純物を取り除き、きれいに洗う。	固い根の部分を取り除ききれいに洗う。	固い根の部分を取り除く。	砂を丁寧に洗い流し、根をきれいに取り払う。	固い根の部分を取り除く。
主な調理方法	板海苔の原料 佃煮など	湯通し後酢の物 お吸い物	郷土料理「あかはたもち」の原料となる 他に、味噌汁の具や湯通ししたものを大根おろしとあえるなど	味噌汁の具	味噌汁の具 酢の物 しゃぶしゃぶなど

通称	ざるめ	ひじき	わかめ	こんぶ	てんぐさ
標準和名	スジメ	ヒジキ	ワカメ	マコンブ	マクサ
	筋布	鹿尾菜	若布	真昆布	真草
環境	低潮線から漸深帯	潮間帯下部	低潮線から漸深帯	低潮線から漸深帯	低潮線付近から水深20mほどまで
採れる時期	3月中旬	3月から4月	4月から5月	7月から9月	年中
処理の方法	茹でる。乾燥保存もできる。	根を切る。 酢と鉄玉を入れて煮る。	末端の枯れた部分を取り除く。 芯の色が変わるまで茹でよく冷やす。	根を切り、枯れた部分を取り除き、天日干しで乾燥させる。	根を切り、乾燥させる。
主な調理方法	煮物やおでんの具	煮物 炊き込みご飯 炒め物	塩漬けにする。 味噌汁の具、サラダ、スープなど *5月以降はめかぶも酢の物などで食べる	だし昆布 昆布巻	寒天原料となる

おわりに

八戸市は漁業の町として、全国でも名高い地域である。しかし、多獲性魚を背景とした近代漁業は、海洋資源の制約により厳しい状況に置かれ、再編を余儀なくされている。この再編の動きは、八戸に限らず、全国の漁業地域においても同様のことであり、資源量に合わせた背後施設等を縮小することや新たな加工業、養殖業などの事業再編が行われている。だが、再編するにも大きな予算が投じられ、厳しい地方財政の昨今において、難しい選択を迫られていると言える。

本節は、そのような中でそれほど開発が行われてこなかった鮫浦地区を概観してきたが、そこには限られた資源を活用し、生活をする人々の存在を確認することができた。一つには採取している品種が大きくは変わらず、伝統漁法が現在でも見られること、二つには少量の生産ながら海藻食が地域の特産品として残ってきたこと、三つには准組合員の割合が他地区に比べ高いことから、自給的な利用等を含めて、海藻食等の資源を活用したい人々が比較的多くいる可能性がある。

このようなことから、自営漁業のみで生計を立てていくことは、全ての人にとって難しいのだが、副収入として漁業資源を活用することにより、漁業以外の所得と合わせることで、地域の生活を支える資源として位置づいていたと推察されるのである。

今後は、それでも組合員数が減少した要因を含めて、具体的に利用実態を把握することや他の地区における漁業資源の利用・管理方法の比較などを調査し、持続可能な沿岸漁業の在り方のモデルケースとして考察することが課題である。

参考文献／注

1　中居裕，中川雄二著『市場と安全―水産物流通、卸市場の再編及び食の安全―』連合出版、2015年、P.85を参照。
2　中居裕著「3.2　八戸地区における水産加工業の展開と変容」『水産物市場と産地の機能展開』成山堂書店、1996年、pp.77-110を参照。
3　中居　前掲書、P.84参照
4　中居　前掲書、P.85参照
5　中居　前掲書、pp.85-89参照
6　佐藤利明「地方都市の工業化と漁業構造の変容―青森県八戸市における漁民対応―」『総合政策』第2巻第1号、2000年、P.26を参照。
7　中居裕、中川雄二（2015）同書、「第2節　消費地卸売市場の未整備地区における水産物流通・消費の構造と特性―八戸地区における昭和40～50年代の変化を中心に―」pp.104-120を参照。
8　全国沿岸漁業振興開発協会編『特定地域沿岸漁業開発調査：青森県太平洋南部地域調査報告書』1995年を参照。
9　『八戸漁連三十年史』八戸漁業協同組合連合会、1987年、P.218-220に市川漁業の兼業について養豚事業の事例が紹介されており、昭和40年代においては、それなりの実績を残すなど、資源枯渇に伴う当時の沿岸漁業者にとって大きな副業となっていた。また、同書p.214において昭和37（1962）年の統計に基づき、南浜漁業の農業や他の仕事との兼業者多いことが紹介され、所得を補いながら生計を立てていたことが紹介されている。
10　前掲書，P. 209から引用
11　佐藤（2002）同書，pp.22-23にも同様の指摘がある。
12　鮫浦地区の組合数は2018年時点で正組合員数53名、准組合員数で61名となり、高齢化によって減少が進んでいる。しかし、同地区内においてウニやアワビの料理を提供する漁家レストランを開業すべく准組合員になった若い組合員もいる。
13　全国沿岸漁業振興開発協会編（1995年），同書
14　岩見善次郎著．鮫漁港完成80周年記念鮫築港と神田茂雄．平成25年
15　前掲書
16　小野久三著．八戸昭和史．昭和54年．東奥日報社
17　秋山皐二郎著．雨洗風磨秋山皐二郎回顧録．平成2年．東奥日報社
18　音喜多富寿ら他著．南部覚え書き．昭和50年．東奥日報社
19　岩見（平成25年），同書
20　和田千蔵．陸奥蕪嶋の鷗．教育畫報．16巻4号．121-127．1923年
21　小松正躬．青森県八戸市大字鮫町蕪島に於けるウミネコの生態．鳥 / 日本鳥学会．8（40）．446-461．1935年
22　神谷充伸監修．ネイチャーウオッチングガイドブック海藻．誠文堂新光社．2012年

第3節　三八地方の行商 ―女性行商人の活動を通して―

堤　静子

はじめに

昭和31年度「就労構造調査」では、行商の数は全国で30万世帯とされていたが、この行商人とは、店舗を持たない商売人であって、特に交通機関の未発達で、流通もままならない地域で活躍していたが、実際に店舗を持って商いをしていてもそれだけでは生活が大変なため外商に出る者や、季節的に行商を行う者などもいたことから、30万世帯を大きく超える行商が存在していたと推定できる。当時、日本一の行商地帯と言えば三陸海岸でその主要な基地は、塩釜、気仙沼、釜石、八戸などであった。塩釜・石巻で約1000人、気仙沼・大船渡で2,000人、釜石・宮古で2,000人、八戸約3,000人と推定されている。（秋山1960）その主要基地の一つであった八戸の陸奥湊駅前であるが、戦後、まだ経済統制時代に駅前を中心にして形成されたヤミ市が発展してできたもので、経済統制撤廃後、さらに賑わった陸奥湊駅周辺に戦争引揚者が住宅兼店舗として市場らしきものを作ったのが始まりとなっている。その後、昭和28年には、八戸市水産課の管轄の八戸市営魚菜小売市場が建設されたが、これは、戦争引揚者等の生活困窮者の救済を目的とした福祉的意味合いで建設された市場であり、この市場を拠点として、戦後、各地域との流通を担い商売をしたのが、背負いかごに前掛けがトレードマークとなっている女性行商人、俗称「いさばのかっちゃ」である。

現在、「八戸市営魚菜小売市場」は、新鮮な魚介類を買ったり、買ったものをその場で食べたりすることができ、また、昔ながらの昭和の雰囲気が感じられることから、八戸市の魅力ある観光資源の１つとして、人気が高いスポットとなっている。特に観光客は、朝市を楽しんだり、市場での朝ごはんを食べるなどで賑わいをみせている。この公設小売市場は、現代では、市場で働いている元気なお母さんたちの代名詞となっているものであり、八戸市のマスコットキャラクターにもなるなど、地元市民だけではなく、観光客にもその認知度は非常に高いものとなっている。しかしながら、これまでその「いさばのかっちゃ」については、記事として取り上げられたり、市史等での記録はあるものの、実際の労働、生活実態等についての研究はほとんどされていない。

もともと「いさば」は、「いさり場」すなわち漁をする場所あるいは人という意味であると言われており、八戸地方で「いさば」というと水産物を扱う魚商の労働者のことである。その多くは女性で、女性行商人を「いさばのかっちゃ」と呼んでいるのである。戦前における「いさば」は魚があがる港から八戸の町まで、俗にいう「いさばザル」に魚を詰めて天秤棒を担いで町を触れ歩いていたのだが、戦後になり、リヤカーや自転車での行商が台頭してきたことで、次第に男性のいさばがその役目を担うこととなり、女性のいさばはその労働市場から追い出されしまったのである。その結果、陸奥湊から三戸や十和田方面を商いの場とする女性行商人となっていくのであった。

本節では、この「いさばのかっちゃ」と言われる女性行商人に焦点をあて、戦後、ＪＲ八戸線陸奥湊駅前八戸市営魚菜小売市場を拠点として活動した実態を把握し、女性行商人の労働と生活について考察する。本節の構成は、以下のとおりである。

２では、八戸市営魚菜小売市場のあらましとその変容について述べる。３では、八戸市営魚菜小売市場を核として陸奥湊を拠点としていた女性行商人の実態について考察する。八戸市営魚菜小売市場組合理事長や元ガンガラ部隊として活躍した女性からのヒアリングにより、当時の労働、生活の様子を紹介する。４では、三八地方の女性行商人の実態を昭和 27 年、28 年当時の新聞記事から読み解く。そして、５では、女性行商人が実際に商いの場としていた三戸方面での行商活動について青果卸業者からのヒアリングした南部町、三戸町の商いの様子を紹介する。

< 現在の陸奥湊駅前の様子 >

出典：筆者撮影

1　八戸市営魚菜小売市場のあらましとその変容

1-1　八戸市営魚菜小売市場の誕生

前述のとおり、八戸市営魚菜小売市場は、ヤミ市が発展したもので、戦争引揚者が陸奥湊駅周辺に住宅兼店舗として市場らしきものを作ったのが始まりである。戦時中、駅が爆弾の攻撃目標となることから、駅前にあった役所の支所や診療所、公民館等は建物強制疎開によって後退させられた。そこで陸奥湊駅前の道路幅は広がり、その駅前の空き地に、復員者、軍人等、多くの海外からの戦争引揚者たちのための簡易住宅が提供されたのである。当時は、まだ経済統制の時代で、誰もが食料を確保することに必死の時代だったことから、陸奥湊駅を中心として空き地でのヤミ市が形成された。やがて、口コミで陸奥湊駅前が知れ渡り、経済統制撤廃後は流通の拠点としてさらに多くの人々で賑わうことになった。

陸奥湊駅前は県道ということもあり、非常に交通が混雑し、その秩序を保つために、昭和23年に引揚者たち14名が組合を作り、県道に面した引揚者用の住宅兼店舗として14店分を市場として建設し、市場らしきものがスタートした。（八戸市史編纂室 2006）当初は、2階建てのバラックで、下で商売し、上に寝る生活を送っていたという。その後、八戸市営魚菜小売市場が建設されることとなる。

昭和28年6月25日に「八戸市魚菜小売市場条例」が公布され、取扱品目を鮮魚介、塩干物、海藻類、野菜青果物類とし、魚菜小売業務の公正妥当を期し、消費生活の安定に寄与することを目的とし、昭和28年9月15日、陸奥湊駅前の湊町久保に4万2,944坪（1,417.15㎡）の八戸市水産課管轄の八戸市営魚菜小売市場が建設された。使用者数は197名（鮮魚48名、塩干物27名、煮干23名、開き魚33名、焼き魚29名、衣料品3名、靴類1名、野菜19名、店舗住宅付き14名）で、当時の使用料は、住宅付き店舗2階建ては月3,000円、市場は1コマ3.3㎡1日50円、売場1コマ1.65㎡25円、土地は1コマ3.3㎡1日20円、倉庫は1コマ1.17㎡月420円、冷蔵タンク置場1コマ1.65㎡月270円で、小売市場全体の年間収入は、フル稼働で約236万円であった。（八戸市水産課資料）

市場の使用申請にあたっては、当時の市場の使用許可申請書類より、引揚者等の生活困窮者の救済を目的とした福祉的意味合いが強い市場であったことが確認できている。申請にあたっては、市の母子福祉会や民生委員からの推薦書が添えられ、当時陸奥湊駅前や湊橋際付近の路上で鮮魚商を営んでいたが、露店を追放されるなど生活の困窮を訴えたものが多かった。新規申請、継続申請については、許可される使用期間は１年間であり、市場での商売を希望する者は、毎年手続きの必要があった。昭和 28 年の８月には、当時の村井倉松八戸市長名で民生委員宛に、市場の使用申請には生活実態を把握している民生委員の皆さんからの証明をお願いしたいということで依頼文が出されている。その文書には、従来の陸奥湊駅付近の路上、湊橋際付近の路上に於いて鮮魚商を営むもので露店を追放されることによって生活の途を絶たれるものを入居させたいとし、今後一切、道路上における営業は禁止する方針とする旨明記されていた。

表１　八戸市魚菜小売市場概要

所在地	八戸市大字湊町字久保38-1			
開設	昭和28年9月15日			
敷地	1417.15㎡			
建築面積	948.75㎡（延建築面積1189㎡）			
使用者数	197人			
（内訳）	鮮魚	48人	塩乾物	27人
	煮干	23人	焼き魚	29人
	開き魚	33人	野菜	19人
	土地	4人	店舗	14人
	売場	165㎡　1日25円		
	店舗	37.5㎡ 1日3000円		
	土地	3.3㎡　1日20円		
配置図	※別表＜既設　八戸市魚菜小売市場売場配置図＞			

出典：八戸市水産課資料より筆者作成

その後、市場開設からの１年半後の昭和 30 年３月には、金詰りとデフレ政策による不況及び浜のイカ不漁にも基因するものであるが、市場の使用料１ヶ月 3,000 円は高すぎてとても支払うことができない旨の陳情書が、当時の市場の代表で、昭和 20 年に住宅兼店舗の市場を開設した引揚者の一人であった青山万太郎氏より水産課課長宛てに提出されている。昭和 30 年（1955 年）当時の 3,000 円は、平成 30 年（2018 年）での 18,053 円にあたる。

当時の陸奥湊は卸売市場にも近く、八戸市の産業交通上の要所に位置し、生産市場と消費地の生鮮食料品流通の拠点として、八戸ばかりではなく、岩手や秋田県北の消費者にとっても重要な施設であった。その繁栄ぶりはめざましく、現在の閑散とした駅前からは想像できないぐらいで、連日早朝から業者、消費者、行商人らでごった返していたという。八戸市内は勿論のこと、県内では三沢、七戸、十和田、五戸方面からも買い付けに来ており、岩手県からは一戸、二戸、軽米、大野、久慈方面の商人も陸奥湊に集まってきていた。まさに陸奥湊は、食料流通基地として、卸売、小売機能が行きかう場であった。

図１　既設八戸市魚菜小売市場売場配置図

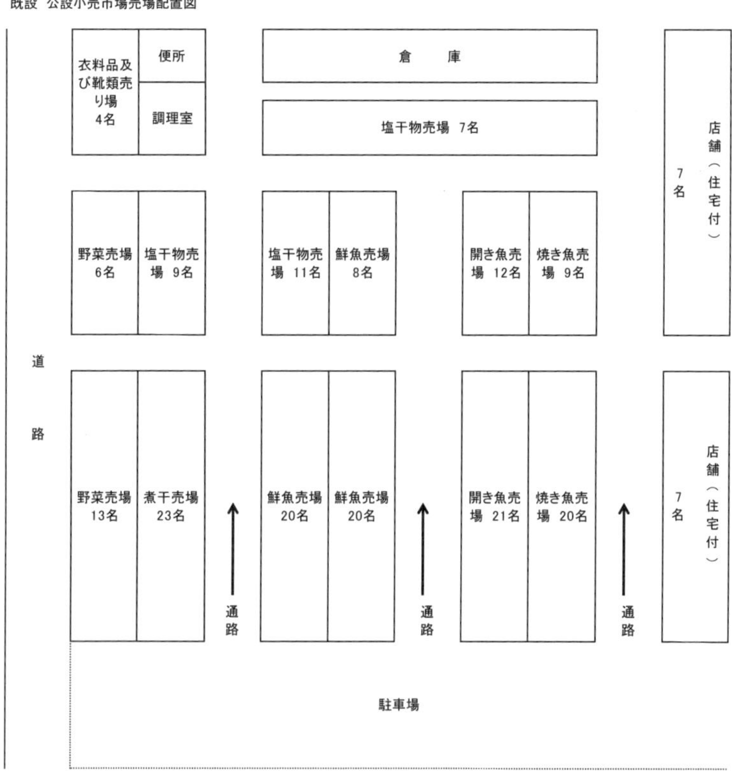

出典：八戸市水産課資料より筆者作成

1-2　八戸市営魚菜小売市場の発展

戦後の復興が急激に進み始めた昭和30年ころ、この市場を拠点として各地域との流通を担って活躍していたのが「いさばのかっちゃ」である。魚をブリキの函に詰め込んで売り歩くことから「ガンガラ部隊」と呼ばれた行商人で、その多くが女性であった。前述のとおり、県内各地、お隣の岩手県からも多くの商人が集まってきていた陸奥湊では、市場のまわりには道路はもちろんのこと商店の軒下まで、箱をならべただけの露店が数多くあったという。

現在の市場の出河理事長からのヒアリングによると当時は市場と言っても粗末な2階建てのバラックで、働いている人は、下で商売をして、上に居住するという生活を送っていたという。市場前の駐車場はいつも満杯。陸奥湊駅の待合室も常に満員、駅前通りは人と車でごった返していて、市場での買い付けが目的の者もいれば、市場で購入したものを近くの露店で他の買い付け人に売って生計を立てていた者もたくさんいて、魚だけではなく野菜、衣類、雑貨などなんでもひしめき合って露店が並んでいた時代。しかも、露天商の顔ぶれは朝と夕方でその顔ぶれが変わっていることもあり、実際に、市場を中心としたこの陸奥湊に集まってきていた人は、朝と夕、2～300人以上で賑わっていたという。

秋山（1960）によると30年代の陸奥湊には、露店商だけで600人やはり朝夕で大部分顔ぶれが変わっていて、買出し人は1日に約3千人、早朝から日暮れまで、入れかわり立ちかわりごった返していたことが記されている。近くの者は自転車やリヤカーで遠くのものはバスや汽車でやってきたという。

昭和37年には、それまでの「八戸市営魚菜商業組合連合会」を解散し、新たに「八戸市営魚菜商業協同組合」を組織して、燻製品や包装資材の共同購入などの新規事業を展開している。（八戸市博物館2013）

また、昭和28年建設の市場も老朽化し、また、食品衛生上憂慮される状況にあって、保健所から改築勧告を受けていたことで、昭和42年には総工費4,700万円をかけ、それまでの簡易木造建築物から鉄筋コンクリート2階建てに改築された。

改築にあたっては、これまでの年間収入約236万円から改築後は約1,117万円と約5倍の年間収入が見込まれ、使用料は住宅付き店舗2階建て12.2㎡月5,800円、市場は1階1コマ1.85㎡月3,000円、2階1コマ1.85㎡月1,500円、調理室3，3㎡月2,400円、倉庫3.3㎡月2,400円、貸事務所3.3㎡月500円となった。改築計画時の市場の取扱実績は、42年度で野菜3,328トン、水産物12,616トンで総額約 19 億 8 千万円。取引対象は個人家庭用が 95％で約 16 億 8 千万円、大口が 5％で 8,800 万円。流通は区域内が 70％で約 12 億 4 千万円、区域外が 30％で約 5 億 3 千万円という状況であった。

表２　取扱実績

	年度	数量（単位:t）					金額
		野菜	果実	水産物	食肉類	計	
取扱実績		t	t	t	t	t	千円
	39	2920		10950		13870	1,569,700
	40	3103		12410		15513	1,750,320
	41	3203		12450		15653	1,768,789
	42	3328		12616		15944	1,981,839
対象	家庭用％	95		95		14870	1,680,350
(41)	大口％	5		5		783	88,439
流通	区域内％	70		70		10957	1,238,152
(41)	区域外％	30		30		4696	530,637

出典：八戸市水産課「品目別取り扱い状況等調」より筆者作成

表３　取扱計画

取扱計画	計画対象年度	昭和43年度				
	同上推定人口	36,000人				
	区分	野菜	果実	水産物	食肉類	計
	取扱高	t 3458	t	t 23870	t	t 27328
対象	家庭用％	95		95		25962
(41)	大口％	5		5		1366
流通	区域内％	70		70		19130
(41)	区域外％	30		30		8198

出典：八戸市水産課「品目別取り扱い状況等調」より筆者作成

表４　施設の現況及び計画

	区分		基準面積	現在面積（本計画施工前）	不足面積	計画面積
施設の現況及び計画	売場	野菜	㎡	㎡	㎡	㎡
			2892	42.9	△2855.1	42.9
		果実	949		△948	
		水産物	1032	273.9	△758.1	731.2
		食肉類				
		計	4879	316.8	△4562.2	774.1
	その他	会議室				32.4
		調理室		19.8		40
		通路		359.57		560.3
		その他		405.75		212.155
		計		785.12		844.855
	買荷保管所		1463	33	△1430	75.7
	市場管理庁舎		378	24.75	△353.25	29.52
	業者事務室		2596	29.7	△2566.3	39.825
	冷蔵庫					

出典：八戸市水産課「品目別取り扱い状況等調」より筆者作成

我が国は高度経済成長期に入り、市民の購買力も非常に高く、また、漁獲量も高い時代で市場も八戸港も大いに賑わっていて、従来の生活困窮者を救済する福祉的市場から、流通の円滑化を図り、市民の食生活に寄与する消費生活市場へと市場の性格が変化し、市場が発展していった時期である。市場が改築される前後、陸奥湊・市場の賑わいもピークであり、市場への入居希望者が大変多い状況であった。経済部水産課の資料によると市場へ入居している者は大変な資力、財力をもっている者がいるが、生活困窮者の入居優先を望むという投書に対して水産課魚菜市場係が検討すると回答したことや、魚菜市場の管理について、市場通りの道路に１メートルも店をはみ出して商売をしている者がいて、交通渋滞や事故が起きる可能性が高いので撤去指導の対応をしてほしいといった投書もあり、当時の市場の人気、賑わいぶりが伺える。

昭和 42 年 11 月の魚菜小売市場使用者申請一覧によると 174 名の申請に対して 117 名が許可決定されていて、その申請理由については５割以上が生計を立てるためということで、変わらず生活困窮が一番の申請理由となっている。当時は、氏名、住所、年齢、年収のほか、生活状況を詳しく申請されており、その内容をみると戦後より生活扶助で暮らすものや看病、介護を必要とする家族がいたり、夫に先立たれた未亡人といった申請理由が多く見受けられるが、昭和 42 年 11 月の市場申請者のうち使用者として決定された者の男女比は、男性 6 割、女性 4 割と男性の方が多い状況であった。年齢については、下は 20 代から上は 50 代まで様々であった。

表５　昭和28年魚菜小売市場使用料

区分	面積	単位	使用料
住宅付き店舗2階建て		月	3000円
市場1階1コマ	3.3㎡	日	50円
市場1階1コマ	1.65㎡	日	25円
土地1コマ	3.3㎡	日	20円
倉庫1コマ	1.17㎡	月	420円
冷蔵タンク置場1コマ	1.65㎡	月	270円

出典：八戸市水産課資料より筆者作成

表６　昭和42年魚菜小売市場使用料

区分	面積	単位	使用料
住宅付き店舗2階建て	12.2㎡	月	5800円
市場1階1コマ	1.85㎡	月	3000円
市場2階1コマ	1.85㎡	月	1500円
調理室	3.3㎡	月	2400円
倉庫	3.3㎡	月	2400円
貸事務所	3.3㎡	月	500円

出典：八戸市水産課資料より筆者作成

表７　昭和42年11月魚菜小売市場使用者申請

性別	人数	構成比(%)
男性	73	62.40%
女性	44	37.60%
計	117	100.00%

出典：八戸市水産課資料より筆者作成

表８　昭和42年11月魚菜小売市場使用者申請理由

申請理由	件数
生計を立てるため	62
店舗がないため	34
健康上転業・老年のため転業	18
不明	3
合　計	117

出典：八戸市水産課資料より筆者作成

2　八戸市営魚菜市場を核として活躍した女性行商人

2-1　陸奥湊を拠点とした行商人の変遷

戦前から戦後の行商の様子が『八戸漁連三十年史』〔1987〕に掲載されている。それによれば、大変親しまれた存在である「いさばのかっちゃ」は、魚の取れる湊と八戸の町までの片道５～６キロの距離を天秤棒でザルを担ぎ、往来するのが仕事であったという。戦前のいさばは、二つのザルに約60キロもの新鮮な魚を入れて「魚コァ、いいいがえー。イワシコァよがすかえー」と声を張り上げて、八戸の町を触れ売り歩いたという。（八戸市史編纂委員会 2014）１人の女性が米一俵の重さを担ぎ10キロ以上日々売り歩くというのは、大変な重労働であったことは想像に難くない。しかも、本業ではなく、忙しい家業である漁業の合間に行う人が多かったといい、浜の女性のたくましさを象徴する姿でもあったという。

しかし、戦後、復興期に入るといさばのかっちゃの仕事であった天秤ザルでの歩きでの行商は、自転車やリヤカーへと移り変わり、「サカナーサカナー」という勢いある掛け声の男いさばに商売のなわばりを奪われた。そこで、女いさばたちが陸奥湊駅から汽車へ乗っての行商隊、所謂ガンガラ部隊へと変化していったといわれている。

当時の陸奥湊駅は、日本一の行商地帯であった三陸海岸の塩釜、気仙沼、釜石、宮古と並び主要基地の１つであった。三陸海岸の漁港都市を基地とする行商人分布については、塩釜・石巻で約千人、気仙沼・大船渡が２千人、八戸は約３千人と推定されていて、行商人の規模が最も大きいことがわかる（秋山 1960）。これらの行商人は、漁港につながる鉄道沿線の山間部から入って来る者と漁港周辺から出ていくものに分けられ、営業の規模から仲買を主とする者と小売りを主とする者に分けられる。さらには、行商人を専業とするものと漁業と農業等との兼業の者がいた。取扱い品目にもよるが、往路商売のみでは生計が成り立たないことも多く、帰りには魚の代わりに野菜や米など、所謂のこぎり商売をしていた行商人も多かったという。陸奥湊駅から様々な鮮魚類を担いで鉄道に乗り込み、帰りには、行商先から野菜や米を購入しては八戸の町で売るスタイルである。

これらの地元の担ぎ屋と外来の買出し人とに分けてみると地元から出ていく行商人はほとんどが女性で、中でも漁師の妻が多かったという。その大部分は戦前からの行商人で、漁不振による夫の収入の補助的役割を担っていた女性が多かった。毎朝、3時に起きて、5時 30 分陸奥湊駅発の汽車にのり、3，4時間かけて県内や北岩手の山間部に入って荷を捌き、帰りは早くて午後2時、通常4時ぐらいには陸奥湊に戻るという。

当時は、イカが大漁のため一箱が 27 円、箱代が 30 円という中身よりも箱の方が高いということも珍しくなかったため、いさばのかっちゃの収入に頼って生活する漁師も少なくなかった。外から買出しに来る者も６割程度が女性でやはり女性が多かったといい、三沢、三本木、青森、三戸、岩手では沼宮内、一戸、盛岡、花巻方面、また、秋田の花輪、大館、など遠い所からもやってきていた。遠い所から来るのは男性の行商人である。

戦前、鉄道が開通される前までは、担ぎ屋の職業は峠越えなどもあり、体力的にも相当な負担があり、また、収入も良かったことから、屈強な若者、男性が担っていたことが多かったという。しかし、鉄道が開通される同時に、担ぎ屋の利益も薄利となっていき、行商人が、若者から老人、女性へと変わっていたのである。

秋山（1960）では、釜石、遠野、花巻など岩手の行商組合の実態について記述しているところで、岩手方面から陸奥湊に通っている者について触れている。花輪線の松尾から前日夕方の５時に家を出発し、乗換駅となる尻内駅（現在の八戸駅）の待合室で眠り、翌朝４時の始発で陸奥湊に行き買出しを済ませ、いさばのかっちゃが行商へ出かけるために毎日利用している陸奥湊始発の5時30分の列車で戻る。昼までには松尾に帰るそうであるが、大変体力のいる商売をしていたことがわかる。

このように、陸奥湊駅前の八戸市営魚菜小売市場の繁盛ぶりはとどまることを知らない状況であったが、市場開設から5，6年ほど経過した昭和30年代半ばには、八戸の貧富分布は市場の影響で相当変化したと言われている。もともと生活困窮者の救済の意味合いで開設された市場であったが、その当時で100万円以上の財を成したものもたくさんいた。このような市場の盛況ぶりを受けて、市場近隣の店舗を市場式に改装したところもあるという。（八戸市水産課資料）

これまでの天秤ザルでの商売から機動力の自転車、リヤカー、トラックといった商売は男いさばで、体力のないモノや介護する身内がいるものなどは市場内やその近辺での小売を担当し、体力のある女いさばは、朝一番の汽車を利用して各地域へ出かけ、主に山間部の住民や店への鮮魚販売等の商いを行うという役割分担が形成された時代である。

2-2　三戸方面の元ガンガラ部隊に聞く行商人の労働実態

ここでは、祖母から引き継ぎ生業として、実際に昭和23年頃から祖母の仕入の手伝いを始め、その後祖母のお得意様を対象として、ガンガラ部隊として活躍した女性から、ヒアリングを行った結果として、当時の女性行商人の生活や労働実態について述べる。

八戸市在住の80代の女性は、俗にいうガンガラ部隊の一人であった。昭和23年頃から、元々ガンガラ部隊であった祖母の手伝いをしながら、のちに、祖母のお得意様をそのまま引き継ぎ、ガンガラ部隊として活躍した方である。

取扱いしていた商品は、タラ、鮭の切り身の他、イカ、イワシ、刺身のさくなどであったが、お得意様から、求められたものは何でも季節や行事によっても品ぞろえも柔軟に対応して商売をしていたという。お客様のニーズ、ウォンツを把握しての販売活動が展開されていた。

ガンガラ部隊の生活については、毎日3時起床し、まず、陸奥湊へ向かい、八戸市営魚菜小売市場や市場の近隣商店からその日の仕入を行うことから始まる。目的地の三戸町までは陸奥湊駅出発から2時間30分かかり、出遅れて出発しては商売にならないため、5時30分発の陸奥湊駅の始発に乗り込まなければならなかった。そのため、自宅から陸奥湊に移動してから、始発列車の時間までの1

時間半程度が大事な仕入時間で大変な忙しさで、その日の商品をかき集めることが一日の始まりとして重要な作業となる。大勢の人たちが行き交う中、目的の商品を探し、品定め、目利きし、少しでも安く品質の良いものを仕入れることは本当に大変な作業であったという。妹にはよく始発列車出発までの仕入を手伝ってもらうことが多かったそうだ。自分自身も幼いころは祖母の仕入の手伝いをしていたといい。脈々と商売の仕方が受け継がれていることが伺えた。

陸奥湊での仕入を終えると荷造りをして、列車に乗り遅れないよう急いで陸奥湊駅に向かい、乗り込んだら、列車の中で朝食を食べることが日課であった。5時30分に陸奥湊駅を出発する列車は午前7時には三戸駅に到着。その三戸駅では野菜等を抱えて八戸駅に向かって出発しようとする者もいたという。

三戸駅に到着後は、バスに乗り換えて三戸の中心街まで移動し、お得意様を回って歩く。祖母から受け継いだお得意様も含めその女性１人で150軒以上のお得意様を抱えていたといい、特に三戸町の料理店や病院等がお得意様であったこともあり、一般家庭よりも高級食材を買ってもらえるため、他の行商人よりも稼ぎが非常に良く、とてもやりがいのある仕事であったという。

料理店や病院等のお得意様を回った後は、城山公園下に遊郭があり、そこにも立ち寄り、その後すべての商品を売り切り、また三戸駅まで戻る。11時の三戸駅発の列車に乗り込み、12時30分には朝出発した陸奥湊駅へと戻る。その後、市場を回り翌日の仕入の目途をつけるなど準備をしてから15時には自宅へ帰るという一日の流れである。実際の１日の行動時間については、自宅から陸奥湊の往復に１時間、陸奥湊での仕入に１時間30分、列車の移動時間に往復３時間、三戸町でのバス移動時間に往復１時間、行商時間が３時間、陸奥湊での翌日の準備に１時間30分と１日の正味労働時間は６時間、移動に５時間ということになる。

当時は、全盛期であったガンガラ部隊に活躍に関する取材も多く、よく陸奥湊駅へ行商から戻ってきた際には、ガンガラを背負った格好で、市場内を歩く様子を撮影したいという依頼をされてモデルとなることも多かったという。しかし、多くのガンガラ部隊の女性行商人は、あまり表に出ることを好まなかった。

ガンガラ部隊の象徴であるブリキ函は２段、３段で積み上げ風呂敷にくるまれて担がれる。ブリキ缶は金物屋などで市販されていたという。そのブリキの底にはすのこが入ってあり、このすのこの下に氷を入れて、その上に鮮魚等入れて簡易冷蔵庫の状態で目的地まで商品を運ぶ。また、ブリキ缶の上に積む白木の箱は、刺身のさくや魚の切り身等、加工した商品を入れるためであるという。

このブリキ缶は戦前から存在していたが、列車内で荷物からの防水や防臭の問題をクリアするために戦後1950年以降に量産化され普及したことで、列車による魚行商が一般化したと考えられるという。(山本 2012)

＜ガンガラ部隊で実際に使用していたブリキ函＞

出典：筆者撮影

いさばのかっちゃには、それぞれの行く先に各自の縄張りがあり、同僚の友達といえども、駅を降りたら別行動をとり、毎日１日20軒程度の各自のお得意様を回り商売に励んでいた。

休みについては、１ヶ月のうち市場が２日休みであったため、市場が休みの２日は休みとしていたそうだ。逆にそれ以外は休むことなく、毎日八戸から三戸までＪＲの定期券で往復し、お得意様のニーズやその季節、行事に合わせて仕入れた品ぞろえで各地域を回っていたといい、実にたくましい仕事ぶりであると言える。

商品については、より安く良いものを揃えて提供することで、お得意様から信頼を得るばかりではなく、その評判で新たなお客様を紹介してもらったりすることで新規開拓につながっていくという。自分の努力と工夫次第でいくらでも稼げる商売であったといい、現代のマーケティング手法を自然と身につけて行動されていたことに驚かされる。

ガンガラ部隊は、列車で各地域へ出かけ商売する行商人の集まりを指しているが、このガンガラ部隊は組合組織化されており、その当時は大きく分けて３つの組合が地域別に存在していた。

部隊は、青森方面、北福岡方面、三戸方面に組織化されていて、120人ぐらいの組合であったという。組合旅行など年に２度ほど何らかのお楽しみ行事があったといい、よく同じ行商人組合の仲間たちと参加していたという。

勿論、組合に所属しない女性行商人もいた。組合に属するためには会費が必要であり、様々な商売の情報や仕入れの情報が得られるものの、その会費の支払が厳しい行商人もいたことは事実であり、そのような行商人は個人で他のガンガラ部隊のなわばりを荒らさないよう、小さな商いを続けていた。仕入の能力、時間が無い者などは、乗換駅となる八戸駅でガンガラ部隊から商品を譲ってもらう行商人もいたという。

今回、元ガンガラ部隊の女性にヒアリングに協力していただいたおかげで、戦後、ＪＲ八戸線陸奥湊駅前八戸市営魚菜小売市場を拠点として活動した「いさばのかっちゃ」と呼ばれていた女性行商人の活動実態として、陸奥湊駅から三戸駅方面の行商人の活動について確認することができた。また、三戸方面から八戸へと向かった行商人の存在も確認できた。実際、このヒアリングに協力してくれた方は現在80代であり、当時の行商仲間も高齢のため現在連絡が取れる人がほとんどいなくなってしまったということで、当時の様子を実際に伺い知ることができるのも、現在ぎりぎりのタイミングであった。ご協力に大変感謝申し上げたい。

＜ 大切に保管している自分が掲載されたデーリー東北新聞 ＞

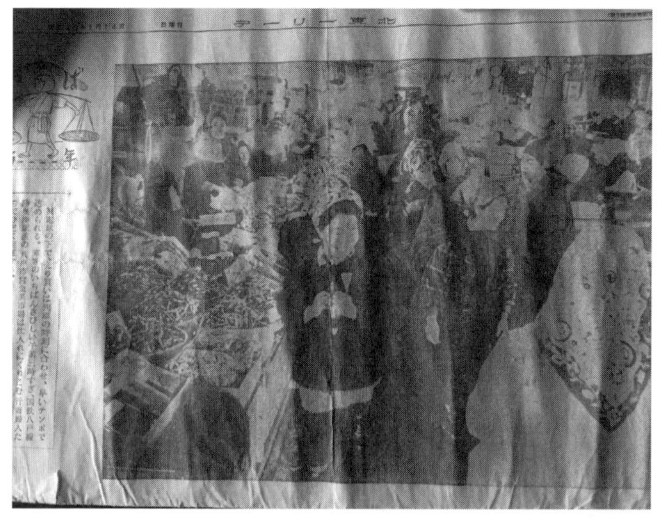

出典：筆者撮影

3　新聞記事から読み解く三八地方の女性行商人の実態

女性行商人であったデーリー東北新聞社では、これまで何度か女性の行商人、所謂「いさばのかっちゃ」について取材し、特集記事を掲載している。

昭和27年11月20日（木曜日）4面では、女性の職場に関する記事が掲載されていて、戦後は各職場に女性が進出、男性と並んで大いに活躍していたが、終戦から7年が経過してその情勢が変化してきたという。戦前の“いさばのかっちゃ”は、「魚コァ、いいいがえー」と天秤ザルに鮮魚を入れて八戸の町を売り歩いていたが、リヤカーや自転車での商いを始めた男いさばには機動力ではかなうはずがなく、女性行商人は担ぎ屋として列車で町外へ売りに歩く「いさばのかっちゃ」に代わっていったことが取り上げられている。そして、前述の元ガンガラ部隊であった女性行商人のヒアリングより、三戸駅からは野菜や果物を抱え八戸駅に向かって出発しようとする者もいたことが確認されたが、実際、三戸駅前での青物市場について、昭和28年9月27日（日曜日）4面では、「南や北へ“かつぎ屋”の実態」と題された特集の中で記事になっていた。

掲載写真には、陸奥湊駅前の市営魚菜市場に殺到する行商人の群れの賑わいや、新井田河畔に戻ってきた漁船と直接取引をする様子や、市場からはみ出されて路上で売り買いしている様子、常盤線回り宇都宮直行列車を待つ大きな荷物を抱えている陸奥湊駅の待合室や尻内駅（現在の八戸駅）を過ぎた頃に列車内を清掃し始める女性行商人の様子など、当時の様子が伺える大変貴重な記事である。

この鮫発午前5時28分の常盤線回り宇都宮行きの列車が陸奥湊駅に入ると一斉に行商人の群れが動き出すが、この行商人が約2,000人で年間8億円の稼ぎ高であるとされている。これらの行商人の多くが、三戸、五戸、三本木方面から八戸周辺の各村落、遠くは盛岡、沼宮内、一ノ関など各地域へと商いに向かう。実際、2000年が年間8億円の稼ぎ高とすれば、1人あたり年間40万円で、月にすると3万円、1日であれば1,000円程度の稼ぎがあったということになる。

その中で、「深夜の静けさ知らぬ三戸駅頭の雑踏—来満峠超える日近い八戸魚」と題された記事では、

三戸駅の向村の青物市場が午前1時には売る者、買う者駅への道に延々と続き、駅前は深夜の静けさを知らない状況で、駅前の旅館はこの雑音の影響で宿泊客が寄り付かなくなるほどであったという。

常盤線回り宇都宮行きに乗っている行商人が5，60名～100名ほど一気に下車

していたということで、

これは鮫発の列車で、陸奥湊駅で多くのガンガラ部隊の行商人たちが乗り込み三戸駅に到着した場面のことである。元ガンガラ部隊であった女性行商人の方からのヒアリングでも確認されたが、行商人が列車に乗り陸奥湊から三戸駅に到着するのは午前7時頃の到着であり、午前1時ぐらいから既に三戸駅前で取引を終えてしまっている三戸駅周辺の地元業者が、午前7時頃に到着する行商人たちとの交換材料となる野菜や果物を駅前に運び待っていたという。

記事によると、三戸駅に降りた行商人には、魚を直接民家に届け、その代金で野菜等を市場と直接取引をするのもあれば、生産者に直結しているのもあると記述されている。様々な流通経路が確認されているが、必ずしも多くの手を経たモノが必ず高値で取引されるという原則もなかったという。

4　南部町青果店2代目に聞く三戸駅を利用していた行商人の実態

南部町で現在も谷内青果店を営んでいる2代目の方より、三戸駅前の市場の当時の様子をヒアリングすることができた。先代は前述の元ガンガラ部隊の女性行商人と同じぐらいの年齢の方で、幼少時三戸駅が大いに賑わっていたことや向村付近での取引の様子について話をしてくれた。

前述で、陸奥湊駅を拠点としていた元女性行商人より、行商先であった三戸方面では、帰りは空のカゴに野菜を積んでは、三戸方面から八戸駅、陸奥湊駅へと戻ったり、また、三戸方面から戻る頃には、三戸地域で収穫された野菜や果物を背負って、列車に乗り込んだ者もいたという話を聞くことができたが、実際、2,30人の小売人が担ぎ屋を待っていて、三戸駅では降りる人も多いが、野菜を背負って三戸駅から乗って行く者はもっと多かったという。果物や野菜の産地である三戸地域で、農家の主婦たちが果物や野菜を担いで三戸駅に集まってきて、三戸駅からは、行商人が青森、古間木、八戸、花輪線の大更、水沢、一ノ関あたりまで出かけていっていたという。列車利用者の中で通勤を除くと普通定期の発行枚数は約450枚で、そのほとんどは担ぎ屋の定期利用で女性であったことを駅で調べたとしている。近くの北福岡や一戸だと一日に少なくても2往復、卸だけであれば4往復する者もいたという。計画的に換金作物を栽培しては担いで財産を残した農家もあるだろうが、全体的には未亡人、病気の夫を抱えた主婦などが多いという。（秋山 1960）

古くから南部町地域では様々な野菜、果物が数多く生産されており、三八地域は勿論のこと、上北、下北の県内はもとより岩手県北地域の野菜、果物の供給地であり、その南部町の市場の歴史は古く、戦前から村内の融資により設立されたもので、その後昭和24年8月に村営（旧向井村）で国鉄より三戸駅前広場を借りて開設されたという。

青果店店主より、この三戸駅前広場とは、現在の三戸駅前にある屯所の場所で、当時、三戸駅前は大変な賑わいで、パチンコ屋は勿論のことサンヨー館という映画館もあり、電気店の佐藤無線では、未明の市場取引のため、懐中電灯や電池が飛ぶように売れていたという。

そして、肝心の行商人については、昭和30年代は行商人の全盛期でもあり、南部町、三戸地方は、野菜、果物の大供給地であったことから、多くの行商人が三戸駅で乗降し、魚と野菜や果物との活発な取引を展開していたという。勿論、三戸駅だけではなく、諏訪ノ平駅前では季節的に9月～11月に市場のようなものが開かれたり、剣吉駅では現在の伝承館近くや名川駅では農協前の広場で元役場の隣あたりで取引が行われていた。

昭和41年頃には、青果店でも自動車による配達を始め、遠くの顧客では、南部町から福島までの梅の配達などもあり、夜8時に車で出発し午前4時には福島を出発して帰ってくるという取引を続けていた時期もあったとのこと。後にこの福島の梅を仕入れていた業者は、輸送コストを考え、南部町に梅の加工工場を建設したという。また、同じく車で北海道から業者がやってきては大量に野菜、果物などを仕入れていくこともあったといい、流通の要衝であったことが伺える。

< 向村が三戸駅前広場に開設した村営市場の賑わい1949年（昭和24年）>

出典：南部町営地方卸売市場開設10周年記念誌より

< 現在の三戸駅前：村営市場が開設された場所が現在の屯所の場所 >

出典：筆者撮影

< 戦前、昭和13年旧向村大向付近 >

出典：南部町営地方卸売市場開設１０周年記念誌より

< 現在の大向付近 >

出典：筆者撮影

参考文献

秋山健二郎,森秀人,山下竹史[1960],『現代日本の底辺―第二巻行商人と露天商』,三一書房, 7-92頁
山本志乃[2012],「鉄道利用の魚行商に関する一考察―伊勢志摩地方における戦後のカンカン部隊との鮮魚列車を事例として―,『国立歴史民俗博物館研究報告』第167集,127-142頁
八戸市史編纂室[2006],『湊地区の民族』―平成14～17年度民族聞き取り調査より―,八戸市,29-42頁
八戸市史編纂委員会, [2014]『新編八戸市史通史編Ⅲ近現代』,八戸市,326-327頁
熊谷拓治,正部家種康,高橋俊行,服部昭[1987]『八戸漁連三十年史』, 331-334頁
株式会社デーリー東北新聞社,[1952],『デーリー東北新聞朝刊第2414号1952年（昭和27年）11月20日（木曜日）4面』
株式会社デーリー東北新聞社,[1953],『デーリー東北新聞朝刊第2723号1953年（昭和28年）9月27日（日曜日）2面』
八戸市博物館,[2013]『三陸―豊かな海の歴史と民族』, 14-16頁
八戸市水産課資料
経済企画庁,[1956],『就労構造調査』
南部町営地方卸売市場,[1976],『南部町営地方卸売市場開設１０周年記念誌』

第4節　地域ブランド化をめぐる「地域」概念と商品設計

中川雄二

はじめに

問題となる状況

1950年代以降、より進展してきた人口流出（社会的減少）によるわが国の地方の人口減少は、2000年代に入り少子化（自然的減少）、高齢化、並びに三大都市圏への一極集中という人口動態現象と相俟って、条件不利地域から地方都市にまで及ぶ新たな段階の地域社会の衰退という社会問題を生み出してきた。これと並行して、GATTに始まりWTOに至る貿易自由化の条件下での市場開放と国際分業によるグローバル化の進展、国内労働力構造の変化を背景とした製造業の海外移転、並びに脱工業化を基調とする産業構造の変化は、地域における産業構造の空洞化や雇用機会の減少や所得創出力の低下といった問題を生み出している。さらには、2007年以降のICTによる技術革新の進展とユビキタス時代への移行は、製造や流通の分野での自動化・自律化や品質管理の高度化を促進し、生産や消費において構造変化をもたらしつつある。このことは、人口減少や産業空洞化に直面する地域社会を新たな次元の問題局面へ導くことになると考えている。

地域政策の観点で見れば、地域社会が抱える諸問題に対処するために、これまでに、離島振興法（1953年制定）、山村振興法（1965年）、半島振興法（1985年）、過疎地域対策緊急措置法（1970年～1979年）、過疎地域振興特別措置法（1980年～1989年）、過疎地域活性化特別措置法（1990年～1999年）、過疎地域自立促進特別措置法（2000年～2020年）、特定農山村法（1993年）、農山漁村活性化法（2007年）といった一連の地域振興法が制定され、これらの法に基づく地域整備事業が実施されてきた。また並行して、地域の産業・経済問題に対処するために、農林水産業の構造改善事業、商業近代化・活性化事業、および農山漁村における工業・流通団地や産品の出荷や直売を目的とする流通施設の整備事業等の地域における産業インフラの整備や雇用・所得における機会創出が産業政策によって進められてきた。さらに、1980年に大分県で始まった「一村一品運動」とその後の国内各地で起こった同様の一次産品等の特産化を軸とする地域振興策は、地域・産業インフラと人的・技術的条件を蓄積条件とした「地域資源」の商品化に向けた再評価による特産品開発や観光開発を内容とする地域開発を方向づけた。こうした中、地域活性化へのICTの導入が進展すれば、今後の地域振興の技術的前提条件を変えることになる。

筆者は、本稿で課題とする地域ブランド化という官民を巻き込んだ運動を、上記の問題と政策の一連の流れの中で現れたものとして考えている。言い換えれば、この運動は、およそ半世紀にわたる地域振興策と地域産業政策、並びに地域（産地）間競争の果てに、なおも衰退を続ける地域社会に対して提示された地域産業振興における一つの方向性である。2000年代に入り、特産品や観光名所等の付加価値化の対象と成り得る「地域資源」の再評価、つまり再商品化の運動が進展し、その後、知的財産権保護と品質管理の観点から関係制度（2006年の地域団体商標制度と2015年の地理的表示〔GI〕制度）が整備された。2006年の地域団体商標制度は、商品商標のみのブランドの名辞的な保護である。一方で、2015年に整備されたGI制度では、商品の商標のみならず品質や由来等の特性をも説明変数に加えた実態的なブランドの確立が視野に置かれている。もっとも、後者は、農林水産物とその加工品の輸出を推進する中で商品の品質管理をブランド化に組み込むことを通じて海外市場で国際競争力を強化・確立するという政策の文脈の中で構築されたものであった[1]。この点で制度設計は、国際標準（EU基準）に基づくものとなっている。

地域ブランド化をめぐる言論動向に見る論点

雑誌記事、学術論文および図書の刊行動向[2]から見る限りでは、わが国における地域ブランド化に係る言論は、1989年に始まり、現在に至っている。こうした言論の出現状況は、1989年から2001年までの12年間で年平均2.8件、期間合計で29件と低調であった。しかし、この期間にその後のわが国における地域ブランド化をめぐる論点[3]は、①商品の地域的特性の特定[4]、②商品ブランド化によるマーケティング戦略、③地域や産業の振興における地域開発戦略という三つの問題分野の枠内に定まったと言える。

2002年から2018年11月現在の17年間には、地域ブランド化に係る言論は、年平均117.3件、期間合計で1,994件と、特に②と③の論点で急増する。言論の基調としては、「地域資源」の評価に基づくブランド化と地域振興である。しかし、一方で特許庁の地域団体商標制度や農林水産省の GI 制度の整備の文脈の中で商品あるいは地域自体のブランド価値の形成と保護というブランド管理に収斂していく傾向が、他方で農商工連携論、6 次産業化論や産業クラスター論の展開の中でのブランド商品の開発に収斂していく傾向が、関係言論において見られる。

こうした言論動向に対して、マーケティング論の視点から地域ブランドのデザインに関する問題点として次の指摘がある。「『地域らしさ』を打ち出すといっても具体的にどうすればいいのであろうか。一言で地域らしさといっても、それを表現できるリソースを有するのはごく一部の地域に限られる。このことが地域ブランドの課題のひとつと思われる。」[5] 地域ブランド化の言論の進展の中で見落とされてきた本質的な論点である。地域振興と商品開発の方向性の中で「地域資源」（特産品や観光名所等）の高付加価値化と差別化を進める上でのブランド化に関心が集中する一方で、「地域」の価値をどのように創造し、表現するのかという核心的な論点が坂本論文以外では十分に検討されていない。市場が「地域」を価値としてどのように受け止め、評価するのかという論点と、「地域」としてどのような価値を創造、表現し、地域ブランド商品として市場に供給するのかという論点は、今後、地域ブランドについて議論を深める上で重要なものとなろう。

本稿の課題

地域ブランド化に関する議論は、政策的投資を前提とした地域振興論や幼稚産業論の枠を超える必要がある。地域ブランド化という運動が初期的投資段階（政策段階）から内発的展開段階へと移行するためには、地域資産 [6] をベースとした商品の設計という視点から課題に対して当事者が主体的に取り組む必要がある。地域ブランド化の対象となる商品の中には、そのライフサイクルにおいて終焉段階に到達した商品化された、あるいは商品化の対象とされてこなかった地域資産も多い。さらには、市町村や地域産業組織の合併を通じて「地域」概念の中で地域資産は増加することになる。

地域資産を地域ブランド化により商品化するためには、当該商品の市場ポジションの見直しや「地域」概念の見直しを含めた商品の再設計が必要となる。本稿では、地域ブランド化の対象となる商品に係る「地域」概念の整理を行い、その上で「ポートフォリオ」という概念を用いて、地域資産をベースとした地域ブランド商品の設計の方法と課題について検討する。なお、本稿では、地域資産という概念を用いるが、この概念を使用する理由は、価値化を条件とする商品化を考察の対象とすることにある。

1　地域ブランドとその制度

1-1　地域ブランド概念の特性

従来、ブランド概念としては、①企業が自社の当該商品を流通させる市場の範囲の視点から見た概念として、ナショナル・ブランド（NB）、ローカル・ブランド（LB）、およびグローバル・ブランド（GB）、②企業が自社の当該商品の販売戦略の視点から見た概念としてプロダクト・ブランドとプライベート・ブランド、③商品の開発力や販売力を通じて企業の名称が差別化され、価値を向上させる商標としてコーポレート・ブランドが使われてきている。NBは国内市場で、LBは特定地域市場で、GBはグローバル市場で流通し、認知度と評価を競い、識別する当該商品の標識と本稿では理解している。これらの商標は、商標法[7]の知的財産権保護制度の対象となっている。また、これらのブランドは、企業によって管理されており、経営戦略上のツールである。

こうした既存のブランド概念の枠組みから見れば、地域ブランドの概念は、異質である。地域ブランド概念は、当該地域の特産物や観光名所等を付加価値化し、競合地域と差別化するために当該地域全体の当事者間（主に生産者と事業管理者）で共有する商標である。この点で当事者となる管理主体は、制度上、当該地域において公益性の高い地域団体であり、具体的には事業協同組合等の業界団体が行うことになっている。

この地域団体商標は、2005年6月15日付けの「商標法」改正[8]で地域団体商標として知的財産権保護制度上の対象となっている。地域団体商標は、当該商品に係る事業協同組合や商工会議所、並びに左記に相当する外国の法人等の公益性の高い業界団体によって管理される。また、2014年6月25日付けの「特定農林水産物等の名称の保護に関する法律」（通称：地理的表示法）[9]により特定農林水産物の地理的表示（GI）として当該農林水産品の名称が知的財産権保護の対象となっている。なお、地理的表示は、当該産品に関連する事業協同組合によって管理される。

| 1-2 | 地域ブランド管理を目的とする商標保護制度

知的財産とは、発明、考案、植物の新品種、意匠、著作物その他の人間の創造的活動により生み出されるもの、商標、商号その他事業活動に用いられる商品または役務を表示するもの、営業秘密その他の事業活動に有用な技術上または営業上の情報を言う。この知的財産の定義は、2002 年 12 月 4 日付けの「知的財産基本法[10]」の第二条で規定されている。同法は、知的財産に係る特許権、実用新案権、育成者権、意匠権、著作権、商標権、その他の知的財産に関して法律により定められた権利、および法律上保護される利益に係る権利を擁護する法律である。同法の制定により知的財産権の内容が制度上、規定されたと言える。また、「地理的表示法」は、「特定の産地と品質等の面で結び付きのある農林水産物・食品等の産品の名称（地理的表示）を知的財産として保護し、もって、生産業者の利益の増進と需要者の信頼の保護を図ることを目的」としている[11]。つまり、地域ブランド商品に係る知的財産権とは、商標と地理的表示であり、保護の対象とするのは商標権である。以下で地域団体商標制度と地理的表示保護制度について概観する。

(1) 地域団体商標制度

地域団体商標制度は、経済産業省特許庁が運営する知財保護制度である。同制度の目的は、地域ブランド化において地域名と商品名からなる商標が用いられている現状に照らし、それまで「商標法」において除外されてきた上記の商標を登録の対象とし、知的財産権としての商標権を保護し、地域ブランド化を支援する制度である。2018 年 11 月 30 日時点での同制度下での登録数は、646 件である。地域団体商標の存続期間は、登録日から起算して 10 年であり、以後の存続のためには更新の手続きを要する。ちなみに、登録と更新の手続きは、有料である。また、制度の設立の背景には、地域ブランド商品に関する偽装品の出現、海外での非事業当事者による当該商品の商標登録、あるいは産地偽装の頻発といった問題が存在している。

地域団体商標の認定要件としては、①主体要件としての事業協同組合、商工会・商工会議所、特定非営利法人、これらに相当する外国の法人、②上記主体の構成員の使用権の確認、③主体に係る当該商品（役務を含む）の需要者の認知性、④出願商標と使用商標の同一性、⑤主体に係る当該商品（役務を含む）の表示、⑥需要者の広い認知度の存在、⑦需要者の広い認知度の存在の立証がある[12]。

地域団体商標の登録件数646件を商品範疇別に見ると内訳は、以下のとおりである[13]。

①食品377件（農産物・農産加工品165、水産物・水産加工品75、畜産物・畜産加工品64、加工食品・菓子類・調理食品・漬物類・麺類・調味料・酪農品60、酒類・飲料水14、特用林産物1）。

②工芸品204件（木・竹製加工品73、繊維加工品64、窯業・土石製品36、金属加工品15、紙加工品9、皮革製品2、その他5）。

③観光名所等49件（温泉45、商店街2、その他2）。

④木材11件（銘木11）。

⑤花き3件（切り花3）。

⑥海外登録品2件（畜産加工品1、調味料1）。

また、地域団体商標の地域別・都道府県別分布と登録商品との関係について見ると、以下のとおりである。

①北海道30件（農産物17、農産加工品1；水産物5、水産加工品1；畜産物5；飲料銘水1、温泉1）。

②東北地方53件：

青森県11件（農産物6、水産物5）、

秋田県11件（農産物4；畜産物3；調理食品1；菓子1；木工品1、漆器1）、

岩手県6件（農産物1；水産加工品1；畜産物2；鉄器1；特用林産物1）、

宮城県6件（農産物1、農産加工品2；畜産物2；硯1）、

山形県10件（農産物4、農産加工品2；畜産物1；織物生地2；仏具1）、

福島県9件（農産物3、農産加工品2；調理食品1；調味料1；銘木1；温泉1）。

③関東地方69件：

茨城県4件（農産物1；調理食品1；織物生地1；陶器1）、

栃木県7件（農産物1；麺類1；織物生地1、陶器1；温泉3）、

群馬県9件（農産物1、農産加工品1；畜産物1；酒1；人形1、織物生地1；温泉3）、

埼玉県6件（銘木1；調理食品1、菓子1；染物2、人形1）、

千葉県16件（農産物11；水産物1；畜産加工品1；調理食品1；温泉2）、

東京都19件（農産物2、農産加工品1；酪農品1；人形4、木版画1、指物1、切子1、和紙1、銀器1、染物5；商店街1）、

神奈川県8件（農産加工品1；水産物1、水産加工品3；木彫り品1；商店街1、温泉1）。

④<u>甲信越地方27件：</u>

山梨県5件（農産物2；銘木1；印章1、宝飾品1）、

長野県9件（農産物1；水産物2；調理食品1；仏具1、漆器1、織物生地1、刃物1；温泉1）、

新潟県13件（農産物1；酒1；織物生地7；瓦1、家具1、彫物1；温泉1）。

⑤<u>東海地方87件：</u>

静岡県25件（農産物3、農産加工品4；水産物5、水産加工品2；畜産物1；酪農品1；調理食品1；竹製品1、織物生地1、漆器3；温泉3）、

愛知県18件（農産物2、農産加工品1；水産物2；調理食品3；菓子1；仏具2；陶器・瓦3；七宝1、筆1；織物生地2）、

岐阜県29件（農産物3、農産加工品1；水産物2、水産加工品1；畜産物1；酪農品5；銘木1；加工食品1；酒1；家具2、彫刻1、人形1、仏具1、和紙1；刃物1；陶器3；温泉3）、

三重県15件（農産物1、農産加工品1；水産加工品1；畜産物4、酪農品1；漬物1、麺類1；紐1、陶磁器1、陶器1、染色用型紙1、鋳物1）。

⑥<u>北陸地方60件：</u>

富山県12件（農産物3、農産加工品1；水産物1、水産加工品1；畜産物2；調理食品2；仏具1、銅器1）、

石川県32件（農産物9、農産加工品1；水産物1；畜産物1；調味料1、調理食品1、麺類1；織物生地3、仏具3、漆器2、陶器1、金箔1、瓦1；温泉6）、

福井県16件（農産物2；水産物4；酒1；織物生地1、和紙1、漆器1、人形1、箸1、瓦1、刃物1；温泉2）。

⑦<u>近畿地方146件：</u>

滋賀県11件（農産物2、農産加工品1；水産物1；畜産物1；織物生地3、仏具1、陶器1；温泉1）、

京都府63件（農産物4、農産加工品3；水産物3、水産加工品1；畜産物1；銘木2；加工食品5、菓子5；織物生地6、漆器1、人形4、仏具3、紙加工品2、扇子・うちわ2、染物3、和紙1、紐2、印章1、和装小物1、七宝1、象嵌1、漆器1、竹製品1、陶器1、畳1、建具1、石材2；店舗1、和裁1、観光事業1、温泉1）、

兵庫県37件（農産物5；水産物3、水産加工品1；畜産物11；加工食品2、調理

食品 1、調味料 1、麺類 1、酒 1；織物生地 1、金物 1、そろばん 1、釣り具 1、針 1、陶器 1、鞄 1、靴 1、櫛 1、瓦 1；温泉 2)、

大阪府 11 件 (農産物 2；水産物 1；織物生地 2、建具 1、家具 1、建具 1、仏具 1、刃物 2、香 1)、

奈良県 11 件 (農産物 2、農産加工品 2；畜産物 1；銘木 3；箸 2、茶器 1)、

和歌山県 13 件 (農産物 4、農産加工品 1；水産物 3；麺類 1；木炭 1、銘木 1、家具 1；温泉 1)。

⑧中国地方 44 件：

鳥取県 6 件 (農産物 2；畜産物 2；和紙 1 ；温泉 1)、

島根県 10 件 (農産物 1；水産加工品 1；畜産物 3；瓦 1、和紙 1；温泉 3)、

岡山県 6 件 (農産物 3；陶器 1；温泉 2)、

広島県 14 件 (農産物 8；水産物 1；畜産物 1；楽器 1、家具 1、針 1、畳表 1)、

山口県 8 件 (農産物 2；水産物 3；畜産物 1；硯 1；温泉 1)。

⑨四国地方 28 件：

香川県 5 件 (農産物 1；水産物 1、水産加工品 1；畜産物 1；石材 1)、

徳島県 6 件 (農産物 4；仏具 1、織物生地 1)、

愛媛県 12 件 (農産物 4；水産物 1、水産加工品 1；調理食品 1；織物生地 1；瓦 1、石材 1；温泉 2)、

高知県 5 件 (農産物 1 ；水産加工品 2；畜産物 1；刃物 1)。

⑩九州地方 99 件：

福岡県 19 件 (農産物 3、農産加工品 2；水産物 1、水産加工品 1；畜産物 1；酒 1；人形 1、陶器 2、織物生地 3、仏具 1、家具 1、提灯 1；温泉 1)、

佐賀県 7 件 (農産物 1、農産加工品 2；水産加工品 1；畜産物 1；菓子 1；陶器 1)、

長崎県 8 件 (水産物 2；畜産物 3；麺類 2、菓子 1)、

熊本県 13 件 (農産物 1、農産加工品 3；水産物 1；畜産物 1；銘木 1；畳表 1；酒 1；菓子 1；温泉 3)、

大分県 12 件 (農産物 2；水産物 3、水産加工品 1；畜産物 1；調理食品 1、加工食品 1、酒 2；陶器 1)、

宮崎県 7 件 (水産物 1；畜産物 5；酒 1)、

鹿児島県 15 件 (農産物 2、農産加工品 3；水産加工品 1；畜産物 2；酒 1、調味料 1；仏具 2、織物生地 2、陶器 1)、

沖縄県 18 件 (農産物 1；水産加工品 1；畜産物 1；麺類 1、酒 1、調味料 2；織物

生地9；陶器1、瓦1)。

⑪海外2件：

イタリア1件(畜産加工品)、中国1件(調味料)。

「特許法」の地域団体商標の条項の趣旨に照らして、商標登録の商品範疇は広く設定されているが、食品と工芸品の商品範疇において登録が集中しているのが特徴である。商標登録の商品は、当該地域の特産物品としてすでに一定の市場評価(需要者の認知度等)を受けたものである。つまり、新規の地域ブランド商品としてよりも、市場評価のある地域特産物品、伝統工芸品および観光名所等を、地域団体商標制度の設立を機に当該商品化したものである。こうした地域ブランド化を当該産地に促す要因としては、単に対象商品の高付加価値化のみならず、従業者の高齢化と減少による産地の弱体化、当該産品生産と加工・製造に係る技術伝承の困難化、農漁協等の協同組合の再編による広域化、並びに当該商品の既存市場の構造変化とその市場規模の縮小による当該商品のライフサイクルの終焉段階への到達が挙げられる。これらの要因が、商品供給力が弱まる中で高付加価値・少量販売方式により当該商品をニッチ市場へ結びつけるという市場ポジショニング(つまり、市場の付け替え)戦略を産地が選択せざるを得ない状況に至らしめたのである。また、農漁協等の事業協同組合組織の再編は、産地を広域化する中で対象とする地域資産が増え、また生産者と管理者という事業主体を確保し、さらにブランド化事業を推進する組織基盤を強化したという点で地域ブランド化を促すことになったことも要因としては大きい。つまり、旧来の特産物品の産地を広域的な地域ブランド商品の産地へと再編する効果となったのである。しかし、こうした効果は、産地の後退局面、すなわち生産者密度の希薄化による供給量の減退の中で起きている現象であることはここで指摘しておかねばならない。

各都道府県別の地域団体商標の登録状況を見る限り、地域団体商標登録に向けた動きは一様ではない。例えば、農林水産物の主産地としての市場ポジションを保持し、小売業の量販業態への供給機能を堅持する戦略を選択する地域では、地域ブランド化をあえて推進する必然性はない。むしろ、市場の「付け替え」戦略の選択を余儀なくされている地域にこそ、地域ブランド化戦略を選択する理由があるのである。市場の「付け替え」戦略の実施に際しては、目標市場への参入と浸透をどのような形で実現するのかという課題が浮上する。この点で商品の認知度を高める評価指標が必要となる。地域団体商標は、登録商標による当該商品の地域特性の識別を促すものである。目標市場への参入と浸透を必ずしも想定するものではない。この点で地域団体商標の制度上の限界がある。こうした限界を克服するためには、制度の中に当該商品に対する説明・保証機能を付与するか、それとも当該商品のマーケティングにより商標に付随する説明・保証情報を普及させるか、両者いずれかの戦術的行動が必要となる。地域ブランド化においては、従来、営利企業に比べて、マーケティング力が弱いとされてきた事業協同組合が管理主体である以上、後者の戦術の選択は難しい。したがって、前者の制度内在型の説明・保証機能の戦術が選択されたと言える。わが国の地域ブランド化運動の中で地理的表示保護制度が地域団体商標制度と併存し、特許庁と農林水産省の政策において相互の補完が期待されているのはこの所以であろう。

(2) 地理的表示（GI）保護制度

地理的表示保護制度は、農林水産省食料産業局知的財産課が運営する知財保護制度である。同制度は、2015年6月1日に運用が開始された。根拠となる法は、すでに述べたように地理的表示法[14]であり、同法の下で地理的表示（GI）保護制度が運用されている。制度の対象となる産品は、①農林水産物（食用）、②飲食料品（食用農林水産物以外）、③非食用農林水産物、④加工品（食用農林水産物以外）の特定農林水産物等の区分範疇に属するものである。

2018年12月時点での登録産品は、73件（農産物、水産物、工芸品）となっている。地域団体商標の登録数の約1割程度と、その登録数は極めて少ない。都道府県別に見ると、福井県の6件が最大であるが、全体の平均では1.86件と低調である。また、登録産物品の区分別に見ると、農産物35件（野菜類〔第2類〕24、果実類〔第3類〕9、その他〔第4類〕1）、畜産物9件（生鮮肉類〔第6類〕9）、水産物8件（魚類〔第10類〕4、貝類〔第11類〕3、その他〔第12類〕1）、農産加工品8件（野菜類加工品〔第15類〕1、豆類調製品〔第16類〕1、野菜加工品〔第17類〕3、果実加工品〔第18類〕3）、畜産加工品1件（食肉製品〔第20類〕1）、水産加工品1件（加工魚介類〔第24類〕1）、飲料1件（酒類以外の飲料〔第32類〕1）、工芸品5件（漆類〔第38類〕1、木炭〔第40類〕1、畳表〔第41類〕2、生糸〔第42類〕1）という構成となっている。これらの登録産品には、特性、生産方法、特性と産地との関係、および生産実績等の明細書が添付されており、またこの明細書は公示されている。明細書は、科学的知見に基づき作成することが求められている。しかし、このことがこの制度における商品登録上の参入障壁となっていると考えられる。制度の趣旨は、消費者に対する地域ブランド商品に関する情報開示と品質保証であるが、方や生産者にとって手続きの煩雑さとイニシャルコストの高さに対する市場での販売・需要の展望といった費用対効果の点が参入障壁となる。したがって、当該商品の生産において普及所、試験場および研究機関等の政策・研究組織の支援の延長線上に地域ブランド登録があるのであれば、参入障壁も低くなる。それ故に、産学官の連携といった産業クラスターの下支えが必要となるのである。

地理的表示の保護への取り組みは、EUにおいて古くから進められてきており、1883年の「工業所有権の保護に関するパリ条約」、1891年の「虚偽のまたは誤認を生じさせる国際登録に関するリスボン協定」、1994年の「知的所有権の貿易関連の側面に関する協定（TRIPS協定[15]）」などの国際協定が現行のWTO体制下での地理的表示に係る制度構築に根拠を与えてきた。

わが国の地理的表示に係る問題は、WTO体制の下での貿易交渉における知的所有権の保護に関する問題の解決の文脈の中で生まれた。わが国において地理的表示に関する制度整備は、1989年の「地理的表示に関する表示基準」（国税庁告示第9号[16]）で規定されたぶどう酒と蒸留酒に関する地理的表示の保護制度に始まる。これは、WTO体制の下での二国間交渉での交渉案件である地理的表示保護の問題に対応するものであり、上記酒類の輸出国であったEU側が主導するものであった。当時、「ボルドー」、「シャンパン」あるいは「コニャック」といった地理的表示に係る商標名が当該商品の類似品をも含めた形で一般名詞化する傾向が見られたが、こうした傾向に対して産地保護の観点から歯止めをかける必要があった。EUでは、これらの酒類の産地名称の保護のために現行のGI制度を構築した。また、わが国でも、国内市場で流通するWTO加盟国産のぶどう酒や蒸留酒のみならず、国産酒精類（焼酎）の地理的表示の権利も保護するものであったのである[17]。

しかしながら、こうした酒類以外のより幅広い特定農林水産物等の商品範疇に地理的表示の考え方が制度に反映されるには、2015年の農林水産省によるその制度の構築を待たねばならない。産地が急速に後退するのみならず、国内の市場も縮小傾向を見せるという状況に直面する中でわが国の農業政策においては、農林水産物の輸出が謳われるようになる。こうした国内政策事情とWTO体制下の貿易交渉の経過事情とが地理的表示保護制度の整備を促したと考えられる。

わが国の現行の地理的表示保護制度は、EUの地理的表示保護制度である原産地呼称保護（PDO : Protected Designation of Origin）、地理的表示保護（PGI :

Protected Geographical Indication)、および伝統的特産品保証（TSG：Traditional Speciality Guaranteed[18]）をモデルとしたものである。EUでは、1992年に農林水産物と食品の原産地呼称および地理的表示の保護に関する加盟国全体に適用される制度がR(EEC)2081/92（現行はR(EC)510/2006へ変更）に基づき構築された。この制度は、特定産物品の地理的表示と組み合わせた商標の保護による産地の振興と消費者への商品情報の提供を目的としており、登録産物品の品質基準と生産基準の開示を行うものであった[19]。これらの点は、わが国の地理的表示制度とほぼ同様の内容となっている。

EUの地理的表示の登録は、1996年6月1日から始まった。2018年12月時点でその登録件数は、1,659件に上っている。この内訳は、原産地呼称保護（PDO）713件、地理的表示保護（PGI）878件、伝統的特産品保証（TSG）68件となっている。登録国は、EU加盟国（28か国）以外にも現在17か国に開放されており、計45か国に上る。この中で登録数が多い上位7か国について見ると、イタリア332件（PDO181、PGI147、TSG4）、フランス285件（PDO120、PGI164、TSG1）、スペイン227件（PDO116、PGI107、TSG4）、ポルトガル142件（PDO66、PGI75、TSG1）、ドイツ96件（PDO12、PGI84）、イギリス80件（PDO29、PGI45、TSG6）となっている[20]。

登録商品別に見ると、Class 1.1の生鮮肉類（臓物を含む）179件（フランス77、ポルトガル32、スペイン24、イギリス17、その他13か国29）、Class 1.2の食肉加工品（調理品・塩漬け・燻製等）224件（イタリア46、ポルトガル41、フランス29、スペイン19、ドイツ19、その他18か国70）、Class 1.3のチーズ類279件（フランス63、イタリア61、スペイン31、ギリシア23、イギリス17、その他19か国38）、Class 1.4の動物性他産品（卵、蜂蜜等）57件（ポルトガル12、フランス10、スペイン8、その他13か国27）、Class 1.5の油脂類（バター、マーガリン、食用油等）151件（イタリア49、スペイン35、ギリシア32、フランス13、その他11か国23）、Class 1.6の果実類・野菜類・穀類（生鮮また加工）450件（イタリア122、スペイン71、フランス65、ギリシア47、ポルトガル29、ドイツ26、イギリス11、ポーランド10、その他20か国69）、Class 1.7の鮮魚・軟体動物・甲殻類等65件（イギリス14、ドイツ7、スペイン7、イタリア6、フランス6、その他19か国25）、Class 1.8のその他の協議品目（スパイス等）90件（フランス13、スペイン12、イタリア10、イギリス9、その他24か国46）、Class 2.1のビール28件（ドイツ10、チェコ9、ベルギー5、その他3か国4）、Class 2.3の植物抽出物由来の飲料類19件と菓子類15件（全13か国）、Class 2.4

のベーカリー製品（菓子類を除く）89 件（スペイン 17、イタリア 15、ドイツ 10、チェコ 9、ポルトガル 7、その他 14 か国 31）、Class 2.5 の天然ゴム・樹脂 3 件（全 3 か国）、Class 2.7 のパスタ類 12 件（全 4 か国）、Class 3.1 の干草 1 件（フランス）、Class 3.2 の精油類 4 件（全 4 か国）、Class 3.4 のコチニール（動物由来染料原料）1 件（スペイン）、Class 3.5 の羊毛 1 件（イギリス）、となっている。

食習慣を含む生活文化構造の違いに派生する登録産品の差異はあるものの、EU の地理的表示に関する制度とそのデータフォーマットは、わが国のそれとほぼ一致している。つまり、地理的表示は、当該国内市場のみならず貿易相手国市場をも対象としているのである。WTO 体制下で種々の商品が貿易される中、地理的表示は、生産地域の特性の価値化を通じて需要者に対する品質の保証にも広がりを見せることになる。また、食の安全が世界で広く問題として関心を集めている昨今、原産地表示が制度化されている。さらには、EU 統合後に顕在化した加盟国間の地域間格差の認識の下で国際競争力の弱い幼稚産業である農畜産業の保護が制度に組み込まれているのである。

地理的表示保護制度は、地域ブランドや幼稚産業の保護のみならず、食の安全をもその制度上の射程に収めることになる。WTO 体制下での開放経済の世界的な形成の中で、地域ブランド化は、国内市場向けの運動にとどまらず、海外市場向けの運動としての展開も見せている。こうした中で地域ブランド化において商品を通じて発信される「地域」とは何か。国内外での説明と認証において通用する「地域」概念の確立が必要となる。当該商品を生み出す限定的にゾーニングされた地理的空間である「地域」概念は、その概念を商品情報として受け止める受容者にいかなる評価指標を提供するのか。概念の外延である「地域名」のみならず、その内包である「地域帰属特性」の説明と保証が必要となろう。それ故にこそ、地域ブランド化において用いられる「地域」概念とは何か。今、まさに検討を要するのである。

2　地域ブランド化における「地域」概念の検討

2-1　地域ブランド商品の商標における「地域」概念

地域ブランド商品の商標は、その制度上、地域名と商品名の組み合わせで構成されている。地域団体商標や地理的表示における登録地域名は、①律令制以来の令制国の地域区分、②幕藩体制期の藩・小字（自然村）の地域区分、③明治期から現在に至る県・郡・市町村・大字（行政村）の地域区分、④事業協同組合の事業対象地域区分に概ね由来している[21]。①と②は、「小字」を除けば、歴史的な「地域」概念となり、今では名辞的な存在でしかないものの、当該地域の生活当事者の意識の中に伝統行事や教育等の社会制度を通じて刷り込まれてきたものである。本来的には、生活当事者の世代交代の中で希薄化していくものと考えられるが、③と④の「地域」概念の拡大的変化の中で地域への帰属を図る標識指標としてむしろその存在意義を相対的に高めてきている。

その一方で、③と④は、現行の生活機能実態としての「地域」概念である。また、③と④の「地域」概念は、人々の地理認識を重層的に形成しており、その認識の下に一方で内部主体・発信者である住民は「帰属・排他・共有」の意識を、他方で外部主体・受容者である非住民は「差異・疎外・類推的共感」の意識を、それぞれ本質的に有している。しかしながら、合併という「地域」概念と地理的空間の拡大という現象は、新「地域」概念の下での旧「地域」概念の併存という重層化・多元化現象において非住民的な「差異・疎外・類推的共感」の意識をも新住民の間に芽生えさせる。これは、新「地域」概念の下での時間の経過、特に住民の世代交代によって希薄化する。しかし、この希薄化は、先述したように旧「地域」概念下の社会・組織の強靭さ（伝統行事や教育等での）にも左右される。このことは、地域の分断という否定的現象であり、反面で地域の更新・再生という肯定的現象ともなる契機でもある。図１を参照されたい。

図１　「地域」概念の構成要素と構造

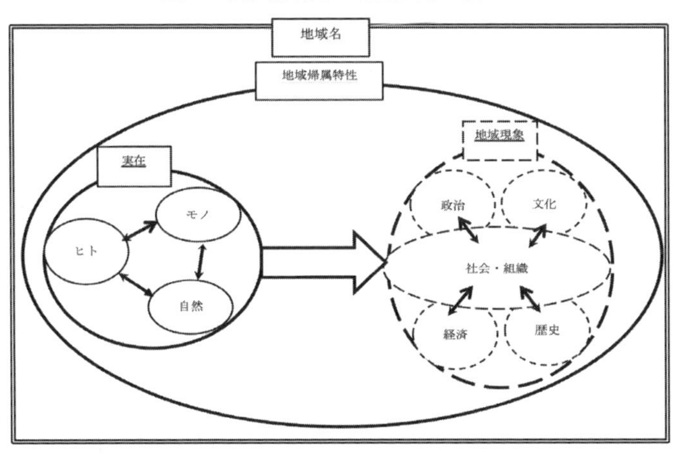

図１は、「地域」概念の構成要素と構造を表したものである。「地域」概念は、地理的空間の表象である「地域名」（外延）と、実在および地域現象を構成要素とする「地域帰属特性」（内包）とで成立する。「地域」概念における「地域名」は、当該地理的空間をゾーニングした際の言語上の表象であり、また地理上の識別記号でもある。一方で、「地域帰属特性」は、「ヒト」、「モノ」および「自然」からなる実在と、「社会・組織」、「政治」、「経済」、「文化」および「歴史」からなる地域現象とを構成要素とする。実在内の要素間の相互作用は、地域現象としての「社会・組織」を出現させ、この「社会・組織」を軸としてさらなる派生現象である「政治」、「経済」、「文化」および「歴史」という地域現象を生成する。このことは、地域内での帰属性を生み出す一方で、地域間での（あるいは自者と他者との）差異性を生み出し、総じて地域の独自性を成立させている。地域の独自性は、「社会・組織」、「政治」、「経済」、「文化」および「歴史」の地域現象における現代的具現としての表現・行動様式、記録・記憶形式、組織形態、生産・消費構造、景観および生産物等となって表現される。これらの具現は、実在が作り出した地域現象である「社会・組織」がさらなる派生的な地域現象である「政治」、「文化」、「経済」および「歴史」の中での蓄積の結果、紡ぎ出したものである。したがって、こうした「地域」概念の構造と機能こそが、発信者が「地域」とは何かを受容者に表現する上での基盤となる。

しかしながら、開放社会という現代的文脈の中では、「地域」概念を構成する実在は、「地域」概念を取り巻く外部要因の強い影響下にある。その外部要因は、時として政策の作用であり、時として技術革新の波及であり、時として自然環境の変化であり、総じて外生的現象となって作用する。例えば、市町村合併は、他の「地域」概念との結合を通じて実在の構成を大きく変え、このことは地域現象に反映される。また、ICT 化という技術革新は、「ヒト」と「モノ」との関係を変化させ、このことは地域現象に反映される。さらに、温暖化という世界的な気候現象は、局所的にも「自然」の在り方を変え、このことが「ヒト」と「モノ」の係わり方を変え、さらに地域現象に反映される。開放社会の中にある「地域」概念は、まさに外部要因に起因する不安定性と不確実性にさらされ、彩られている。

地域ブランド化は、「地域帰属特性」を内容とする「地域名」を、地域現象における現代的具現（時系列上で切り取られた特定断面としての地域現象）である生産物や景観等と組み合わせて、差別化された商品を設計・開発し、目標市場での商品ポジションを確立させるという「地域」外に向けた商品化の行為である。したがって、地域ブランド商品は、その商標のみならず、本来的にはその意匠や品質にも「地域帰属特性」の一部が表現される。しかしながら、多くの地域社会では、それを表現する表現文化が弱体である。この表現文化の弱体性は、図１の「地域」概念において期待される内生的な機能展開のメカニズムが、実在としての「ヒト」の減少と高齢化および個別化により、一方で「モノ」と自然に対する「ヒト」の働きかけを、他方で「モノ」と「自然」からの作用に対する「ヒト」の受容力を衰微させ、さらには「地域」概念の外部にある外生的要因の機能展開のメカニズムによって表現形式（フォーマット）が標準化されるために生じていると考える。例えば、情報化とその手段であるデバイスの携帯化といったイノベーションによる個性の表現形式の標準化、地域経済の外部経済（補助金や公共事業等）への依存、さらにはグローバリゼーションに見られる社会の地理的空間の広域化は、「地域」概念において開放（閉鎖性の解消）と多元化の可能性を広げる一方で、多様性を損なわせる効果を与えている。

地域ブランド商品に限って見れば、制度に登録された商標や地理的表示は、本来、地域の差異を表現するための機能を有するが、逆に商標の異なる類似ブランド商品を作り出す機能を果たしているのではないのか。外生的機能展開のメカニズムの一つである商標登録や地理的表示の制度は、商品設計を制度上のフォーマットの鋳型にはめているのではないのか。地域ブランド化の制度と運動の中にこうした矛盾が内在している。

「地域」概念は、発信側と受容側との間に認識と評価において非対称性を生じさせている。すなわち、「地域名」は両者の地理的認識プラットホームの共有を通じて容易に対称性を構築する一方で、「地域帰属特性」は両者の認識プラットホームが通常異なるために受容者側に容易には認識、評価されず、認識の非対称性を生じさせているのである。①と②の「地域」概念では、広く共有され、定着した歴史や言語・慣習文化の現象のみが残り、「地域帰属特性」を地域現象の一部対象に具現するのみである。この一部対象が、伝統的な工芸品、景観、芸能および農林水畜産物であり、①と②の「地域」概念を用いた地域ブランド化（以前は地域特産物化）の対象となっている。これに対して、③と④の生活機能実態としての「地域」概念は、現行の実在と地域現象からなる「地域帰属特性」と、特定の地理的空間をゾーニングした「地域名」とで表現したものである。③と④の「地域」概念における「地域帰属特性」は、市町村単位の地方自治体と大字単位の住民自治組織、あるいは事業協同組合という地域現象の「社会・組織」が派生的地域現象の「政治」、「文化」、「経済」および「歴史」へ作用することを通じて生成され、その一部内容が地域外の他者（受容者）にたいして具体的に表現される。しかしながら、明治期以来、「地域」概念は、比較的短期の周期で変動し、複数の「地域」概念を包括しつつ多元的かつ重層的に存在させ、今日に至るまで単一の新たな「地域」概念へと融合しないまま、今日に至っている。具体的には、市町村合併や事業協同組合の広域合併は、複数の地域を「未消化」のまま、言い換えれば、融合しなければならない他者を自者の内に暫定的に抱え込み、規模拡大と融合のメリットを導き出せないでいるのである。したがって、こうした状態では③と④の「地域」概念は、その外部者、すなわち目標市場に対して「地域帰属特性」を表現する文化を形成することはできない。新たな「地域名」を冠した地域ブランド商品は、「地域帰属特性」を反映しないまま市場へ送り出され、認知において発信者と受容者との間に非対称性が作り出されることになる。市場戦略の観点から見れば、認知度の高い、多元化状態にある旧「地域」概念の「地域名」を地域ブランド商品に付与する方がむしろ有効となるのである。

「地域」概念の流動化と重層化は、地域ブランド商品の市場において供給と需要の当事者間での非対称性を際立たせることになる。しかしながら、「地域」概念の流動化と重層化を否定的にのみ見るべきではない。なぜなら、市町村や協同組合の合併は、地域の多様な発展ための構成要素を生成する契機にもなるからである。言い換えれば、「地域帰属特性」が地域現象の中により豊かに表現される可能性が生まれることになるのである。次に、「地域」概念の流動化と重層化の展開について概観する。

2-2　「地域」概念の流動化と重層化の展開

表１は、市町合併の中で行政上の地域の変遷を示したものである。この「地域」概念は、歴史的に変遷し、重層化されてきた。地域ブランド化が前提とする「地域」概念は、流動化している。そして、現在、この「地域」概念を流動化させている二つの要因がある。

一つの要因は、表１に示したように、市町村自治体という行政区割りの変化である。わが国では、「明治の大合併」（1888年～1889年：71,314→15,859市町村）、「昭和大合併」（1953年～1961年：9,868→3,472市町村）、「平成の大合併」（1999年～2006年：3,229→1,821市町村）と３度の大規模な市町村自治体の再編が行われ、現時点で1,718市町村にまで減少した[22]。この行政区割りは、義務教育上の学校教育、消防・警察、住民自治、社会福祉および保健衛生の行政分野からなる最小の行政単位であるが、機能的実態概念としての「地域」を作り上げてきた。しかし、複数世代にわたる市町村合併の展開は、住民の「地域」に対する帰属意識の中に重層的な差異構造を生み出してきた。この重層的な差異構造は、住民の世代交代によって解消されるはずであったが、現実には地域現象である「社会・組織」を軸とした派生的な地域現象に反映されている。

表1　市町村合併の中での行政上の「地域」概念の展開

時期	市	町	村	計	備考
1888 年	—	71, 314		71, 314	町村合併標準提示（明治 21 年（月 13 日 内務大臣訓令第 352 号）：「市制町村制」の施行に伴い、行政上の目的（教育、徴税、土木、救済、戸籍の事務処理）に合った規模と自治体として、約 300～500 戸を全国的標準規模として自然集落境界を越えた「地域」が出現。
1889 年 4 月	39	15, 820		15, 859	市制町村制施行（明治 21 年 4 月 17 日　法律第 1 号）
1947 年 8 月	210	1, 784	8, 511	10, 505	地方自治法施行（昭和 22 年 5 月 3 日　法律第 () 号）
1953 年 10 月	286	1, 966	7, 616	9, 868	町村合併促進法施行（昭和 28 年 10 月 1 日　法律第 258 号；昭和 31 年 9 月 30 日失効） ・新制中学校の設置管理、市町村消防や自治体警察の創設の事務、社会福祉、保健衛生関係の新しい事務が市町村の事務とされ、行政事務の能率的処理のためには規模の合理化に伴い「地域」の再編。
1956 年 4 月	495	1, 870	2, 303	4, 668	新市町村建設促進法施行（昭和 31 年（月 30 日　法律第 164 号；一部失効（昭和 36 年（月 29 日）
1962 年 10 月	558	1, 982	913	3, 453	市の合併の特例に関する法律施行（昭和 37 年 5 月 10 日　法律第 118 号）
1965 年 4 月	560	2, 005	827	3, 392	市町村の合併の特例に関する法律施行（昭和 40 年 3 月 29 日　法律第（号）
1975 年 4 月	643	1, 974	640	3, 257	市町村の合併の特例に関する法律の一部を改正する法律施行（昭和 50 年 3 月 28 日　法律第 5 号）
1985 年 4 月	651	2, 001	601	3, 253	市町村の合併の特例に関する法律の一部を改正する法律施行（昭和 60 年 3 月 30 日　法律第 14 号）
1995 年 4 月	663	1, 994	577	3, 234	市町村の合併の特例に関する法律の一部を改正する法律施行（平成）年 3 月 29 日　法律第 50 号）
1999 年 4 月	671	1, 990	568	3, 229	地方分権の推進を図るための関係法律の整備等に関する法律一部施行（平成 11 年）月 16 日　法律第 87 号）
2002 年 4 月	675	1, 981	562	3, 218	地方自治法等の一部を改正する法律一部施行（平成 14 年 3 月 30 日　法律第 4 号）
2004 年 5 月	695	1, 872	533	3, 100	市町村の合併の特例に関する法律の一部を改正する法律施行（平成 16 年 5 月 26 日　法律第 58 号）
2005 年 4 月	739	1, 317	339	2, 395	市町村の合併の特例等に関する法律施行（平成 16 年 5 月 26 日法律第 59 号
2006 年 3 月	)))	846	198	1, 821	市町村の合併の特例に関する法律；経過措置終了
2010 年 4 月	786	757	184	1, 727	市町村の合併の特例法に関する法律施行（平成 22 年 3 月 31 日　法律第 10 号
2014 年 4 月	790	745	183	1, 718	

出典：総務省HP 掲載の資料（http://www.soumu.go.jp/gapei/gapei2.html）を一部加工。

他の一つの要因は、現在、地域ブランド化の産地推進母体となっている事業協同組合（農協や漁協等）の区割りの変化である。例えば、農協（総合農協と専門農協）数は、1949 年度で 30,229 団体、1960 年度で 29,903 団体、1970 年度で 17,605 団体、1980 年度で 9,860 団体、1990 年度で 7,785 団体、2000 年度で 4,865 団体、2010 年度で 2,897 団体、2017 年度で 2,273 団体と、68 年間で 92.5％減少した。また、漁協（沿岸地区漁協）数は、1989 年度で 2,134 団体、2000 年度で 1,768 団体、2010 年度で 1,004 団体、2016 年度で 960 団体と 27 年間で 55％減少した。これら事業協同組合の区割りの変化は、組合員あるいは従業者の減少の流れの中で組合規模の維持を目的として「地域」概念の拡大をもたらした。農林水産物や工芸品等を生産している産地としての合併後の新「地域」概念は、事業協同組合の事業対象地域の拡大的展開の中で旧「地域」概念下の産地要素を多元的に取り込みつつ、他方で拡大した新「地域」概念の産地要素へ組み換えて地域現象を派生させ、さらに新「地域」概念の多様性を発現させることが期待される。

生活機能実態としての③と④の「地域」概念は、拡大の方向で流動化しつつ重層化する中で、地域住民の帰属意識に重層的な差異構造を作り出し、構成要素の再編の問題に直面している。市町村行政区分と事業協同組合の区分は、通常、一致していない。後者の範囲が前者のそれを上回る場合、後者の「地域」概念の中に複数の前者の「地域」概念を多元的に包含することになる。

地域ブランド化との関連で見れば、③の市町村行政区分の「地域」概念と④の事業協同組合区分の「地域」概念とは、不可分に結合しつつ、併存する多元的な概念である。前者の枠内で行われる地域・産業振興と、後者の枠内で行われる経済事業とは、相互に機能補完関係にあるものの、それぞれの「地域」概念下の派生的地域現象である。地域ブランド化は、経済事業の枠組みの中で行われるという点で④の「地域」概念下での商品化の行為である。したがって、④の「地域」概念の下では、一方でその地域名と地域帰属特性と、他方で③の「地域」概念下のそれらは、融合また未融合の商品化の対象となる地域資産であり、資産化対象予備群でもある。

「地域」概念の流動性は、プロダクト・ライフサイクルの終焉段階を迎えた商品を再設計し、再生させる契機であると同時に、地域の当該産業の地理的密度を集積状態から分散状態へと移行させ、新たな産地のゾーニングを促す要因ともなる。また、この影響は、当該商品の生産者、生産技術（種苗や原材料も含む）、意匠および品質に、さらには流通チャネル構造にも変質をもたらしかねない。現行の地域ブランド化の運動は、こうした不安定な「地域」概念の下で行われているのである。

2-3 地域ブランド化における「地域」概念と「ポートフォリオ」概念 ―

生活機能実態としての「地域」概念は、拡大の方向の中で合併した旧「地域」概念の内包である「地域帰属特性」を自らに融合できないままに包摂している。融合には長い時間の経過を要するが、一方で新たな「地域」概念の内に多様性と多元性を生み出す。多様性は融合の結果としての新たな「地域帰属特性」として表現されるが、多元性は融合されないままの種々の旧態の「地域帰属特性」の併存として表現される。新「地域」概念において旧「地域」概念は、時間の経過とともに新「地域」概念における多様性へと昇華することが期待されるが、一方で新「地域」概念における多元性として長期にわたり残存する。市町村や事業協同組合の合併現象において現時点で目にするのは、新「地域」概念における多元性であり、このことが規模と融合の効果を抑制することがしばしばであり、現状では否定的な現象として受け止められる。こうした多元性の存在を肯定的かつ戦略的に捉える考え方として、「ポートフォリオ」概念の新「地域」概念への適用について検討してみたい。

「ポートフォリオ」概念は、原義としては「紙ばさみ」や「書類入れ」を意味する。「ポートフォリオ」概念は、種々の分野で利用されているが、経済・金融の分野でも事業や金融資産を目録化して評価・運用するための戦略的な資産管理のツール概念として利用されている。ここでは、合併後の新「地域」概念の枠組みの中での地域資産の戦略的な管理と運用という観点から「ポートフォリオ」概念を利用して、新「地域」概念において多元的に併存する「地域名」と「地域帰属特性」を、地域ブランド化を展開する上での地域資産あるいは資産化対象予備群として位置づけることにする。

上記の「ポートフォリオ」概念の考え方に従えば、合併後の新「地域」概念に包摂された旧「地域」概念の外延である「地域名」と内包である「地域帰属特性」は、いわゆる「地域資産ポートフォリオ」において集成される地域資産あるいは資産化対象予備群と位置付けることができる。すなわち、この「地域資産ポートフォリオ」の下に、旧「地域」概念における「地域名」、並びに「ヒト」、「モノ」、「自然」からなる実在と「社会・組織」、「政治」、「経済」、「文化」および「歴史」からなる地域現象とを包括する「地域帰属特性」を地域資産あるいは資産化対象予備群として位置付け直し、整理・管理するということである。従来、旧「地域」概念下の「地域名」と「地域帰属特性」は、地域資産として位置づけ直すことでこれら構成要素に対する価値評価が行われる。その結果、一方で新「地域」概念の中に旧「地域」概念の融合可能な部分は「多様性資産」として新たな「実在」と「地域帰属特性」へと組み込まれ、他方で融合が当面できない部分は「多元性資産」として「地域資産ポートフォリオ」に暫定的に整理・管理されることになる。

「多元性資産」の中には、「商品設計のやり直し」、「商品の作り直し」や「市場の付け替え」といった市場の要求に対応した価値の再評価を必要とする既存の商品化資産も多い。あるいは、商品化の評価対象とならず価値評価を待つ、所有権と管理権のある管理下資産も多い。さらには、所有権や管理権がない管理下外の資産化対象予備群も新「地域」概念の下には数多く存在する。商品化は、時系列上の特定時点での市場の要求との整合性という視点から既存資産（知的財産や物的財産）の一部を価値評価し、複合的に表現する行為でもある。商品化の一つの方法である地域ブランド化は、こうした資産の再評価の契機ともなるのである。

こうした行為は、これまでの過去の商品化の展開において決して新しいものではない。例えば、現在ブランド化されている「黒毛和牛」は、かつて前工業化（農業段階）時代において農耕用使役家畜という範疇の商品として開発されたものであった。しかし、農業の機械化の進展や消費構造における牛肉需要の出現と拡大に伴い、プロダクト・ライフサイクルの終焉段階に達した農耕用役家畜という地域の商品資産は、黒毛和牛というブランド商品として選択的に評価、開発（種畜改良と肥育）され、現行の高付加価値食肉市場に付け替えされた。その際、商品に付与する地域名としては、多元性資産の旧「地域」概念下の地域名称（大字・小字名等）を再利用されるケースもあるが、生産者の減少と事業地域の広域化の中でより包摂範囲の広い地域名（令制国名、県名や合併地域名等）を利用されるケースもある。現在、地域団商標あるいは地理的表示として登録された食肉ブランド牛こそがまさにそれである。あるいは、現在、地域ブランド化の対象となっている「地域野菜」商品は、種苗と栽培方法の改良と標準化、並びに大量供給・大量需要という市場要求の中でプロダクト・ライフサイクルの終焉段階に本来的には達するものであった。しかしながら、これら青果商品は、市場の成熟化とそれに伴う商品の差別化という市場要求の変化の中で種苗の再評価を通じて地域ブランド商品としての「地域野菜」や「地場野菜」として現在の市場ポジションを確立するに至っている。

地域ブランド化を推進する場合、「地域資産ポートフォリオ」の下にある「多様性資産」と「多元性資産」の中から、市場の要求に対して整合的な地域ブランド商品を設計・開発するための素材となる資産の一部を選択的に評価し、活用することになる。こうして選択的に評価され、活用の対象となる地域資産の集合を整理・管理する「ポートフォリオ」をここでは「商品化ポートフォリオ」とする。つまり、「商品化ポートフォリオ」は、地域資産の評価と市場ポジショニングを通じて商品を設計する商品化メカニズムとなる（図２を参照）。

図2　新「地域」概念の下での地域ブランド化の展開

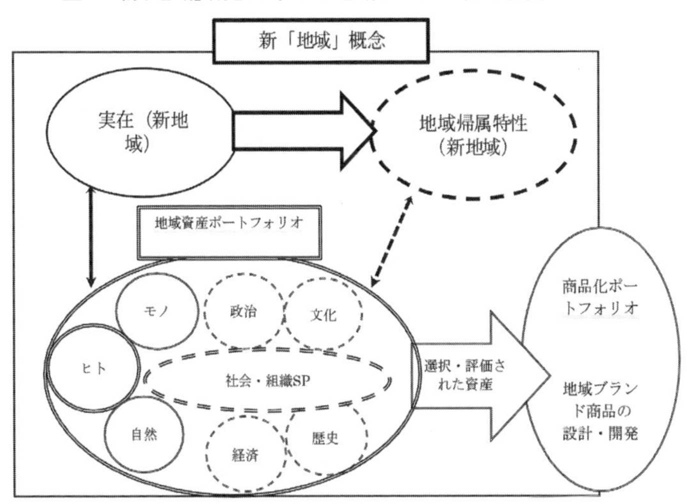

何故、「地域」概念の中に資産化メカニズムである「地域資産ポートフォリオ」と商品化メカニズムである「商品化ポートフォリオ」を構成要素として加えるのかという疑問が当然生まれる。しかし、新「地域」概念に含まれる多元性資産を、融合の長いプロセスにおける多様性供給の源泉とみなしつつ、一方で資産化を通じての価値形成の原資として捉えることは、多元性資産を地域融合の抑制的要因として放置する現状よりも、有効な対応であると考える。地域の識別指標である「地域名」や「地域帰属特性」をあえて資産化するプロセスを「地域資産ポートフォリオ」として新「地域」概念に構築することは、地域の内発的展開を作り出し、衰退局面から再構築局面へ移行する契機となる。また、「地域資産ポートフォリ

オ」は、「地域名」や「地域帰属特性」を資産化し、価値付けることで、発信者と需要者との間での価値認知のプラットホームを形成し、そのことをもって両者間に存在する非対称性をより改善することにもなる。さらに、外部要因である市場は重層化・多元化し、細分化する傾向にあり、こうした傾向の中ではプロダクト・ライフサイクルは比較的短い。したがって、「商品化ポートフォリオ」は、素材資産の再評価と組み換えを通じて市場の流動性に対応した地域ブランド商品を設計・開発するためのプラットホームともなる。

「地域資産ポートフォリオ」と「商品化ポートフォリオ」は、新「地域」概念の内にある多元性の存在を資産化と商品化の契機として捉え、多様性に彩られた地域の価値の形成と向上に向けた地域経営における戦略ツールとなるのである。

3　おわりに——地域ブランド商品の設計

地域ブランド化を進める上での「地域」概念としては、④の事業協同組合の地域区分に表現される「地域」概念が適用対象となる。③の自治行政区分の「地域」概念は、地域振興の分野で用いることが適当であると考える。同時に、自治行政区分は、地域ブランド化を地域振興の手段として関係づける場合、不可分に結合した④の事業地域区分の概念内に存在する管理下外資産あるいは資産化対象予備群の供給源として位置づけることもできる。このような視点に立ち、④の事業協同組合の事業対象地域として表れた新「地域」概念を前提として、地域ブランド化に向けた「地域資産ポートフォリオ」と「商品化ポートフォリオ」の適用と地域ブランド商品の設計について考察を行う。

3-1 「地域資産ポートフォリオ」における資産構成

旧「地域」概念下での「地域帰属特性」は、新「地域」概念下の「地域資産ポートフォリオ」において「地域帰属特性」として融合される多様性資産と、融合されない多元性資産に分類・整理される。旧「地域」概念下の「地域帰属特性」において実在を構成する「ヒト」、「モノ」および「自然」、並びに地域現象の一部は新「地域」概念下の地域帰属特性に融合される多様性資産となるが、旧「地域」概念下の地域現象の多くは新「地域」概念下の多元性資産となる。ここでは、④の新「地域」概念下での「地域資産ポートフォリオ」の資産構成を整理してみた（表2を参照）。

④の新「地域」概念下の資産構成においては、多様性資産と多元性資産を分ける基準として組合事業の枠組みがある。事業管理下の資産は、多様性資産として新「地域」概念下に組み込まれるが、生活機能実態として不可分に結びついた③の「地域」概念下の実在と地域帰属特性の多くは事業管理下外の多元性資産あるいは資産化対称予備群として存在している。

本稿の論点整理の部分で述べたように、「地域」としてどのような価値を創造、表現し、地域ブランド商品として市場に供給するのかという論点と、市場が「地域」を価値としてどのように受け止め、評価するのかという論点について考察を行う上で、表２に表した多様性資産と多元性資産・資産化対象予備群からなる資産構成に対する資産特性の分析は重要となる。

表２の「地域資産ポートフォリオ」下の資産をその特性別に分類すれば、以下のとおりである。

A) 商品化資産（物財・知財）：商品化資産とは、商品設計と商品化の対象であり、地域現象としての経済、文化および歴史の各現象の中から素材資産（物財・知財）を一部抽出したものである。具体的には、ａ）事業管理下の物的財産と知的財産、ｂ）旧「地域」概念下の未融合状態の物的財産と知的財産、ｃ）資産対象化予備群としての事業管理外の物的財産と知的財産、ｄ）地域内の文化現象、ｅ）地域の歴史現象がこれら素材資産に該当する。

B) 機能資産：機能資産とは、商品設計と商品化を遂行する上での機能的手段となる資産である。具体的には、ａ）事業管理下の施設、設備、原料および資材、ｂ）資産対象化予備群としての事業管理下外の施設、設備、原料および資材、ｃ）地域現象としての社会・組織、ｄ）地域現象としての政治・統治・経営の諸現象、ｅ）地域現象としての販売、購買、共済・金融等の事業、金融資産、生産技術および生産方式、ｆ）事業管理下外の事業、金融資産、生産技術および生産方式、ｇ）組織文化現象がこれらに該当する。

C) 表象資産（名称）：表象資産とは、多様性資産と多元性資産の名称である。例えば、人名、地名、自然現象名、組織名、事業名、歴史上の名称がこれに該当する。

D) 人的資産：人的資産とは、商品設計や商品化を担う技能主体である。具体的には、事業組合構成員、技能者、生産者等の利害関係者としての地域居住主体がこれに該当する。

E) 自然資産（自然）：自然資産とは、事業管理下および事業管理下外の土地等の自然空間とその環境条件である。地域を空間的実在として形作り、時系列上の一断面として切り取られた景観や現象等の自然現象の源泉である。
これらの資産の特性を用いて地域ブランド商品を設計、表現することになる。

表2　地域ブランド化における「地域資産ポートフォリオ」の資産構成

地域帰属特性	構成要素	多様性資産	多元性資産 あるいは資産化対象予備群
実在	ヒト （人的資産）	事業管理下の組合員、職員、従業者等の事業構成員、並びに名称	事業とは直接的な関係のない地域内居住者、並びに名称
	モノ （物的資産）	事業管理下の施設、設備、原料、資材、並びに名称	事業管理下外の施設、設備、原料、資材、並びに名称
	自然	事業管理下の土地等の自然空間とその環境条件、並びに名称	事業管理下外の土地等の自然空間とその環境条件、並びに名称
地域現象	社会・組織	組合、支部・支所、部会；組織名称、	域内立地企業、行政組織、空間管理（水利・農地・山林等）組織、住民自治組織、教育機関、その他（サークル、祭礼組織等）；組織名称
	政治・統治・経営	制度、規約、規定、戦略・戦術、管理運営方式、事業構成員の帰属意識；事業地名	旧「地域」概念下の制度、規約、規定、戦略・戦術、管理運営方式；上記の域内組織の制度、規約、規定、戦略・戦術、管理運営方式、上記域内組織への帰属意識；地名（新・旧の市町村名）
	経済	販売、購買、共済・金融等の事業； 商品、ブランド等の知財、金融資産；生産技術、生産方式	事業管理下外の事業、旧「地域」概念下での事業；融合されない状態の下あるいは事業管理下外の商品、ブランド等の知財、金融資産；生産技術、生産方式
	文化	組織文化現象（意思決定様式、現象に対する評価体系、組織化方法、人事考課方法など）	地域内の文化現象（祭礼、慣習、言語体系、景観、名所、組織文化現象など）；小字名、大字名、山・川・湖沼・海域等の名称
	歴史	組織の歴史現象（組織沿革、事業の記録、記録化されていない組織・事業の記憶など）	地域の歴史現象（記録化された地域の歴史、文字化されない記憶や伝承、旧跡・史跡など；歴史上の名称）

3-2 地域ブランド商品の設計

商品の設計においては、ア）商品の物理的特性を構成する原材料、品質および意匠（形状・重量・色彩）、イ）価値的特性を構成するコスト・価格やブランド、ウ）生産的特性を構成する生産技術・方式や主体といった諸要素の組成が課題となる。「商品化ポートフォリオ」は、上記の諸要素の素材となる地域資産を「地域資産ポートフォリオ」の中から集成・選択・評価し、その上で設計・開発を行う地域ブランド商品化のメカニズムである。

表３は、地域ブランド商品化のメカニズムを商品の設計マトリックスで表現したものである。このマトリックスは、商品化の設計要素の組成の在り方を示している。すなわち、「地域資産ポートフォリオ」で資産目録化された多様性資産、多元性資産および資産化対象予備群を、「商品化ポートフォリオ」の商品化設計要素の構成に従って整理・評価し、さらに要素の組成（設計と開発）を行う仕組みである。このマトリックスを用いることにより、地域ブランド商品における「地域」を、すなわち地域帰属特性を表現し、説明し、さらに価値付けることがより容易となる。また、外部条件である市場の要求に弾力的に対応した商品設計のプロセスを概念化、視覚化することが可能となる。

表3　地域ブランド商品の設計マトリックス

	商品化の設計要素		地域資産ポートフォリオ	
			多様性資産	多元性資産、資産化対象予備群
商品化ポートフォリオ	物理的特性要素	原材料	・機能資産：事業管理下の原料、資材	・機能資産：事業管理下外の原料、資材
		品質	・機能資産：生産技術、生産方式 ・自然資産：農地等の生産空間	・機能資産：生産技術、生産方式商品化資産：地域内文化現象、 ・地域の歴史現象 ・自然資産：気象条件、水利条件
		意匠	・商品化資産：事業管理下の物財・知財	・商品化資産：未融合状態の物財・知財、地域内の文化現象、地域の歴史現象
	価値的特性要素	コスト・価格	・機能資産：管理下の金融資産（投入資本）	・機能資産：管理下外の金融資産（投入資本）
		ブランド	・表象資産：名称 ・機能資産：知財（登録商標）	・表象資産：名称 ・機能資産：管理下外の知財（登録商標） ・商品化資産：地域内文化現象、地域の歴史現象
	生産的特性要素	技術	・機能資産：生産技術、生産方式、管理下の知財	・機能資産：生産技術、生産方式、管理下外の知財
		主体	・人的資産：組合構成員 ・機能資産：組織文化現象、統治現象、法人組織	・人的資産：技能者、生産者 ・機能資産：在地経営体、自治体、自治組織等の組織
		空間・環境	・自然資産	・自然資産

3-3　地域ブランド商品の設計における課題

本稿を閉じるにあたり、地域ブランド商品の設計における課題について若干述べておきたい。設計における課題とは、設計マトリックスの特性要素に整理された地域資産に内在する不安定性と不確実性をいかに克服するかである。

生鮮産品の農産物や水産物は、一般に商品設計が困難である。すなわち、生産的特性要素の空間・環境における産地の自然資産に内在する不確実性により、商品設計を不安定なものとするのである。実際、農産物や水産物一般は、供給と品質において不安定であり、こうした際に商品供給サイドとしては、現実的な対応として選択的設計、すなわち流通的管理による規格化・等級化とそれに基づく価値化を内容とする方策が採られてきた。しかしながら、こうした方策は、大量生産方式によってコスト・価格の価値的要素の条件を整えることを目的としている。地域ブランド商品が少量生産・高付加価値販売方式を前提とするならば、自然条件の不確実性に派生する供給の不安定性の克服を目的とした生産技術と生産方式の革新を前提とする商品設計の安定化が課題となる。

また、加工品は、商品の設計において自然条件の不確実性の影響が小さい。その理由は、一般に加工品の原材料においては代替材が存在するからであり、製造施設環境下の生産技術は標準化されるからである。しかしながら、地域ブランド化の対象となる加工品は、設計における在地原材料の確保（代替材の制限）と生産技術の特殊性の表現が地域ブランド商品の価値形成において重要となる。このために、設計における不安定性が存在する。

さらに、地域帰属特性を地域ブランド商品に表現する場合、発信者と受容者との間に存在する非対称性、すなわち市場での価値認知の不安定性と不確実性を極小化する価値認知のプラットホームの構築が必要となる。

最後に、地域ブランド化を推進する組織が拡大の中で抱える統治（ガバナンス）の不確実性と不安定性の克服が最も重要な課題となる。

参考文献／注

1　農林水産省「規格・認証等（GAP,HACCP,JAS,GI）の推進について」、平成29年6月、（www.maff.go.jp/j/shokusan/koudou/attach/pdf/170626_gap-4.pdf）。
2　国会図書館ホームページの蔵書目録での「地域ブランド」の検索結果に基づく（http://iss.ndl.go.jp/）。この蔵書目録では、記載対象において重複もあることから、本文中での集計結果は重複部分を調整した値である。
3　①の論点については、桑野和民、酒巻 千波、三田村 敏男「市販緑茶の地域特性について」『日本家政学会誌』、40（3）、1989年、pp.217－220；②については、全国農業構造改善協会編『農産品の地域ブランド化戦略』、ぎょうせい、1990年；③については、岐阜県シンクタンク『岐阜県産業と地域ブランドの形成について』、1993年、城戸秀之「現代の消費と地域社会--地域ブランドの類型化の試み」『経済学論集』、鹿児島大学経済学会、通号 40、1994年3月、pp.49－60。
4　①の論点を最初に提起した桑野和民らの論文は、地域ブランド商品における原料産地に関する問題を提起した。
5　坂本和子「デザイン・マーケティングの研究：地域ブランド複合へのアプローチ」『デザイン学研究特集号』、17（1）、2010年、p.62.
6　従来、地域資源の概念が多用されているが、本稿では、価値評価の対象として地域資産という概念を用いる。
7　「商標法」（昭和三十四年法律第百二十七号）。商標の保護を通じてその使用者の業務上の信用を保護し、産業の発達と需要者の利益保護を目的とした法律。所管は、経済産業省特許庁。
8　「商標法」の一部を改正する法律（平成一七年法律第五十六号）。地域団体商標に係る条項、第七条の二が加えられた。なお、制度の創設は、2006年4月1日からである。
9　「特定農林水産物等の名称の保護に関する法律」（平成二十六年六月二十五日法律第八十四号）。
10　「知的財産基本法」（平成十四年法律第百二十二号）。所管は、農林水産省食料産業局知的財産課。
11　農林水産省HPの「地理的表示法とは」（http://www.maff.go.jp/j/shokusan/gi_act/outline/index.html）。
12　特許庁HPの「地域団体商標認定基準」（http://www.jpo.go.jp/shiryou/kijun/kijun2/pdf/syouhyou_kijun/32_7-2.pdf）。
13　特許庁HPの「地域団登録商標制度について」（https://www.jpo.go.jp/torikumi/t_torikumi/t_dantai_syouhyou.htm）。
14　地理的表示法は、「世界貿易機関を設立するマラケシュ協定附属書一Cの知的所有権の貿易関連の側面に関する協定に基づき特定農林水産物等の名称の保護に関する制度を確立することにより、特定農林水産物等の生産業者の利益の保護を図り、もって農林水産業及びその関連産業の発展に寄与し、併せて需要者の利益を保護することを目的とする」（特定農林水産物等の名称の保護に関する法律（平成二十六年六月二十五日法律第八十四号）第一条）。
15　内藤恵久、須田文明、羽子田智子『地理的表示の保護制度について―EUの地理的表示保護制度とわが国への制度の導入―　研究報告書』（農林水産政策研究所、平成24年6月）、p.3.；TRIPS協定については、特許庁HP（https://www.jpo.go.jp/shiryou/s_sonota/fips/trips/ta/mokuji.htm）同協定の第2部知的所有権の取得可能性，範囲及び仕様に関する基準の第3節地理的表示を参照されたい。
16　国税庁HPの「地理的表示に関する表示基準」（https://www.nta.go.jp/about/council/sake-bunkakai/030929/shiryo/20.htm）。「酒税の保全及び酒類業組合等に関する法律」（昭和28年法律第7号）第86条の6第1項の規定に基づき、この表示基準は定められた。ただし、適用は平成7年（1995年）7月1日からとされた。

17 例えば、フランス産酒類の「ボルドー」や「コニャック」という地理的表示を国内産のワインやブランデーに使用することを禁じるものであったが、同時に日本産酒類の「壱岐」、「球磨」および「琉球」という焼酎の地理的表示も外国産の同種の酒精類に使用することを禁じた。「種」、「型」、「風」等の類似品をイメージする表現も禁止された。国税庁HP (https://www.nta.go.jp/about/council/sake-bunkakai/030929/shiryo/20.htm)。2015年10月30日付けの国税庁告示第18号「果実酒等の製法品質表示基準を定める件」で果実酒の原材料の原産地表示を厳格化した。
国税庁HP (https://www.nta.go.jp/law/kokuji/151030_2/index.htm)。

18 ジェトロ・ブリュッセル事務所『EUの地理的表示 (GI) 保護制度』(2015年2月)、 p.4.

19 内藤恵久、須田文明、羽子田智子『前掲書』、 p.6。

20 European CommissionのHPの "Agriculture and Rural Development内 の "Agriculture and food" に掲載のデータベース "DOOR" のデータを集計した (http://ec.europa.eu/agriculture/quality/door/list.html)。

21 この他に、島名、山・川・海名、通称地名等が、あるいは地名の一部が用いられることが制度において想定されている。(産業構造審議会知的財産政策部会「地域ブランドの商標法における保護の在り方について」平成17年2月、 p.2。)

22 総務省「市町村数の変遷と明治・昭和の大合併の特徴」(http://www.soumu.go.jp/gapei/gapei2.html) の数値を使用。

第3章　研究課題の多様性

第1節　奥州菊に魅せられたひとびと

橋　本　　修

はじめに

青森県南部地方には、いくつかの愛菊家のお話しが残っている。

八戸の町であるとき大火がおきた。燃えさかる家の中に、家人の制止を振り切って、その家の主人は飛び込んでいった。「大事なものとってぐる（取ってくる）」と。そして、しばらくして煤まみれになりながら菊の苗を握りしめて狂喜していた。「めんごい（かわいい）菊が助がった。いがった（よかった）、いがった」丸焼けの家の前で、一握りの菊苗が炎の余熱で揺らめいていた。

またこんな話もある。ある美しい色の菊を持っている商家の主人は、お得意先の若旦那より是非譲ってくれと無心された。それは大事な一人娘ではなく、菊の花の方であった。主人は泣く泣く菊苗を嫁にみたてた婚礼儀式を整え、三々九度の盃で菊花を譲ったという話である。

橋本香月園　奥州菊花壇

もう一つ、悲しい話である。十年に一度出るかという珍しい菊を実生させた古老がいた。多くの菊好家が珍しい菊をほしいと日参していた。老人は「この菊は我が子のようだもの、誰さもけねえ（誰にもあげない）」と言い続けた。それから三年たったある年のこと、菊の様子がおかしい。例年にない寒さで凍り付いたのか。それからほどなく老人は病に伏し亡くなってしまった。菊も主人の運命と共に失われてしまった。こんな菊に魅せられた人々の逸話がこの南部地方には残っているのである。

南部地方は奥州菊の郷として全国に知られている。それ以前には、「八戸菊」とも呼ばれ親しまれていた。菊にまつわる文物では八戸の櫛引八幡宮に収蔵されている菊一文字赤糸威鎧が市民に知られている。観賞用菊が中国から日本に伝わるのは平安時代で、重陽節の風習とともに輸入されたといわれている。そして、京、大坂、江戸から全国に菊文化が広がっていった。果たしていつ頃からこの地方で菊の栽培がされてきたのであろうか。江戸時代参勤交代を通じて菊作りの交流があったことが伝えられている。また、大商人により商売の流通過程で菊が伝えられた伝説もある。

八戸では明治 18 年（1885）頃からは「佳友会」をはじめとする菊愛好会が次々と誕生し菊品評会が各会で開催されていた。東京の菊愛好団体として有名な秋香会の設立は明治 21 年（1888）だから、この「佳友会」は、全国的にみても早い時期に八戸に菊花会ができたということである。明治期になると士族のたしなみから庶民の楽しみとして広がり、各町内に大勢の菊名人がいて、自慢の菊花壇，鉢植菊が戸ごとに作られ出来栄えを競い合っていた。

大正 3 年（1914）の『奥南新報』には、菊名人の番附表がある。各町内に菊名人がおり、士族出身者、商家の御隠居、大工の棟梁と様々な職業の人が菊作りをしていたことが伺える。毎年 10 月になると『奥南新報』と『はちのへ新聞』のライバル新聞社同士が競って菊についての記事を連載で載せるのも年中行事となっていた。

八戸は明治から昭和にかけ菊の郷として市民に認められていた。この八戸の菊に「奥州菊」と名を付けたのが筆者の祖父橋本香月園主任の橋本正次（1893-1985年）である。正次は六代目河内屋橋本八右衛門昭訓の義弟として香月園の実務を取り仕切って、奥州菊の実生開発に一生をささげた人物である。

観賞用菊は食用菊の歴史でもある。食用菊は観賞用の花壇菊の中から生まれたことも、『八戸菊銘鑑』より明らかになってきた。菊を鑑賞し、味わう。この地方ならでの菊の愛でかたである。花壇菊として生まれた菊のなかで交配され、又は、改良されて食用菊となっていたのである。その代表選手が江戸時代後期天保、弘化年間に生まれた阿房宮である。

もう一つ菊の文化があった。藩政時代から盛んであった俳句などの文芸の世界である。菊を育てながらその様子を俳句、和歌に詠むこと、絵で表現すること、これも菊を愛でる表現方法であった。また、同じ南部の花巻出身の宮沢賢治が菊花品評会に関係し、菊を題材とした俳句を作っていた。同じ、花巻出身の橋本雪蕉も香月園の菊を描いていた。

このように、園芸、農業、文芸が混然一体となったものが南部地方の菊文化である。南部人のそれぞれの心の中に「菊を愛でる」という心が重層的にあったのである。

この地方は昔から米の採れない地域で、3～4年に一度飢饉に見舞われている。天明年間をはじめ何度も飢饉に襲われた。藩が農産物を雑穀から換金作物大豆に誘導していくと、猪飢饉が発生し、まさに食べるものがない事になってしまった。ここは、安藤昌益（1703-1762年）が町医者として暮らし、『自然真営道』を記した原点の土地である。封建社会の矛盾を鋭く突いた思想は、この地域の厳しい気候の中で暮らす農民のくらしの中から投影された言葉である。農業の中心の時代では、飢饉は、それは農民だけではなく、商人、武士の生活にも降りかかる厳しい現実であった。町医者といえど、その厳しい世界のなかで生活を強いられたのであろう。そんな飢饉の時でも秋に必ず咲く黄色い菊の花に昌益も癒やされたのではないだろうか。

昭和47年（1972）10月1日には八戸市の花が制定され、菊の花とされた。橋本香月園は江戸幕末期よりの園芸に携わり、明治、大正、昭和と菊の郷の立役者として、代々の河内屋当主、そして橋本正次、誠一郎親子が関わってきた。また、河内屋に深くかかわる小井川元吉、潤次郎親子の活動などを調べることで、「菊の郷八戸」がどの様に誕生し、伝えられていったのか少しでも見えてくればと考えて筆を執った。本稿では橋本香月園の菊作りを中心に俯瞰し八戸の菊史を紐解いてみたい。

橋本　修識

1　南部地方の菊園芸史

｜1-1｜菊と鎧　櫛引八幡宮の赤糸威鎧の菊飾り

青森県八戸市の櫛引八幡宮には、菊一文字の飾りが装飾された国宝赤糸威鎧がある。八戸市民なら誰でも子どもの頃より遠足、初詣で一度は訪れたことのある神社である。この神社の宝物館に国宝赤糸威鎧が納められている。兜と大袖に八重小菊の彫金がちりばめられた逸品である。菊の飾りの上に一の文字があるため菊一文字といわれ、身分の高い人のものであると考えられている。鎌倉期末頃の様式を備え装飾された菊籬金物の意匠は精妙を極め、技法も峻勁緻密であって、鎌倉時代の金工芸術の特色を最もよく発揮している。

天皇家の家紋として名高い菊花紋章であるが、その起源は鎌倉時代、後鳥羽上皇（1180-1239 年）が菊紋章を愛用したことに始まるといわれている。後鳥羽上皇は全国から腕の立つ刀鍛冶、彫金師を集め、上皇自らも刀を打ち、上皇の印として菊文様を刀に飾り付けていた。鎌倉幕府を倒し天皇親政を行おうと承久の乱（1221 年）を起こした上皇は、自分に味方する武士に褒美として菊印の刀を与えたということである。

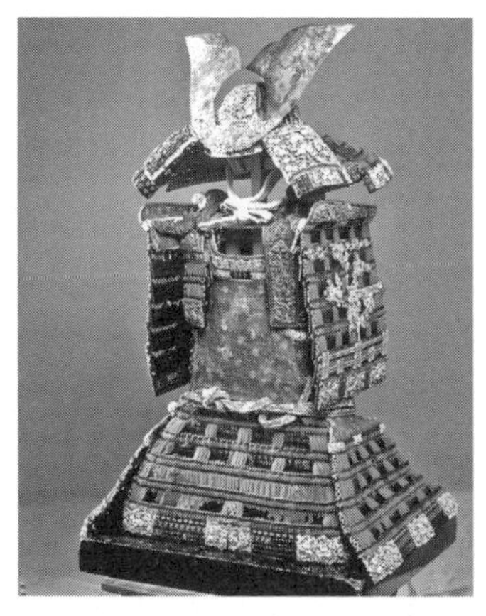

赤糸威鎧全体

赤糸威鎧拡大 菊一文字

この赤糸威鎧の縁起は櫛引八幡宮によると、南部の地で没したといわれている南朝の長慶天皇（1343-1394 年）着用の鎧とつたえられている。諸説あるが、おおよそ皇室に関係した人、その臣下に伝わった物と考えられるようである。

天皇中心の世の中を目指した後鳥羽上皇の意思は、その後、後醍醐天皇（1288－1339 年）とその後に連なる南朝の天皇の反幕府の精神に繋がっていったのである。中世八戸の地に根をはった根城南部氏は南部師行（生不詳－1338 年）から５代にわたり南朝に忠誠を尽くした。まさに、櫛引八幡宮の赤糸威鎧の菊はこの時代を象徴する鎧であるということであろう。

霜の季節に向かって咲く菊の花に高潔の精神を表していた。菊が正式に天皇家の家紋となったのは、明治政府によって制定されてからである。

1-2　菊文化の伝播と発展

観賞用菊は平安時代（９世紀初め）に中国から伝わったといわれている。中国では寒気に向かって咲く花として、長寿の仙薬として扱われていた。菊の持つ呪術性が不老長寿の植物として中国から伝えられた。それは、日本の歌舞伎の演目になっている「菊慈童」に見ることができる。菊慈童の物語の原型は中国の故事による。

周穆王の時代、王の身の回りの世話をする慈童という少年がいた。王のお気に入りの侍従であった。ある日、周穆王が不在の時、誤って王の寝室の枕をまたいでしまった。それを讒言され、不敬であると言うことで辺境の地に流罪となった。周穆王はそのことを悲しみ、別れの日に、慈童に法華経を授け毎日 10 万編念ずることを密かに伝えた。慈童は周穆王のありがたいお経を忘れないためにその菊の葉に書き記し、毎日念仏を唱えたということである。そんなある日、山奥深い谷川で菊の葉に載った露が谷川へと流れていくと霊薬水となった。慈童はその霊水を飲んだところ彭祖仙人に変身しその後八百年生きた。と言われている。

中国古典文学においても、菊を愛した文士は多い。有名なのは屈原（～紀元前 343 年）である。「夕餐秋菊之落英」は名作『離騒』の一節である。楚国の高官であった屈原は政争に巻き込まれ冤罪で地方に流される。身をやつしたとはいえ、散りゆく菊を食す様子に、孤高の精神を伝えている。また、当時中国に菊を食する習慣があったことを伺わせ、南部の食用菊に相通じるものがあった。

また、田園詩人陶淵明（365－427 年）は、詩『飲酒』の中で、「采菊東籬下悠然見南山」と吟じている。陶淵明は菊園を作り、菊の季節には友人を招いて宴を開き、客人が帰る時には、菊の籬より菊を摘み贈ったという。菊籬の向こうには霊峰盧山が見える。文士として高潔な生き方を菊で表現している。

そのほか、水墨画の題材としても、菊は梅、蘭、竹とともに君子の花として扱われ、多くの書画に見ることが出来る。

菊は日本には重陽の節句といった中国文化と一緒に伝わっている。

九月九日は、中国から伝わった五節句の一つ重陽節である。人日（七草）、上巳（ひな祭り）、端午（菖蒲の節句）、七夕（たなばた）と並んで、今でも季節の節目として大切な行事で、菊の文化もその中から取り入れられたのであろう。漢王朝の皇帝は重陽の節句の日に、「登高飲酒」という儀式を執り行った。香ある茱萸（カワハジカミ）を身につけ、山に登り、蓬餅、菊酒をいただき、邪気を払い、家族の長寿をお祈りしたといわれている。

中国の菊文化の影響を受け、嵯峨天皇（786-842年）、淳和天皇（786-840年）の頃に、日本で出された勅撰漢詩集「凌雲集」「文華秀麗集」「経国集」には、重陽節に詠まれた菊の漢詩が残されている。菊が老いを払って長寿をもたらす花という中国の考え方をうけて、菊をモチーフとした歌が好んで詠まれた。

その後、和歌の発達による国風文化の醸成の時代においては、「古今和歌集」（905年頃）などに在原業平、紀貫之が「前庭に植えた菊」を詠っている。摂関政治期になると「紫式部日記」（1008-1010年）には、一条天皇を迎えるために藤原道長の土御門邸で色とりどりのめずらしい菊が集められ美しい菊で彩られたであろう情景を描いている。菊は日本の季節を表す素材として文学になくてはならないものとなっていったのである。菊に可憐さ、季節の庭を彩る美しさを表したのは日本的な情緒であろう。

平安時代の貴族にとって庭に、菊を植えて、菊愛でることは季節の大事な行事になっており、その習慣は室町期の貴族にも継承されている。このような貴族の菊文化が近世の園芸ブームの土台となっていた。

江戸時代に入ると上方の寺社を中心に庶民にも菊栽培、観賞が広がり盛んになっている。

日本における園芸書の成立は延宝9年（1681）に、水野元勝によって刊行された『花壇網目』である。福寿草、つつじ、菊、椿、牡丹といった人気のある184種類の植物の性状や栽培方法が記されている。

元禄年間（1688-1703年）には、商人を中心として寺社で菊合わせが開かれた。尺八を演奏しながら、豪華な本膳料理を楽しむといった経済力のある商人の楽しみの場としての性格が強い菊合わせであった。

正徳5年から享保2年迄の3年間に京都円山を中心に菊合わせが、あわせて12回も開かれた。本格的菊の品評会の始まりである。特に享保2年には丸山也阿弥で「丸山菊大会」として知られている菊合わせが行われ、143人が出品し380種類の菊が展示された。寺社を会場に武士、僧侶、商人と様々な階層の園芸の交わりがあった。菊に関する園芸書も出版され、正徳から享保期には『当世後の花』(1713)『花壇養菊集』(1715)『花壇菊花大全』(1717) などの栽培指南書が出される。

特に、享保2年 (1717) 養寿軒雲峰著『花壇菊花大全』では、花壇作り、培養土の配合、栽培、移植方法、花形、色など栽培方法全般に記述されている。元禄期の社交の場としての菊合わせではなく、菊の栽培技術を競う、より高度な菊合わせとなっていった。

菊合わせが盛んに行われた結果、菊栽培が大流行した。植木屋が菊の色、価格を記したカタログを発行するようになる。大坂の植木屋治兵衛刊行の『新菊苗割代附帳』である。北極山という銘柄が一本3両2分の値段がついていた。

京阪を中心に始まった菊文化は、新興都市江戸にも伝播していく。特に、江戸幕府のとった参勤交代の制度により、全国の流通が活発になり、その過程でも菊つくりも士族の間で流行していく、それが、町人文化にも伝播していくのである。このような、士族から庶民に広がる園芸の歴史の中で、徳川将軍家の園芸好きも、全国に伝わっていく一助となった。徳川家康は江戸城入城の際、万年青 (オモト) の鉢を持って入城したと伝えられている。二代将軍秀忠の園芸好きは有名で、珍しい椿を集めていたようである。そのため将軍家の園芸好きは、諸藩の大名、武士、庶民にも伝播していったと考えられる。

享保年間の八戸藩用人所日記に八戸藩での園芸の隆盛が見て取れる。享保9年 (1724) 頃盛んに家臣が菊を作り藩主に献上している。また、お庭造り、お花畑の手入れに専属技術者を配置している。赤澤勘太夫を植木御用奉行に、立花新蔵を植木下奉行と任命している。草花植奉行などもあり、園芸全般に藩の御用として重要視されていたと推察される。

元禄8年 (1695) 江戸の植木商伊藤伊兵衛が刊行した『花壇地錦抄』には250種類の菊が紹介されている。そして、享保3年 (1718) から江戸菊会が開催されるようになる。

宝暦5年 (1755) 松平頼寛が『菊経国字略解』で菊の花や、観賞菊の様式などの研究がなされている。

文化年間 (1804-1817年) から巣鴨を中心に「造り菊」と呼ばれた、より技術の高い菊細工が流行する。「一本の菊にて、菊で富士山、屋形船、島台、帆かけ船、二見ヶ浦、岩に牡丹、獅子の類、その外種々の物つくれり、誠に樹藝の奇工を極

む。」(塵塚談文化11年)

その後、一時期菊細工は姿を消したが、弘化元年(1844)頃から再び菊細工流行が始まる。巣鴨、白山、大塚、高田、雑司ヶ谷、団子坂と場所も広がり、植木屋、素人まで各家で菊を作り競い合うようになる。料理屋、茶屋の庭にも菊が飾られ、ある種の遊興性を演ずることで、人々を引き寄せる見世物になり、町全体を盛り上げていた。

菊作りが盛んになることで、専門性の高い園芸技術書も出版される。

文化15年(1818)本草学者岩崎潅園が記した「草木育種」は、総合園芸技術の進化を表しているものである。また、潅園の「本草図譜」は20年の長い期間製作されたもので、2000枚を超える緻密な写生図により植物が正確に記録されている。

園芸ブームの高まりは、流行に敏感な浮世絵師によって、庶民にも伝えられた。弘化3年(1846)「菊花壇養種」は、菊栽培方法の園芸書である。筆者は菅井菊叟である。この菊叟はペンネームで、実際この本を書いた人物は浮世絵師渓斎英泉である。若いころ狂言作家も目指していたので文才も発揮していた。このころは、専ら一筆庵可候の号で合巻や滑稽本に取り組んでいる。挿絵も英泉が描いている。浮世絵師らしい細かい筆遣いで一目して菊作りの仕方がわかる。文字の読めない庶民でもわかる園芸書であった。

また、同時代に沢山の種類の菊があったことを示す浮世絵がある。歌川国芳の浮世絵「百種接分菊」弘化2年(1845)は、一本の菊から100種類以上沢山の銘柄

歌川国芳の浮世絵「百種接分菊」(国立国会図書館デジタルアーカイブスより)

の菊が接ぎ生えている様子を描いており、それぞれの菊に菊の銘柄名のかかれた短冊がつけられている。「世界の図」などの菊の名前も見える。この「世界の図」は、八戸の遠山家所蔵『菊名集』にも見られることから、菊名集が作られた時代の証明になる。老若男女が菊にくぎ付けになっている中、菊に背を向けて熱心に菊番付に見入っている男（画右下）の姿も描かれており、菊が投機の対象になっていることを思わせるものである。また、八戸藩の武士もこの浮世絵の男のように、江戸で有名な菊の名前を知り、苗の購入を決めたのかもしれない。

幕末の嘉永以降は明治時代に至るまで，菊まつりの演出に菊人形が取り入れられた。等身大の菊人形に「高砂」「蒙古退治」など物語の演出が加えられ、団子坂は菊であふれ、庶民の秋の楽しみとなっていったのである。八戸では、『奥南新報』明治 43 年 11 月 25 日東京団子坂の菊人形の職人を呼んで、菊人形を作ったとの記事がある。「八戸町の淡香園跡地に開催された東京団子坂菊人形の内、「宮本武蔵塚原卜伝試合の場」なるが宮本武蔵は市川高麗蔵優の似顔絵塚原卜伝は片岡仁左衛門優の似顔絵をとらえたものという」有名な歌舞伎スターの菊人形に集まる人が、町の活気を呼んでいたのである。

こうして、陸奥八戸藩でも食用菊、観賞用菊が盛んにつくられた。京、大坂、江戸は菊作りの中心地として「三カ津」と呼ばれ、ここから全国に菊ブームが伝播していったのである。

1-3　『菊作方覚』等に知る江戸時代の八戸藩菊史

南部地方の菊について現存する一番古い園芸書は、天明元年（1781）頃に八戸藩士徳武新蔵によって記された遠山家旧蔵の菊栽培書『菊作方覚』であろう。執筆者徳武新蔵政眞は八戸藩の上級武士で、江戸勤番が長い。八戸藩の重臣であり、殿様の側近であり菊の愛好家である。徳武と遠山は江戸勤番の頃から同僚として顔合わせしていたので、江戸屋敷での楽しみとして菊作りを楽しんでいたのであろう。

安永 4 年（1775）の八戸藩御用人所日記 10 月 11 日に「菊花一鉢他色菊品々徳武新蔵差し上げ披露新蔵へ逢われ御意仰せ出られる。」とある。藩内でも菊作りで有名な人物であったと推測される。また、園芸全般に通じており、同年６月２１日藩主の庭に廻り灯篭を据え付ける際、工事の指図をしている。

徳武家の初代荒井十右衛門は上州沼田（群馬県沼田）の出身の武士で、縁あり名久井工藤家の食客となる。その後、腕を買われて寛文７年江戸で八戸藩に仕官し、名久井岳の山麓の新井舘に知行地を与えられていた。園芸に詳しい家系で、三代貞之進は名久井に上州柿を持ち込み、接ぎ木して、種なし柿水沢柿または鳥舌内柿の特産品を生み出し名久井を豊かにした人として、今でも地元の古老から「徳武様」と敬愛されている（工藤釗氏より聞く）。五代政眞の代より徳武氏を名乗り、その時、菊栽培書『菊作方覚』を記した。

徳武が、子孫に菊愛好家であった場合の指南書として、内々の記録として残したと記されている。実際は、そのころの八戸藩士の間で菊作りの手本書として、写本され、遠山家蔵書他にも広がっていたようである。

八戸市図書館には『菊作方覚』の内容の殆ど同じもの『菊作方之書』が所蔵されている。波々伯部富栄が享和元年（1801）3月5日に、玉井七兵衛から借りて写したとある。一部焦げた後があるので火事の際も重要文書として運びだされたと推察される。明治26年苫米地直度が八戸青年会文庫に寄贈したことから現在目にすることができる。

食用菊については、江戸八戸藩邸に、藩御用人の山村孫大夫が、八戸から「くりから鬼一口または八月菊」という名の食用菊を、部下の伊保内長十郎に命じて江戸屋敷に持ち込ませ、御用として植えさせたと伝えられている。残念ながら、その菊は江戸の土地に合わなかったのかうまく育たなかった。その後、宝暦年間（1751-1764年）徳武が江戸藩邸勤務のとき15本持ち込み、江戸屋敷に植えて増やし、知り合いの屋敷にも植えたところ、江戸では菊を食用とする習慣がないため、食用菊特有の菊の首が垂れる姿が見苦しいと嫌って、根ごと捨てられてしまった。江戸では菊は鑑賞する物としか考えず、食べるという習慣がないことからもったいないと嘆いているのである。

観賞菊については、徳武が渋谷宮益町の立願寺老僧、藩邸出入商人の善治妻や同僚の親戚、染山斧右衛門より江戸風の菊作り方を伝授している。その頃は、菊作りはビジネスになっており、誰も秘伝はタダでは簡単に教えてくれない。つてを頼って苦労して江戸の菊つくりを学んだようである。それだけ多くの人が菊作りを商売としている、「園芸ブーム」の時代であったことが伺える。宮増町立願寺僧侶とは『草木奇品家雅見』に「僧栄伝は、東都渋谷金王祠の別当にして宝暦の頃の人なり、奇品を弄諸国州の好人と贈当する」とあるので、当時有名な園芸家であったと推測される。

徳武は栽培方法についても、江戸と八戸の気候の違いを充分認識して選択していた。江戸と八戸では気候の違いから同じ栽培方法が難しいということである。

この気候の違いによる栽培の方法の違いや、菊の種類の耐寒性の差異が奥州菊を生んだと考えられる。例えば、江戸では花が半開きの頃、竹籠に植えたものを花壇に移植する。御国（八戸）では植え替えはしないとある。現在も新宿御苑の伝統的千輪仕立て菊花壇は竹籠製の植木鉢を使った育成方法である。初めは竹で編んだ籠の植木鉢に植えて育成する、秋になり菊花壇が準備されると、その花壇に竹籠に植えられた菊が移植されて菊花壇が作られるのである。

徳武によると、暖地江戸では、菊の生育が旺盛な場合、菊の茎が太くならないよう、菊を根ごと掘り上げて根に日光に当てて菊を弱らせる技法もあるとしている。茎が太くなるのは美観的に良くないとあるが、栄養が茎、葉に集中することで花が小さくなってしまう事を避ける技術でもあるとも考えられる。鉢植え栽培以前は花壇植えが一般的に行われていたので施肥による菊の生育調整が難しかったのである。

それに対して、寒国八戸では植え替えせずに菊花壇を作る。あらかじめ、菊花壇予定の場所を決めて畑を耕しておく。6月霜の心配のない頃菊の苗を吟味し花壇に植える。この時、前年までの経験などをもとに、菊花壇のデザインをして植えていく。花壇の前段は丈の低い種類の菊、後段に行くほど菊の背丈は高くなる。このデザインには、毎年綴れる花賦（花の生育記録帳）の花の名前、草丈、色などの記録を見ながら決める。菊の種類により背の高いもの、伸びない品種を認識して選んで植えるのである。一度植えたら、移植は行わない。寒国八戸では、菊の成長が江戸より遅いので、移植すれば根にダメージが与えられ、菊の丈、開花が予定通りの成果を得られないからである。この技法は、明治、大正、昭和期の八戸菊花壇にも同じように伝えられている。このようにして、八戸でうまく育つ種類だけが残っていった。

徳武は菊の活用方法にも言及している。菊の料理方法で、クルミ和え、山椒和えなどを紹介している。また、菊の葉を煎じたものは、さしこみ、腹痛、頭の水虫にも効く薬用としても使用されていた。

同時期の記録、天明2年（1782）9月「八戸藩用人所日記」によると、藩主自ら菊の花を八戸城内の書院の庭で作っており、この菊で粕漬菊を作り幕府への献上品の一品として江戸藩邸に送っていることから藩の御用として菊作りが奨励されていたのである。それ以前、明和4年（1767）9月16日江戸用人所日記によると「田沼主殿頭殿（田沼意次）へ時節御見廻の為菊花一籠進まれ御使者孫太夫（山村孫太夫）方相務める」幕閣田沼意次への進物品として生の菊の花が選ばれているので、贈答品とし食用菊が珍しがられていたようである。そして、江戸の屋敷のどこかで菊の花が植えられてきたことを示している。

また、菊は食用、観賞の為だけの菊ではないことがわかる。八戸では菊と文芸がより密接に結びついていた。この書の中で徳武は、花月堂古陽荘閑斉という俳句の号を持っていたことがわかる。八戸は俳句の盛んな土地であるが、それは、宝暦８年（1758）３月八戸藩士船越三藏恭康が五代藩主南部信興に俳諧の伝書「貞徳流俳諧相伝系統」を献上した時を嚆矢となした。そして、徳武の生きた時代の七代藩主信房公は、号を五梅庵畔李と称し俳諧星霜庵の２代目を継いだ俳人である。敬愛する陶淵明の「五柳先生」、菅原道真の愛した「梅」をとって「五梅庵」と称した。藩主信房が花咲亭を継承してから、信房自らが判者となって江戸屋敷を中心に毎月句会が開かれた。上屋敷、下屋敷、蔵屋敷、抱え屋敷などに住んでいる八戸藩士はもちろん、八戸の国元の藩士は八日振飛脚で俳句を句会に届けている。信房の側室李州もまた江戸俳諧に名をはせ、花月堂李州を名乗っていたので、徳武はこの李州一門との関係があると推測される。

俳句と菊が結びついていることで、食用菊、観賞菊文化と文芸の世界が日々の暮らしの中で自然と一体となっていたのである。この様なことから、そのころの、八戸藩士にとって時を経ても「菊作方覚」は藩の御用全般を遂行するための重要な手引き書であったと考えられる。

｜1-4｜園芸で繋がる遠山家と河内屋

「菊作方覚」を所蔵していた遠山家と河内屋の園芸における繋がりが、その後の八戸の菊文化に影響をあたえていた。

遠山家は江戸勤番が長かったが庄右衛門（平馬）の代、享和２年（1802）より八戸番町に定住した。八日町河内屋とは裏庭で屋敷が接していた。河内屋は、その前の天明６年（1786）より現在に至るまで、同じ場所で日本酒を製造している。河内屋は藩御用商人でもあったので、藩重役の遠山家とも公私ともに深い繋がりがあった。このため、互いに何代も公私に渉る家族ぐるみの付き合いが続いた。遠山日記によると、遠山家で婚礼があるときは、婚礼会場の座敷を広くするため、裏板塀をはずして、一時的に家具などを河内屋で預かってもらったり、祝いの膳料理を河内屋から運び込んでいる。日常の味噌や薪も河内屋から手配してもらっていた。冠婚葬祭、季節の届け物など互いに行き来する仲であった。（三浦忠司氏より聞いた）

遠山家は２代藩主直政の代、元禄８年（1695）、江戸で雄鑑流（北条流）軍学者として仕官し以来代々藩主の近習、側用人として江戸勤番が長く、いわゆる「浅黄裏」と呼ばれた田舎侍ではない。江戸の事情にも詳しく、園芸などの趣味も持っている。文政から幕末にかけて江戸勤番であった時、遠山屯（八代）、庄七（九代）はその当時八戸で珍しい、孟宗竹、絞りきりしまつつじ、ヤブコウジ、橘、万両などを江戸より船便で取り寄せている。植木は４斗樽に植えられた状態で船積みされていた。遠山屯、庄七親子は、非番の日には、渋谷藩邸のそばの寺社愛宕山権現や水天宮の縁日などで植木、野菜の種も求めている。染井吉野桜で有名な園芸の盛んな染井村（現在の東京都豊島区駒込あたり）にも足を延ばしている。

遠山家では菊作りも盛んに行い、八戸在中には、河内屋に何かの挨拶として菊の花を届けている。遠山家日記によると、享和３年（1803）９月 10 日には「河内屋並びに曽仙老（医師）へ手作の菊十五宛差し遣わす」とある。食用か観賞用か銘柄も不明である。

また、遠山は親戚にも菊の育成を援助していたようである。幕末の安政３年（1856）５月 16 日には遠山の親戚の太田八十郎より菊苗の無心があり、阿房菊 100本ほど、晴嵐 70 本、八月菊 100 本、その外、茄子、南蛮などの苗をあげている。これだけ大量の苗を自家生産していたということは河内屋から借りていた長根の畑（文化 11 年遠山家日記記載）の存在があったことをうかがわせる。

同３年９月には「手作りの菊の花、せいらん（晴嵐）並び、あぼう（阿房）五十河内屋へ差し遣わす」とある。ここで、わざわざ「手作りの阿房宮」と言っていることから、遠山自身が手塩にかけて作った阿房宮は幕末のこの時代に八戸ですでに生まれていたことを示している。晴嵐、阿房とも食用菊であるので、食用として贈答したと考えられる。

もう一つ、遠山が所蔵していた『菊名集』は、その当時の菊の銘柄が解るカタログである。前述の歌川国芳の浮世絵『百種接分菊』にあった「世界の図」という菊が見られる。この「世界の図」は明治 30 年の『八戸菊銘鑑』にも載っている。菊名集には江戸より下ったと思われる菊が他にもある。「さざえ堂、大坂、鷲の爪、天女、二見が浦、谷の雪」などの名前の菊には、添え書きに江印とあるので、江戸の菊であろう。「さざえ堂」とは、建物内部が螺旋状階段になった建物で、さざえにその構造が似ており、その頃江戸にもあった名所である。このように、江戸の菊が八戸にも送られ育てられていたのである。

遠山が江戸から持ち込む珍しい植物に河内屋主人の園芸熱は刺激されたに違い

ない。嘉永３年（1850）「植木取扱書」は河内屋橋本八十郎が江戸勤番の八戸藩士森重太夫より入手した園芸技術書である。森重太夫は江戸勤番の際、河内屋とは懇意の関係にあったように推察される。森重太夫が江戸藩邸出入りの庭師五左衛門から聞き出した園芸技術で松、松葉菊、万年青の植え替え時期など具体的内容が記されている。また、重太夫が藩船小宝丸にて河内屋宛の植木の運搬の手配をした記録もある。参勤交代の折に士族より伝えられた植物に飽き足らず、商人が独自のルートを使って最新の園芸技術、植物を入手していた。

遠山、徳武、河内屋とそれぞれの園芸技術の情報ルートを持ちながら園芸の知識について共有する場面が菊見会などであったのではないか。そして、観賞菊、食用菊の文化が八戸に根を下ろしたのはこれらの人々の園芸熱によるものであったのではないだろうか。

｜1-5｜小井川元吉、潤次郎による幕末、明治の菊史

明治43年10月1日より同月29日（8回連載）まで。菊童子の名で、八戸の菊の歴史が述べられている。この菊童子は郷土史家、民俗学者の小井川潤次郎（1888-1974）のペンネームである。この時、潤次郎は青森師範学校を卒業し八戸地方の小学校で教鞭をとりながら、「奥南新報」を発表の場として、活躍し始めたころにあたる。

この連載は八戸がなぜ菊の郷と呼ばれているのかについて探求した連載物であるが、明治も末となると、江戸期、明治初期の八戸の菊の歴史は、すでに一般の人の記憶から風化していたから、父親の元吉から聞いた菊の歴史を是非再びみんなに知らせたいという意気込みが感じられるものとなっている。

郷土史家、民俗学者として知られている潤次郎だが、実は、園芸が家業であったことはあまり知られていない。河内屋文書勤行帳よると、父元吉は明治２年より明治12年まで河内屋に勤め、塗師などをしながら、菊など植物の世話もしていた。

元吉らは河内屋橋本八十郎の命で、秋田、仙台などから優良菊の種類72種を選んで八戸に持ち帰った。元吉は、その後、菊の大家として東京の「日本園芸会」の菊品評会で審査委員として、また出品者として入賞し活躍するのであるが、潤次郎も父の手伝いをしながら、植物に深く触れ、菊の栽培をしていた。元吉は好きな植物の研究を、河内屋の後ろ盾で続け、東京でも知られた菊栽培の大家となっていく。

元吉はこの『八戸菊史』の出た翌年44年２月えんぶりの頃脳卒中でたおれているので、菊に関する歴史は、元吉から潤次郎に継承する時期であったのである。同紙によると、八戸の菊は豪商七崎屋半兵衛が大阪より求めた花が起源となっている。「黄寶珠」より「阿房宮」が出たとも書かれており、およそ阿房宮の出現の歴史は小井川の文章によって世に出た。

以下では新聞『奥南新報』の記事を拾い起こしたものである。

食用菊阿房宮は八戸藩士の稲葉氏が「黄寶珠」という菊から「阿房宮」という食用菊を実生したとある。

観賞用菊の起源としては、文化、文政時代の八戸の豪商七崎屋半兵衛が大阪より黄寶珠、軍勢という菊の花を７両２分で購入し、八戸にもたらした。という伝説が伝えられてきた。この時が八戸に初めて観賞用菊がもたらされたといわれている。当時菊が珍しい時代であったのであろう。小井川はこれを八戸の観賞菊の始まりであるとしている。

文久の頃になると菊名人として知られた白井八右衛門らが菊を育て、それらの仲間内の記録に「阿房宮」、「黄寶珠」も見られる。菊名録大略という菊の品種名鑑に113種の名が載せられてある。それらの菊に江戸、大坂、実生等の肩書があるのを見ると八戸の実生菊と江戸、大阪等から輸入された菊とがあるのがわかる。参勤交代などで盛んに各地から菊苗が取り寄せられ八戸で菊が実生されていたのである。

元治になると益々菊作りが盛んとなり、淵沢源四郎、橋本八十郎らが200種類をそだてていた。

元治から慶応にかけては、龍源寺住職上田祖堂、鈴木三郎右衛門、小山田源内、中里弥五右衛門氏ら寺社、士族も盛んに菊作りをしていた。

ところが、維新の混乱期では士族が栽培をやめざるを得なくなり、慶応３年の年に種類は170種にまで減じている。さらに明治３～４年に至って衰退の極に達したときに橋本八十郎氏らが70種ほど熱心に栽培を続け次世代へ命脈をつないだ。

同12年の秋、橋本八十郎氏が、小井川元吉を秋田県12か所に派遣して菊種72種を選び持ち込ませた。

さらに、同18年橋本八右衛門氏（５代目）は佳友会という菊同好会を組織した。人数は八名で、濱中武八、浦山政吉、米沢徳蔵、小井川元吉、福士小兵衛、木村福松、清水喜助であった。この年から佳友会では、毎年菊花共晋会を開き「八戸菊銘鑑」を発行した。撰者は小井川元吉氏である。これで、八戸菊花界は統一せられ活動し始めた。諸種の菊花研究せられ発達した。菊は京坂地方から輸入され、かつ実生も奨励され、品種も増し、栽培家も多くなった。

八戸対泉院の菊花壇　左下は上田祖堂和尚　青霞堂発行

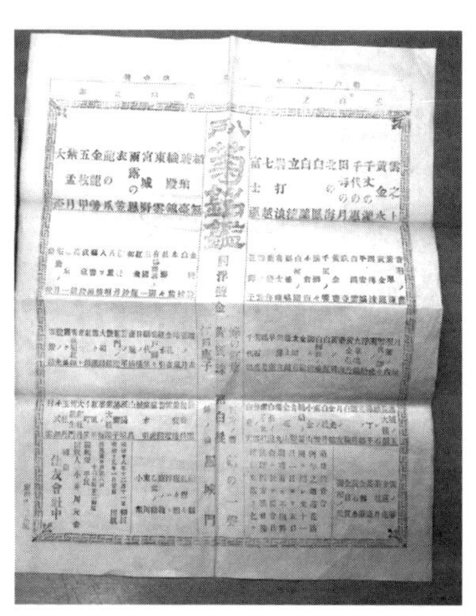

『八戸菊銘鑑』佳友会　明治18年　八戸市立図書館蔵

同19年、忘年会という菊花会が作られた。会長は中里孫次郎氏である。上田祖堂、小山田源内、栃内松男、鈴木、郡司、広沢寺、南宗寺，本覚寺、願栄寺、その他20名である。町人派の佳友会、士族派の忘年会とそれぞれに進むようになった。

同20年に橋本八右衛門が物故したので佳友会は大打撃を受けた。その頃、中里氏は忘年会脱会して、佳友会へ加入した。上田氏が代わって忘年会の会長となった。

同21年八戸が大火で菊種の過半数が失われたがそれでも各自が熱心に仮小屋で品評会を開いた。法性の兜、水無瀬川など中里、鈴木氏のよき実生が出た。

同22年には上田氏が佳友会に名を連ねた。佳友会では、中里玄竹園を全会附属の花園として、菊種の繁殖と栽培法の研究をした。

同22年米国サンフランシスコに菊種を輸出し好評博し、米国よりも菊を輸入した。

同27年日本園芸会菊花品評会へ審査の委託をうけて、小井川元吉氏上京、その品評会で一等冠の紐（小井川元吉）二等布引の瀧、朝日の波（女鹿左織）山家の壽（栃内松男）その他受賞があった。全国に八戸の菊作りの名が轟いた。

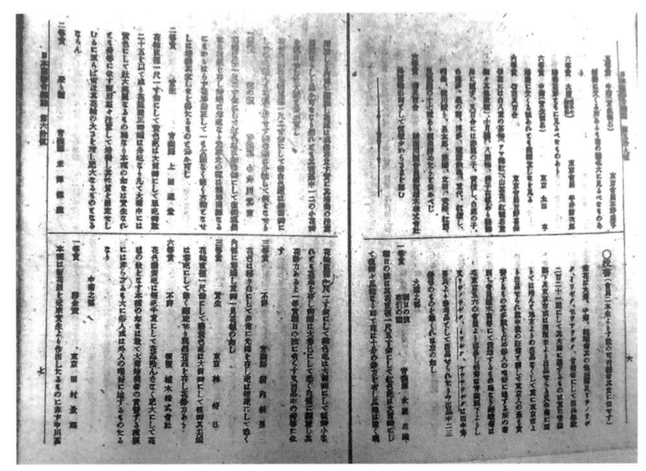

日本園芸会雑誌60号　明治27年11月（国立国会図書館マイクロフィルム）

同28年千古の雪、凱旋、古寺の雪、また前後して、秋の山路、弘徽殿、等の実生が多くでた。同35年日本園芸会品評会へ小井川氏審査員として出席、優等大瀧、一等楯無、昇竜、御所車（以上松下一郎）蜘蛛の遊（山内英定）二等雪の氷柱（栃内松男）その他受賞。

同35年頃から下組町等で多くの栽培家がでて冷香会と呼ばれた。主に玄中寺に陳列会を開き、八戸の菊花が空前の盛況を示した。

同37年三度審査委員として小井川氏上京。一等許の紐（小井川氏）その他受賞。

明治38年に会長に太田広城氏を戴いて、鉢植えの栽培を目的とし千代見会という一団が組織された。

同39年には千代見会の品評会が天聖寺に開かれた。佳友会では、松下美笑園で第22回の共晋会を東北菊花大会と名乗って開催。鉢植えに見るべきものが出た。内苑局の市川之雄氏が八戸視察に訪れた。

同41年佳友会の第23回菊花共晋会が小井川邸で開かれた。

同42年東京毎日新聞社主催全国菊花大競技会へ大菊の審査委員として小井川氏委嘱せられて上京した。

許の紐

注：奥州菊の特徴はない、細管もので東京の菊と同じもの

｜1-6｜食用菊阿房宮を作った人　170年間のトップランナー阿房宮 ―

食用菊阿房宮を生み出した稲葉齋岡本文太夫正香について、裏付ける別資料がある。『教育と歴史』稲葉捨巳元八戸市教育長の著書によると、阿房宮を実生したのは五代目稲葉齋岡本文太夫正香とある。稲葉家（一時岡本と名乗った）」は江戸で召し抱えられた八戸藩江戸勤番の武士である。3代岡本高茂は安藤昌益と交流があったことは、『詩文聞書記』から知られる。『庭秘伝書』を将来して造園を八戸に紹介した人物でもある。5代正香は安永８年（1779）家督を継ぎ翌９年江戸勤番となっている。

このころ『菊作方覚』の著者徳武新蔵も江戸藩邸で殿様のお世話係を務めていた。遠山庄右衛門（五代目）もまた、江戸詰めで、殿様、若殿様付になっていた。「安永９年９月２７日若殿様御用兼勤被仰付」の記載が徳武新蔵、遠山庄右衛門の両者の勤行帳に見られる。隠居前の徳武、遠山らが江戸藩邸で熱心に菊つくりをしているのを若き正香も見る機会があったのではないか。

食用菊阿房宮についての栽培記録は時代の下った弘化年間にある。八戸藩領軽米通り（現岩手県九戸郡軽米町）の豪農淵沢圓右衛門によって書かれた『軽邑耕作鈔』は弘化4年（1847）から15年に渉って書き継がれた農業全書であるが、多くの食用菊の一種類として「阿房宮」が登場する。その当時から食用菊として一般に知られたものであったようである。「阿房宮」、「晴嵐」、「蘭麝台」「庭の鞠」「紫宝珠」「桃の香」「鯱の鰭」「一休」「白鷹　高砂ともいう」と言った食用菊の種類があった。淵沢はこれらの中で一番作りたい種類として「阿房宮」をあげている。これらの菊のほとんどは明治18年版の『八戸菊銘鑑』では観賞菊の欄に名前を見るが、明治36年版になると食用菊の欄があり、その欄に名前を見つけることができる。これは、多くの食用菊は当初観賞用菊として実生されたが、おいしいので食用菊にもなったということである。場所、時を経て観賞用菊であったり、食用菊であったりする。

珍しい阿房宮の千輪咲き仕立て　（平成27年山田稔氏作）

この中の「蘭麝台」という菊は、明和9年（1772）9月5日八戸藩新御殿日記に「八郎兵衛より蘭麝台と申す菊才覚につき差し上げ申し候旨申し聞き御納戸へ差し上げる」とある。また、明治期の八戸菊銘鑑にも見ることができるので食用菊が長期間生産されていたことがわかる。これだけ長い間、同じ種類の菊が残ったということは食用菊として実用性があったからであろう。

この様な事実から、黄寶珠、阿房宮が生まれるのは、『菊作方覚』の記された時代から、70年後の天保末、弘化年間の頃である。正香は92歳の天寿を全うしたので、晩年頃に阿房宮が生まれたと推察される。前述の奥南新報では七崎屋が、黄寶珠を大坂から購入し、そこから阿房宮が生れたとある。しかしながら、七崎屋が菊の花を大阪より購入したのは事実であろうが、黄寶珠ではないようである。

その根拠として、今から170年程前の弘化4年(1847)に江戸で書かれた『菊花壇養種』という、園芸書に近来珍しい花として「黄寶珠」が紹介されている。

七崎屋は今から200年程前の文政4年(1821)八戸藩重臣　野村軍記の藩政改革の中で取り潰しになった。繁栄の期間が明らかになっており、取り潰された文政4年から弘化4年では26年もたってからの話である。近来というからには26年は永すぎる。これは、七崎屋事件を記した「野沢蛍」の中で、七崎屋が取潰された理由の一つに「菊見会と称して、藩重役を接待し不正をはたらいたこと」があげられるほど菊といえば七崎屋というイメージがうえこまれていたのであろう。阿房宮の出現は天保、弘化年間に正香が開発したということになる。170年間も食用菊のトップランナーとして現役である伝統野菜である。

阿房宮とは中国を初めて統一した秦の始皇帝が作ったと言われる宮殿の名前である。兵馬俑で有名な秦の始皇帝陵の場所にほど近い西安市阿房村にあった。一万人が収容できるほどの大きさの宮殿であった。阿房宮という名前を付けることは、中国の歴史文化に精通した人によってつけられたと考えられる。しかも、皇帝の宮殿であるから、花として最上級の品質であると判断できる人でなければならない。阿房宮は品質、ネーミングともに後世に残る大ヒット作となったのである。

1-7　橋本香月園の来歴　『八戸聞見録』より——園芸に親しむ河内屋当主

橋本香月園(以下香月園と称す)は幕末期に河内屋四代目橋本八十郎昭義　号桜園(1824-1879年)により、八戸町の八日町の造酒蔵、住宅に隣接した花園として創設された。河内屋は宝暦年間、初代が十三日町で呉服商を始め、天明6年八日町の酒蔵を居抜きで購入して酒作りを始めた。明治14年の天皇巡行の際は御付きの北白川宮親王の宿泊先にもなっている。

明治14年(1881)に天皇に上奏された『八戸聞見録』渡辺村男著の中で、「橋本八十郎伝」として紹介されている。この書物は、八戸中学の教師長(校長)であった渡辺が、八戸の風土、歴史、文化についてまとめたもので、まさに、明治14年の天皇八戸巡行に合わせて書かれたものである。前回の明治9年の東北巡行では、八戸は巡行コースから外れており、明治１４年の巡行は八戸の人にとって熱望したものであった。初めて八戸を訪れる天皇一行に八戸の歴史、文化、風俗習慣、産業を理解してもらうための上奏書であり、八戸のそのころの様子をうかがい知るだけでなく、その後の八戸の産業の発展を考えるうえでも貴重な資料でもある。この上奏書は、昭和 17 年、19 年の二度にわたり弟子の八戸町町長北村益、助役久保節らによって出版され、再び世にでて衆人の知ることとなった。

その中で、橋本八十郎伝として園芸に親しむ河内屋当主を紹介している。

藩政時代から、造酒屋、廻船問屋、金融など幅広い商売をおこなっていた河内屋主人であるが、趣味として園芸を特に好んでいた。

幕末期に四代八十郎昭義は、藩医であった安藤顕寧の勧めで健康のため園芸を趣味とするようになり、八戸八日町の自邸に梅の古木を集め香月園と称した花園を作った。菊作りも熱心で、維新の混乱の時でも、菊を育てていたのは八戸でも八十郎ぐらいのものであった。150 種類の大菊を栽培し、その種類は東京のそれと負けないものであった。また、食用菊阿房宮は品質の良いことから「河内屋菊」と呼ばれていたようである。

この写真は明治 30 年代の八日町河内屋香月園の写真である。真ん中に四角箱のようなものがある。菊苗を育てる育養箱であろか。日よけの葦簀がかけられている。また、左側に切妻屋根の岡室がある。鉢花も置かれているので冬場には囲われて暖房を入れていたのである。建物の下には寒さの厳しい東北で温暖な地域

河内屋八日町香月園　　菊鉢、菖蒲、盆栽、室もある
八戸市立図書館（南郷）収蔵　明治30年代

の植物を生育維持させるため、地下を掘った土室がある。暖房を入れてお茶の木や南洋の珍しい植物を守っていたのである。

6月の頃であろうか、菖蒲の花が咲いている。大きな鉢が真ん中に100個以上用意されている。おそらく菊の苗の定植作業の写真のようである。奥のほうに一人の人物が菊の世話をしている。一番奥には多くの盆栽が並べてある。『八戸聞見録』に記された明治14年の河内屋香月園の様子が明治30年代にもその状態で続いていたということであろう。

『八戸聞見録』には、「明治10年の第一回内国勧業博覧会に橋本八十郎のお茶が出品され、褒賞をえた」とある。第一回内国勧業博覧会会場は今は上野の美術館になっている場所である。時の内務卿大久保利通は、明治政府として正式に参加したウィーン万国博覧会（1873年）を参考に、全国から産品を集め、初めての殖産興業の成果を示す博覧会を開催した。その年は、まだ世の中が定まらず、新政府が西南戦争（明治10年4～9月）で西郷隆盛と激戦をしていた時である。新政府は失業した旧士族に新たな職業をあたえる授産事業として新しい殖産興業を模索していた。出品者はなるべく会場を参観するように便宜もとられていた。全国のアイデアマンに、見て学んだことを全国に発信し活用してもらうことも大きな目的であったのだ。

本県からは旧会津藩士（斗南藩士）廣澤安任の三沢に開いた牧場からも牝馬が出され報奨を受けている。廣澤の報奨の記録は「三沢市先人記念館」に大久保利通からの賞状とメダルが残されている。八十郎の出品したお茶は暖地の植物である。八戸という寒冷地でお茶の木を育てるのは今でも難しい。その木を育て、茶葉を得ることは大変な事業であると考えられる。もちろん温暖な「室」（温室）の施設を作ることは当たり前で、お茶の煎り方など製造方法も極めなければならない。八十郎は茶道にも造詣の深いことから、茶の製法まで研究していたのであろう。そのほかに、当時の出品名簿を探すと、八戸からは富岡新十郎が海苔を出品している。

この東北巡行の一行には、参議大隈重信、内務卿松方正義が加わっていた。大隈は無類の園芸好きで、早稲田の自宅に温室を持ち、明治35年から「日本園芸会」の第2代の会長を務めることとなり、「日本園芸会」品評会で八戸の菊の躍進も知ることになる。また、松方正義はこの4年前の明治10年第一回内国勧業博覧会では、主催側として、受賞者と共に記念撮影しているので、八十郎、八右衛門の事は知っていたのかもしれない。この巡行団には、私的な広報団も同行していた。渡邉洪基（初代東大総長）とその付き添いとして花房義質の弟と郵便報知新聞の記者原敬である。「日本園芸会」の初代会長が朝鮮代理公使花房義質であった。渡邉も第一回内国勧業博に政府側の官として記念写真に収まっていた。原敬はこの時八戸側からの陳情で訪れた鮫浦築港の必要性について、理解を深め、大正8年（1919）に始まる築港事業の推進を内閣総理大臣となって応援することになる。

八十郎は植物全般に詳しく、その当時流行した万年青や菖蒲なども集められていた。一株百円の万年青（オモト）があったそうである。東京の植木屋も及ばない植物が質量とも集められていた。

五代目八右衛門昭則（如山）（1853-1887年）も菊に精通し、明治18年（1885）八戸に初めての菊の同好会「佳友会」を設立した。その後この佳友会を中心として八戸の菊が町場にひろがってゆく。士族授産の開本社の活動も支援していた。また、父八十郎と共に二戸福岡の呑香稲荷で、宮司の小保内孫陸より国学、俳句、和歌、茶道等を学んでおり、文芸にも秀でていた。呑香稲荷には、稲荷文庫といって、和漢数千冊の図書が、寄贈または購入して収められていた。購入の財源は無尽講であった。慶応4年橋本八右衛門が『古事記伝』を寄贈した記録がある。『古事記伝』の裏表紙に橋本文庫の角印があるので、河内屋文庫より寄贈されていたのであろう。呑香稲荷にあった会舗社は北の松下村塾ともよばれた、尊皇攘夷の拠点であった。長州吉田松陰の義弟楫取素彦の実弟小倉鯤堂は、ここで塾長を務めていた。小保内孫陸の長男定身は江戸遊学し東条一堂塾で、長州の久坂玄瑞らと親交もあった。政治的にも、文化的にもその当時最先端の教育がここに集まり、新しい時代を覚醒させる気風がある場所であった。

二戸福岡　呑香稲荷文庫　古事記伝　橋本八右衛門寄贈

この様な橋本家の園芸の伝統は後世にも引き継がれていく。

六代八右衛門昭訓（如洋）（1881-1932年）の時代であるが、明治43年（1910）11月の新聞「はちのへ」には橋本家の松春閣の裏にある栽培場に温室が作られ、カトレア、オンシジュウム、ベゴニアなどが暖房を入れて管理されていたとある。日本にある種類の蘭はほとんどが集められていた。英国のサットン、ビッチ園からシネラリアが直接輸入されて育てられていた。そして、それらの植物の中で特に大隈重信伯爵の所有するベゴニアの株分されたものは珍品であった。

松春閣

暖房の仕組みは、温室に張り巡らされた鉄管の中を温められた熱水が循環する、セントラルヒーティングで、一巡して冷えた温水は再度温められ、鉄管に送り出される。温度を保つだけでなく、湿度を保つために、雨水を取り入れたタンクがあり、植物の鉢棚は、コルクを細かくしたものが敷き詰められ、タンクの水がかけられ湿気を保っていた。

すでに、明治末期において、循環型加温式の温室が作られていたのである。如洋は、八戸に初めて水力発電所を建設し、市内に電灯をともしたり、電話を導入したり、自動車会社を興したりと多くの最新の事業を起こした人である。先代より引き継いだ香月園を長根に移転させ近代園芸の最先端の経営を目指した。その質、量において日本で最高の水準を求めた。

明治43年といえば、後の香月園主任橋本正次がまさに東京の岩崎彌之助邸で園芸を学び終えて帰郷したのが5月である。岩崎邸の温室建設と同じ時期に、既に八戸河内屋にガラス温室をしつらえていたということである。

正次を通じて、六代目八右衛門に岩崎家の温室の仕組みや構造、育てられている植物なども伝えられていたのではないか。また、三菱の岩崎彌之助と大隈重信は政治的にも大変親しい関係にあり、ともに園芸好きということもあって岩崎家の温室に大隈のベゴニアが分けられて育てられていたとも考えられる。大隈が彌之助に健康のために園芸をすることを勧めたということである。

香月園温室　岩崎邸と同じ鉄管加温式

高輪岩崎邸の温室

岩崎彌之助邸の園芸施設工事は、岩崎邸園芸部の林脩巳による施工である。林は新宿御苑で福羽逸人より園芸を学び、大隈重信邸の温室の建築、植物管理に11年間携わった人である。その後、欧州留学をへて、帰国後岩崎邸庭園工事を指揮した。元の職場大隈邸の園芸施設は、その当時農学校、師範学校の生徒にとって憧れの見学、実習の場であったようである。林も度々岩崎邸園芸部の職人を案内していたのではないだろうか。正次の残した資料に大隈邸の温室庭園の絵はがきが残されている。正次は東京から帰郷する際大事な鉢を抱えて列車で帰ってきたことを懐かしそうに家族の者に話すことがあった。その鉢植えは大隈重信の珍しいベゴニアであったのかもしれない。

明治30年代には早稲田の大隈邸には温室で洋ランなどが生育されていた。この園芸文化は欧米諸国で開かれていた晩餐会に関係する。晩餐会の席には必ず、フラワーアレンジメントがなされた、食台用の花が飾られていた。西欧の諸国に遅れないようにと、舞踏会、晩餐会など鹿鳴館を中心とした欧米文化の重要な要素として温室による南洋植物の育成が必要であったのだ。大隈邸の佛手柑という南洋植物は大隈の母のお気に入りで大切に育てられていた。明治27年日本園芸会品評会にも出品されている。子爵、伯爵とこぞって温室を建設した。その当時は横浜の外国人居留区に手本となる温室があった。それらは、資材のガラスまで輸入品で作られていたのである。

温室を作るためには、鉄骨による強固なフレーム、光を取り入れる板ガラスが必要であったが、当初は英国からの高価な輸入品であった。明治４０年頃から、日本での板ガラスは、三菱の岩崎彌之助の次男俊彌が率いる旭硝子で生産を始めている。板ガラスの国内生産が温室の建設を促進させた。香月園ではさらに大正7年本格的な温室の建設を行う。

旧橋本河内屋合名会社社屋（八戸市八日町）
大正13年建築　国登録有形文化財

｜1-8｜全国に知られる菊の郷の誕生（明治期）

江戸時代から蓄積された八戸の菊作りのノウハウは明治に入って東京で開花した。

明治 27 年（1894）、35 年（1902）東京で開かれた「日本園芸会」での品評会で八戸の菊が席巻した。この時、小井川元吉が東京に菊審査委員として招かれていた。日本園芸会は同 22 年吉田進によって東京に設立された園芸発展と普及を目的とした園芸会である。主に、最新の内外の園芸技術の情報を会誌で提供している。会員は全国に広がり、会長に花房義質子爵、副会長に田中芳男、福羽逸人が就任していた。大隈重信、榎本武揚ら明治の政財界、園芸会の重鎮が協賛している。年に一度、総会と共に園芸品の品評会が開かれ、各部門での表彰が行われていた。

同23年の同会品評会では、八戸から加工食品部門で小井川元吉の菊海苔が五等、上田祖堂の菊粕漬が五等であった。この時、弘前のリンゴの父菊池楯衛氏も梅干を出品し五等であった。東北本線は明治 24 年開通であるから、その一年前にどのようにして出品したのかわからないが、大変苦労しての運搬であったと推察される。同 23 年の会報には、佳友会がカリフォルニアのオークランドに菊苗を輸出したことが掲載されている。この時、酢漬けの阿房宮の缶詰も食用菊の対米輸出のサンプルとして送られていた。しかしながら、アメリカ人には菊を食べる習慣は理解されなかったようである。

同 27 年の品評会は 11 月 15 日から 21 日まで、上野公園地内元博覧会跡５号館で開催された。この結果を告げる「日本園芸会雑誌第 60 号（明治 27 年 12 月）」大菊の部門で一等冠の紐（小井川元吉）一等布引の瀧、朝日の波（女鹿左織）二等実生（上田祖堂）、二等登龍（米澤徳蔵）三等山家の壽（栃内松男）と八戸勢が賞を総なめしていた。東京の著名な園芸家で新宿御苑の林脩巳は実生菊で３等、大隈重信の佛手柑の盆栽が2等であった。翌年62号2月号には、八戸佳友会の発行する「八戸菊銘鑑」全体が掲載されて、八戸の菊が全国に知られることとなる。

同 35 年日本園芸会第 11 回総会（11 月 23 日）並びに品評会は早稲田の大隈重信の邸宅で開かれた。出品は 213 点に及び林脩巳、田村景福、福羽逸人、小井川元吉４氏が審査に当った。

この時会長が花房義質から大隈重信に引き継がれた。1,000 名を超える参列者の面前で、優等賞を取った八戸の松下一郎は大隈重信より花房義質名賞状と副賞の出雲焼花瓶一対を直に受け取る栄誉を得た。優等大瀧、一等楯無、昇竜、御所車（以上松下一郎）、蜘蛛の遊（山内英定）二等雪の氷柱（栃内松男）と八戸の人が数多く受賞した。八戸の菊は不動の地位を築いた。どのような花だったのかは不明である。「楯無」はその写真が残っているが伊勢菊系、「雪の氷」は大輪細管系のようであった。楯無とは甲斐源氏の始祖新羅三郎義光以来、甲斐源氏惣領武田氏の家宝であり、源氏八領の一つである。武田氏滅亡ののち、徳川家康が回収し、菅田神社に奉納した。小桜韋威鎧、大袖付鎧のことである。

同 24 年に開通した東北本線は八戸から上野まで列車で一日かかる時代である。同 43 年の奥南新報に東京の国技館での菊品評会のために、佳友会が貨車一両借り受けて菊を運んだ記事があるので、その時もおそらくそのような方法で送ったのではなだろうか。

一連の「日本園芸会」品評会での受賞で、小井川元吉、女鹿左織、上田祖堂、栃内松男，米澤徳蔵、松下一郎らの作品が評判になり、この東京での大成功が菊の郷として、八戸が全国に認められる大きな要因になったのではないか。その当時の菊の種類は東京も八戸も菊はほぼ同じ種類の菊が作られており、その中の一文字菊、嵯峨菊、細管大菊などが八戸の菊の特徴の素材となっていた。八戸菊は東京の菊との混雑の中で、八戸好みの菊が繰り返し実生されていったのである。東京、その他地域の菊も八戸菊の品種改良のために大事な素材として栽培されていたのではないだろうか。

こうして、橋本八十郎、五代目八右衛門親子の八戸の菊を全国に知らしめたいという遺志が、小井川親子によって受け継がれ実現したのである。

1-9 八戸菊から奥州菊の出現

明治初めは東京の菊が輸入され、東京の菊と八戸の菊はそれほど違いのない物が育てられていた。しかし、その内いつの頃か、八戸の昔ながらに作られた菊を懐かしみこれら東京の菊と様々な菊を交配させて新しい八戸の菊が作り出された。八戸菊の写真は殆ど残っていないので、どのような花だったのか不明である。明治中期の写真の中にいくつか当時の菊の姿をとらえることができる。当時の菊の押し葉の菊葉添え句標本帖の中に出てくる花がいくつか見られる。江戸時代から引き継がれて実生した菊に加え、各地から良種を集めた。大輪は重弁咲と呼ばれ黄金の露，竜の立波等、明治の終わりになると巨大輪の花を求める声が高くなり、実生作出時代を懐かしみ愛菊家が競って新品種の育成に力を尽くし、花壇菊はすべて地元の作品のみとなっていった。立田の作に続いて、大観、鳳心、聴泉、春光、簇雲、暁の不二、暁天の鶴、大稜威、蛍が岬など続々と名花が出現し奥州菊の花型が定まってきた。

昭和になり7年に観潮、9年に国威、11年に飛流の秋、12年仰徳、22年海の勲、23年月光殿、24年香雲、25年悠久、26年薫風、29年秋香、30年朝の洋、31年聖炎、32年不忘、33年瑞雲などが新作された。

布引の滝　廬山の曙が見られる　栃内松男の花壇菊
八戸市立図書館（南郷）収蔵

1-10　大正時代の八戸の菊名人

大正３年(1914) 12月１日付『奥南新報附録』に八戸菊名人167人の番付がある。佳友会、千代見会、冷香会、秋芳会の合同番附であるので、八戸の町全域での菊名人の名簿である。「蒙御免大正３年11月於奥州八戸菊花培養家見立仕候」とある。行司役は小井川潤次郎、織壁賛である。共に『奥南新報』の文壇で活躍していた。形式は、相撲番付の様に上位者が東西に分かれ上段に、それに続くクラスが２段目、３段目に順番に記載されている。

大関クラスは番町松下一郎がトップで、東方　堀端町　女鹿左織、徒士町　遠藤英男、類家　村上大吉、徒士町　漆澤昇、小中野　木村忠太郎、同石橋長吉、十六日町　小井川浩三、鮫　荒井八十八、小中野　木村菊三、八日町　上野徳松、堤町　船越康名、小中野　西野松太郎。

西方　馬場町　鈴木昌実、八幡町　南部虎雄、馬場町　山井秀規、十六日町　松井忠太郎、小中野　堀新吉、十六日町　塚原豊八、新荒町　北村市太郎、類家　大橋太定、小中野　音喜多小松、徒士町　名久井藤太郎、小中野　樺沢三郎、小中野　大沼専之亟と続く。年寄には、上田祖堂、浦山政吉,郡司方俊、栃内松男、吉川圓順、工藤久五郎。世話人に立花宗吉、岩泉万千雄、清水喜助、西舘忠永。番付の名前を見るとほぼ各町内の世話役クラスの名前が見られる。

東方二段目　上徒士町　小山田定彌、徒士町　成田つね、十三日町　加藤貞蔵、外中居　生田嘉平治、八日町　橋本八右衛門、十六日町　中居仁太郎、長横町　楢館要四郎、小中野　中島新太郎、堤町　木村直七郎、窪町　新渡戸つね、徒士町　泉山幸次郎、下組町　名久井大作、小中野　尾崎勇次郎、売市　漆沢磐、小中野　菅原悦道、六日町　岩岡常蔵、外中居　福田徳松、六日町　阿部嘉十郎、塩町　橋本芳太郎、十六日町　出町定吉。

西方二段目」番町　阿部松男、類家　三輪正、町組町　菊池義忠、十一日町　村本岩太郎、鮫町　長谷川藤次郎、二十三日町　佐々木香雲、六日町　関野徳蔵、荒町　古澤文次郎、湊　郡司貞宗、尻内　佐野貫一、馬場町　泉山惣吉、常海町　川勝光一、十三日町　大橋兼八、小中野　浦山武夫、小中野　中村栄吉、柏崎新町　鳥谷部種方、長横町　北村泰助、鳥屋部町　織壁績、小中野　八代傳吉、三日町　橋本和吉。

三段目東　堀端町　橋本定七、十三日町　中村秀三、小中野　柾谷浅次郎、鳥屋部町　高橋政資、売市　沼館輿惣治、尻内　長島喜代治、小中野　長山恵三、小中野　上田瀧蔵、鍛治町　塚原熊蔵、横長町　島守勲、一日市　帷子定太郎、

六日町　大下常吉、二十三日町　浪岡直吉、根城　木幡清郷、中居林　石鉢初太郎、小中野　田代武平、徒士町　船越康徳、十六日町　山口辰雄、小中野　坂本才七、小中野　松本興身、十八日町　新渡戸審、十八日町　長島鐵三郎、三日町　工藤勇五郎、稲荷町　稲城篤実、三日町　関野重三郎、八幡町　大渡福次郎、八幡町　青木亀次郎、小中野　室岡栄三、十八日町　宮川善五郎

三段目西　鍛冶町　近藤元太郎、寺横町　高橋常太郎、外中居　四戸貞彌、湊　名久井玉蔵、鮫　村岡忠作、常海町　船越香織、小中野　森山豊治、町組町　西久保亀五郎、三日町　村本定吉、八日町　金入福右衛門、売市　武尾甚四郎、類家　小林次郎八、外中居　柴田清吉、売市　須藤清剛、堀端町　山本虎之助、上長苗代　山内亮、是川　平田慶次郎、十六日町　関野久太郎、二十三日町　福井富治、十三日町　近藤政吉、小中野　吉田ミヨ、小中野　赤坂虎吉、田面木　西村春秋、長横町　村井米吉、町組町　小川兼吉、三日町　工藤新助、堀端町　横澤新太郎、小中野　儀俄秀也、堀端町　下山幸太郎

四段目東　馬場町　上杉武彌太、二十八日町　山田太次郎、湊　名久井磯八、八幡町　石橋徳太郎、鮫　宮崎熊五郎、荒町　下斗米石太郎、三日町　松橋宗吉、下組町　大村傳次郎、大工町　大久保鐵二郎、鮫　石田多吉、是川　差波元次郎、吹上　長谷愛七、十六日町　畑内タカ、堤町　坂下福蔵、朔日市　蛇沼栄之助、小中野　岩見末吉。

四段目西　十六日町　河野市兵衛、三日町　米田宇兵衛、番町　遠山景雄、鮫　宮崎助五郎、湊　小嶋万太郎、鮫　橋本なお、町組町　杉本万次郎、番町　藤田愛次郎、二十六日町　荒谷千之助、稲荷町　山崎良甫、堀端町　奥田定七、二十六日町　軽米福太郎、十三日町　石橋徳藏、十六日町　柴田幾松、白銀　岩泉漂底、澤里　岩泉翠厳。

その当時いかに多くのひとが菊作りに携わっていたかがわかる。明治20年から30年代に「日本園芸会菊品評会」で活躍した人々は、年寄、世話役などになっている。

上田祖堂は対泉院の和尚で、菊作りが好きで、菊花壇が作られ菊寺と称されていた。明治19年亡年会の会長であったが、その後、佳友会に入り日本園芸会の品評会で優秀花に選ばれている。寺の奥には実生畑があり、菊を蒸す施設では蒸し菊を作っていた。

栃内松男は栃内吉忠の弟であり、菊の名人であった。その他実業界で活躍される人が大勢見受けられるので、嗜みとして菊作りが行われ、共通の趣味が実業に

もたらす潤滑油となっていたのであろう。

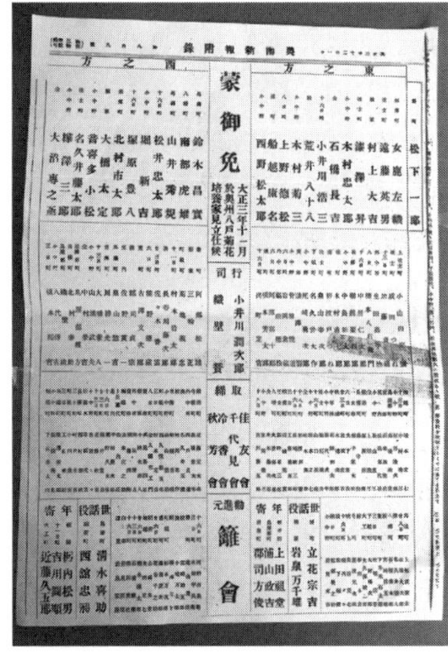
奥南新報附録

西之方　蒙御免　東之方

大正三年十一月
於奥州八戸菊花培養家見立仕候

行司

勧進元

『奥南新報附録』大正3年12月
八戸市立図書館収蔵

｜1-11｜八戸鳥瞰図と香月園（昭和初期）

昭和６年（1931）に作られた八戸小唄に「唄に夜明けたかもめの港、船は出てゆく南へ北へ～中略～城下二万石菊の郷」とある。作詞は法師浜桜白、作曲者後藤桃水。二万石の八戸藩は菊作りが盛んな郷と歌っている。今でも盆踊、祭りの会場などで歌い継がれ、八戸市民の歌として誰もが知っている小唄である。

昭和２年の新聞「はちのへ」に作詞者の法師濱桜白が大勢の新聞記者と香月園の菊を観賞しに来園したことが記事になっている。法師濱の頭の中には八戸の菊が刷り込まれ、自然と八戸二万石菊の郷とフレーズがでてきたのであろう。桜白は俳諧星霜庵の14代宗匠を継いだ人であった。

昭和４年（1929）年４月八戸町と小中野町，湊町，鮫村が合併し人口５万人の八戸市が誕生した。悲願だった港湾の整備など、八戸の発展の基礎が築かれた時代である。また、昭和11年（1936）十和田湖が国立公園に指定されるが、その指定に向けた各地の陳情運動が盛んな頃である。

種差海岸も含めた十和田湖の国立公園指定を目論んでいた神田重雄市長は八戸を全国に宣伝するのに何かいい方法はないかと考えていた。昭和４年２月３日鮫の石田屋で開催された「八戸を語る」（東京日日新聞社主催）の座談会で、神田市長が何か八戸を売り出す民謡調の小唄でも作ったらどうかと言った発言が契機となっていた。

法師濱が作詞を担当し、長く歌い継がれる民謡調の小唄で売り出すことになった。作曲は当時民謡界で一声を風靡していた宮城県出身の後藤桃水である。

明治期から昭和期において、八戸の人は八戸を菊の郷として誇りをもっていた。また、全国の菊品評会などで八戸の菊が席巻し、東京や関西の菊専門家の間でも、菊の郷としての評価を得ていた。八戸の菊は八戸小唄と共に、全国に発信されていった。

同じ頃に画家吉田初三郎は神田市長の依頼で八戸の鳥瞰図を描いている。(昭和８年八戸市より発行)。昭和７年（1932）八戸を訪れた初三郎は、その自然の美しさに魅了され、種差海岸を陸奥金剛と評した。神田市長はこの時八戸観光協会を設立し、十和田湖と共に種差海岸の国立公園指定のための運動を進める。吉田画伯もまた昭和８年頃より種差の潮観荘を創作の拠点とし創作活動を始める。そして、鳥瞰図の入った八戸観光パンフレットが発行される。表に八戸の鳥瞰図、裏面には八戸の歴史、観光地などが写真入りで紹介されている。

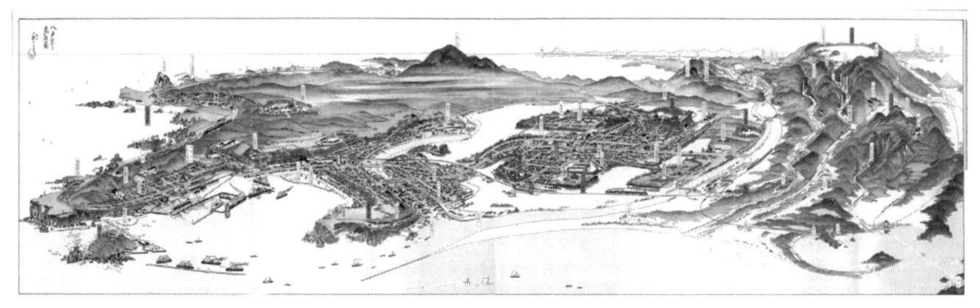

『八戸市鳥瞰図』吉田初三郎作　昭和8年（八戸クリニック街かどミュージアム提供）

その中に、大輪菊の橋本香月園が花の名所として紹介されている。「市外舘村にあり、八戸駅より徒歩二十分広大な地域に花園、温室、果樹園等があり東北有数である。春のチュウリップ、秋の大輪菊は、訪客をして、讃嘆措能はざらしめる近来八戸を訪れるものの殆ど此のところに駕を妨げざることない。」そのころ橋本香月園のある長根は、三戸郡舘村で八戸市に編入されていなかった。八戸駅も現在の本八戸駅で、現八戸駅は尻内駅と呼ばれていた。八戸市内の小学校では遠足の場所とし香月園を訪れていた。

『八戸市鳥瞰図』裏面上段写真は正式な菊展覧会用の菊花壇で、上屋が組まれ、幕が張られている。大輪の菊の拡大写真も見える。現在では、新宿御苑など大きな菊展覧会でしか見られない正式な形の花壇菊である。

表側の鳥瞰図の中にも、天然氷の長根スケートリンクの隣に、橋本香月園のガラス温室や、桜の花が細かく描かれているので、吉田画伯もたびたび参観したことであろう。このソメイヨシノは、明治 27 年（1894）尻内駅から八戸駅まで、鉄道が伸びた開業を祝して、香月園の長根の湖畔沿いに植えられたものである。

『八戸市鳥瞰図』上図の拡大部分　右下に橋本香月園が見える

大正７年（1918）に作られたこのガラス温室は、当時東北でも珍しい施設で、その温室の隣に菊花壇が設けられ、秋になると、花壇に仮設の上屋根、囲いが設けられ、紫の幕がはられて、大勢の人が観賞に訪れていた。また、敷地内の畑では食用菊阿房宮も生産され、干菊として出荷されていた。春になれば併設された馬場のそばにソメイヨシノが咲き乱れ、5月にはチューリップ畑が赤く染っていた。その当時最先端の園芸の研究所がこの八戸にあった。

橋本香月園の大輪菊

名所舊蹟其他

【八戸城址・三八城公園・三八城神社】　八戸城址は八戸市の近くにあつて藩祖南部直房公築城以來明治維新に至つたが明治四年廢藩奉還以後城閣は毀たれ城池は埋沒して僅かに地形によつて往時を偲ぶことが出來る。丘上梅櫻を植ゑ陽春の眺めよろしく眼界開豁であつて遙かに八戸港の白帆點々たるを見る。西に萬頃の水田を下瞰してその中に馬淵川の徐流を配し遠く八甲田の連山を望みて風光最も絶佳である。三八城公園といひ櫻花滿開の頃茲に盛大な觀櫻會が催される。此處に縣社三八城神社があり、南部藩祖光行公及び八戸藩直房公を祀つてゐる。

【長者山・新羅神社】　街の西南の丘陵であつて、古杉老松聳え梅、櫻、楓、桃、躑躅等を交植し四季行樂の地として名がある。稱して長者公園といふ。明治十四年聖駕巡幸して當地に駐蹕遊ばされた時此處に打毬の技を天覽に供した。南部の遠祖新羅三郎義光を祀つた新羅神社がある。

【橋本香月園】　市外館村にあり、八戸驛より徒歩約廿分、廣大な地域に花圃、溫室、果樹園等があり東北有數である。春のチユウリツプ、秋の大輪菊は訪客をして讃嘆措く能はざらしめる。近來八戸を訪ふもの殆んど此處に錫を枉げざるはない。

【長根スケートリンク】　八戸驛より徒歩十五分にして郊外長根場に至る。氷滑の期間永くその氷質に至つては全國無比嘗つて全日本スピードスケーチング選手權大會が行はれてから一躍其の名を稱せられるやうになつた。

【白銀海水浴場】　陸奥湊驛より東一粁市營バス、客馬車の便がある縣道公認であつて東北有數の海水浴場として知られ季節には遠近の浴客で非常に賑ひを見る旅館貸間の設備があり新鮮な魚介類に舌鼓を打つもこよなき樂みである。

【蕪　島】　鮫驛より北一粁全島萠草繁茂し、春は花が波に映つて美しく「黄金花咲く蕪島」の俗謡がある。「うみねこ」の蕃殖地で内務省指定の天然記念物である。鷗の一種であつて春から夏にかけこの島に來て產卵し雛を育てる。島一

八戸スケートリンク

『八戸市鳥瞰図』裏面名所として橋本香月園の大輪菊が紹介されている。

垣根状に整枝剪定された墻壁（しょうへき）仕立梨園

洋梨バートレット缶詰ラベル（昭和10年頃）

2　橋本正次資料

若き時代の橋本正次

外観『建築雑誌』第402号所収

東京高輪　三菱開東閣　(旧岩崎彌之助邸) 外観「建築雑誌」第402号収蔵

2-1｜東京高輪岩崎邸での園芸修行

六代八右衛門の命を受けて、橋本正次（旧姓武尾）は明治41年5月5日上京、東京高輪の岩崎弥之助邸にて園芸の修行を積んだ。岩崎弥之助は三菱初代社長岩崎弥太郎の弟で三菱二代目社長である。東京高輪にゲストハウスを備えた西欧式の屋敷を建設する。現在の三菱グループの管理する開東閣である。弥之助は園芸も趣味としていたので、1万9千坪の庭園、1,500坪のガラス温室が同時に建設されたのである。

その当時の岩崎高輪邸園芸部の写真が残されている。19名の職人の中に正次が写っている。

『岩崎彌之助伝』、『報知新聞明治41年3月28日記事』に当時の高輪の岩崎邸の雰囲気を垣間見ることができる。岩崎邸は明治36年（1903）着工、同41（1908）年完成するので、正次の上京した41年頃はちょうど、建物周りの造園工事の真っただ中であった。設計施工も当時一流の造園技術者が選ばれた。

ジョサイア・コンドルの基本設計を元に園芸家福羽逸人が庭園の実施設計をしている。コンドルは、東京工部大学校（現在の東大工学部）の教授に招聘され、当時西洋式建築の第一人者である。代表作は上野博物館、鹿鳴館、岩崎弥太郎邸、ニコライ堂、三菱一号館、古河市兵衛邸、岩崎廟などで、現存するものも多数ある。東京駅の設計をした辰野金吾も弟子である。コンドルの描いた高輪岩崎邸の庭園設計図が残っているが福羽もコンドル案を尊重してほぼ同じ形で実施設計した。

東京高輪岩崎邸庭園部　明治41～43年頃　前一列左二人目　正次
真ん中右背広は林脩巳

福羽は、新宿御苑係長として御苑の改修工事を指揮したり、その後大膳頭、宮中顧問官を拝命、子爵を賜っている。日本園芸会の副会長として園芸の専門家として会の運営に務めていた。その当時の近代的園芸の先頭に立つ人物である。福羽いちごを作り出したことでも有名である。

造園工事の指揮を執ったのは林脩巳である。林は、福羽の新宿御苑での弟子であり、園芸について福羽より学んだ。その後、大隈重信の邸宅の園芸主任を11年（明治28～38年）務めた。大隈邸には明治30年代という早い時代に温室がつくられた。温室では、洋ランなど南洋の植物が育てられていた。その設計、施工、植物管理を林が任されていた。

林は欧州留学後岩崎邸の工事に関わったが、その後、千葉県立園芸専門学校（現千葉大園芸学部）の設立に伴い、鏡保之助校長からの招聘に応じて講師として勤務、後に千葉県農事試験場技師園芸主任に転出している。

岩崎邸での庭園工事について、『報知新聞明治41年3月28日記事』に出入りの植木屋の谷中天王寺町の親方鈴木伝吉の話しがある。

「新邸の総坪数は1万9千坪、また、まず略と2万坪で、其のうち1万3、4千坪が庭園や園遊会を催す広場なんでございます。男爵（彌之助）は去年新邸に引移られてからというものは、特に園芸にご熱心で、毎日毎日工事の竣工を急がしてお出ででした。

園遊会会場の広原は3千坪もございまして、牡丹畑でも5百坪、藤棚だけでも2百坪の地域を占めています。温室は千五百坪もあるんです。これらの設計は申すまでもなく、何処に何を植えるか，ここのところに花を植えると仔細の事に至るまでいちいち男爵がお指揮なさいます。

さて男爵のお好みの花きでも観賞樹木でも、和洋を通じて世界にありとあらゆるものを集めるという主義で一株千円位の花はざらにあります。元来男爵は日本の庭園がお好きでして、特に一風自然の雄大な庭がお好きで滝口を作るとか、流れを調ふなどという人工的な造園は頭からとおざけになって、何が何でも天然の妙味がやどっているように大きくやれとお指揮なさいました。」(岩崎邸開東閣の100年P157引用)

明治41年というと彌之助が晩年の時で、病に侵され体が不自由になりながらも、四輪の手押し車にのり、長男小彌太、次男俊彌に手押し車を押させて高輪邸の庭作りをみずから指導して歩いたそうである。

明治41年3月25日完成を見ず彌之助は死去する。正次は同41年5月5日から岩崎邸園芸部に所属して修行する。庭園工事の真最中であり、完成後は庭の手入れ、温室の植物管理と休む暇のない修行時代である。15歳の見習いの正次にとって明治の園芸の最先端の技術の詰まっている、岩崎邸での修行は、感動の連続と、驚きの連続であった。同43年5月7日まで岩崎邸で修行し、帰郷する。

2-2　正次の東京府立園芸学校時代

帰郷して2年後の明治45年4月、本格的園芸の勉強のため、再び上京し駒沢村(現世田谷区駒沢)の東京府立園芸学校に入学、大正4年に卒業している。同校は明治41年西園寺公望の秘書を務めた熊谷八十三が初代校長として開校。当時農学校も全国に設立されていたが、園芸の専門の学校はここだけであった。当時の学校の写真を見ると、ガラス温室、鶏舎、養豚など最先端の園芸、畜産施設を有し、全国から生徒が集まってきている。

今は、東京都立園芸高等学校がその後身として同じ場所にあり、成長した府立園芸学校時代のヒマラヤシーダーや、アメリカハナミズキが当時の雰囲気を今も伝えている。大正4年、東京市がワシントン市に送った桜のお返しとして贈られた白花のアメリカハナミズキ40本の一本がここに残っている。

その学校の若き教授に菊池秋雄がいた。青森県弘前出身で、明治41年東京帝大農科大学校（現在の東大農学部）卒業後、新設の東京府立園芸学校に赴任、果樹の専門家として教壇に立っていた。後に、京都帝大農学部教授、京都府立高等農林学校校長などを歴任している。

菊池教授は、この園芸学校で二十世紀梨から菊水を開発した人で、今も、校内にその業績を讃える石碑が残されている。正次も菊池教授の梨の開発研究の手伝いをしていたようである。卒業後も交流があり、長根の香月園農場整備のグランドデザインをした人として伝えられている。菊池家は園芸に通じた一家であり、その父は、青森県にリンゴ栽培を初めてもたらした元津軽藩士菊地楯衛である。その長男菊池秋雄教授との出会いが、園芸場の設計、実生技術の習得、梨などの果樹の栽培に繋がっていく。

菊池秋雄博士を讃える「梨種菊水開発の碑
（旧東京府立園芸学校）

菊地秋雄氏　於 香月園

2-3　長根への大規模園芸農場の建設

橋本家は大正６年より、八日町から長根に移住するための準備に入っている。その際大きな目的があった。八日町の香月園の移転拡大整備案である。２万坪の敷地に園芸農場と家族の住居を作った。同６年に果樹園、蔬菜畑整備、同７年ガラス温室整備、同８年厩舎、肥料舎、事務所落成。同９年鶏舎新築。同10年ヤギ小屋、一族の家の建設。同11年馬場の整備、各家の植栽という順番である。当時の資料によると総作業員は年間４千人とある。まさに、岩崎家、東京府立園芸学校で見た農場を再現するのである。大正７年（1918）に作られたこのガラス温室は東北でも珍しい園芸施設で、そのガラス温室の中央が塔のように高くなっているのはパームハウスである。南洋の背の高いバナナが植えられ、豊かに房をつけていた。その続きの奥の部屋はカトレア等洋ランが育てられていた。香月園のガラス温室は東北の寒さを考え、半地下のガラス温室であった。東京の新宿御苑のガラスハウスも半地下でこれを参考にしたと考えられるが、東京の場合夏場の暑さをしのぐため、湿気を保つためであったが、八戸では寒さ対策もあった。

地下は70cm ぐらいの深さで、育苗床はコンクリートで作られ、その育苗床の下にはコンクリート製の貯水池が作られており、洋ランなどを育てるための湿気を十分保っていた。

昭和２年（1927）の新聞「奥南新報」に香月園のバナナに珍しい花が咲いたことが載っている。温度管理が大切であるので、外部にレンガ造りの煙突を備えたボイラー室が作られ年中火が炊かれ、暖かい空気が送られていた。そのために、宿直がおかれ夜も２名交代で、木炭をくべる仕事があった。熱帯植物が植えられてあるので、温度調節など大変難しい管理が必要であった。

完成間近の香月園ガラス温室建築　大正7年

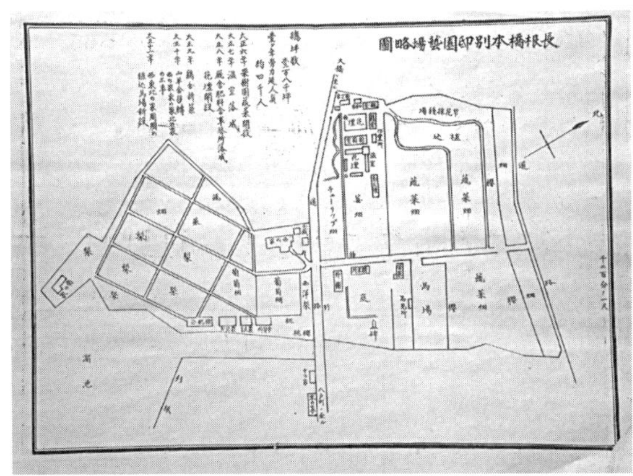

長根橋本別邸園芸場略図

また、別棟の温室にはマスクメロンがネットにつるされ生育されていた。大正７年スカーレットという種類のメロンの種を東京園芸商会という種苗会社から取り寄せた領収書が残されており、温室の設置と同時にメロンが育苗されていたことを伺わせえる。その奥の別棟のガラス温室では欧州葡萄が育てられていた。

農場の整備が住宅より優先されたのはおかしく思える。

これにも理由がありそうだ。東京府立園芸学校で、子弟関係にあった菊池秋雄教授との交流である。この菊池教授が香月園のグランドデザインをしたと伝えられている。

まずもって、日当たりのよい緩やかな南斜面地が果樹園となった。一刻も早く果実を収獲できるよう年月のかかる梨、葡萄畑の開設が優先されたのかもしれない。

温室、精米所、鶏舎、住宅は道路に接した平坦地に置かれた。乗馬用の馬も飼われていた。苺畑もあった。新宿御苑で福羽逸人はフランスのゼネラルシャンジーという種類を改良し国産初の苺を開発した。新宿御苑で品種改良したこの苺は「福羽いちご」とよばれ、門外不出の御料苺であった。香月園の苺も福羽いちごの種類であった。

正次は新設された農場で、様々な近代的園芸に挑戦した。実生菊の開発もそのひとつである。園芸場略図の右上に「草花種採場」とある。菊だけでなく色々な草花の育苗、実生の畑であろう。菊実生畑のようすが昭和２年10月２日『奥南新報』の新聞に載っている。

花壇菊時代を再現した阿房宮の三輪仕立
(山田稔氏作　平成27年)

「花壇の後方に人の気配がするので伴れの東奥子と実生畑の方に歩を運べば、主人八右衛門氏は素足に下駄を突っ掛け恒次郎氏も正次氏も実生畑から首を幸ッとみせていた。去年の実生は五千四百本かあったが、今年は三千にチト足りないという。その中から将にあるものを選んでいた。」

温室の隣に菊花壇が設けられ、秋になると、花壇に仮設の上屋根、囲いが設けられ、紫の幕がはられて、大勢の人が観賞に訪れていた。また、敷地内の畑では食用菊阿房宮も生産され、干菊として出荷されていた。

2-4　奥州菊の命名

奥州菊という名前が昭和3年頃正次により名付けられたことを示す記述がある。『月刊評論』昭和14年5,6月合併号に記載がある。

「八戸地方の時誇り　奥州菊の話　東北菊花研究会橋本正次」と題した記事で、奥州菊という命名は、正次が東京、関西の菊専門家と協議の上、八戸の菊を明らかにするため命名したとある。「八戸の大菊は他地方の大菊と称するものとは大変形が変わっていますのでこれを単に大菊として一様に片附けてしまうのは、古来培われたこの花型を紹介するべく不便でありますので、私は東都の中菊大菊、関西の大菊つくりの方々と打ち合わせて、ここに奥州菊という名称を定めました。この奥州菊という名称は八戸菊を明に表示すべく私の命名致したのであります」命名に至る過程は昭和3年出版された『菊栽培秘訣』で「日本菊の園芸的分類とその特性」のなかで明石公園の太田博陽氏がつぎのように奥州菊について解説している。

「これは我々の勝手に付けた名で、東京では大菊と称している。古来東奥八戸を中心として東北地方一帯並に北海道に栽培されている大菊の太管に属すべき一種であるが花弁の数が極めて少なくして頗る太く四方に勢いよく放出し中央の弁が不規則に或は掴むが如く或いは抱えるが如く盛り上がり気味に花芯を囲む形容は怒涛の澎湃たるが如く激譚の僭越せるが如く実に豪壮雄偉なる観を呈する。日本菊中の一偉彩である大掴、名を以ってしては何となく物足りぬ感があるので大きく地方の名を冠として奥州菊と呼んでみたのである。元来東北地方は気候上寒霜の来ることが早い故に東京の狂い菊は勿論、関西の大菊を栽培しても多くはその特徴を充分に発揮する丈の花を見ることができない。然して素朴粗野の地方的趣味がこれに加わって技巧的ではない荒彫的な雄大な花形に発達してきたものであって繊細麗雅ではあるがあまりに技巧に囚われ過ぎて行きつまらんとしている菊界にこの花の豪壮味を味はわせてみたいものである。」(P.21 抜粋)

このように、当時の菊花界での定型を破る生きとした野生味のする菊として、日本的造形美を重ね合わせた菊としての魅力を持った菊であった。

奥州菊それまでは八戸菊ともいわれていた。しかし肝心の八戸を「はちのへ」と呼べる人は全国に少なかった。奥州菊ならば、東北の北あたりであろうと推測が立つのである。

奥州菊を広く世界に普及させるべく、正次は同４年東北菊花研究会を設立する。同４年 11 月の菊苗販売注文書によると、全国に広がっており、160 件の注文がある。特に北海道への販売が多い。北海道が三分の一を占めている。その他、朝鮮半島、満州、樺太にも出荷されている。

同５年に『菊花栽培大観』石井義男編が出版されると、全国に奥州菊が知られるようになる。

香月園の菊花壇　花壇幅8間360輪の菊が咲いている

2-5 『菊花栽培大観』の分担執筆

昭和５～６年東京誠文堂より総合的菊作りの本『菊花栽培大観』が出版されている。この本は、編者石井義男氏より全国各地の菊名人に執筆依頼を受け合作したものである。正次は奥州大掴菊と食用菊の２部門を担当している。石井義男氏は「東北北海道の菊を代表する大掴菊についての八戸香月園の橋本正次氏が、実に 21 頁に渉る仔細なものを執筆されたのは、単に大掴菊をとしてなく、菊栽培法全体としての価値大なるものがある」とその巻頭辞で述べている。

奥州菊という菊はすでに全国の品評会で好成績を収めている。しかしながら、その歴史、性状、栽培方法、品種名など総合的に研究発表されたものは無かった。この本の、発売により奥州菊という名前が、全国の菊愛好家の中に浸透していくことになる。それは、八戸菊とよばれた菊が奥州菊という冠をつけて、八戸の名前が全国に発信されることにも繋がっているのであった。

共著者に新宿御苑の東郷彪（東郷平八郎の長男）の名前も見られる。ほかの著者は、新宿御苑上杉文郁、同　亀崎津守、大坂槙麓園主辻林吉雄、千葉秋芳会会長綿貫盛一郎、東京重陽会審査員大熊文壽、同会理事内藤愛次郎、千秋会常務委員東海三郎、千秋会委員竹内栄太郎、千秋会渡邊忠次、浪越菊花会副会長鈴木樫二、名古屋秋香園相談役平手静之助、浪越菊花会会長宮島吉太郎、岐阜市中尾義正、江東重陽会天野良三、千秋会常務員深井清徳、東京重陽会評議員林勇太郎、千葉秋香会理事伊藤栄一郎、北海道大学植物園石田文三郎、長生会理事長鳥居信之介、長生会中村清、名古屋幽香園服部良一、広島県農事試験場東部園芸場和田兼太郎、養老公園平安寺東海文益、秋香会審査長田村景福、秋香会審査員石川保太郎、岡山県高松農学校渡辺誠一、象芳園西田信常、京都府下嵯峨町伴田金三郎、温室菊の会犬塚卓一。各地の菊名人による菊新技術を紹介している。昭和11年には『菊花栽培寶典』　誠文堂　石井勇義編が出版され奥州菊について、橋本正次外２名の執筆があり全国に奥州菊の栽培熱が高まっていく。

2-6　東北菊花研究会の活動

昭和４年（1929）香月園を事務所とする「東北菊花研究会」が発足する。当時の会員は女鹿不忘園、南部丹頂園、岩泉三友園、遠藤英華園、藤田秋楽園、漆沢三香園、他青森、弘前、札幌、仙台にも会員がいた。

その大きな目的の一つが、品種の名称の保護、登録であった。奥州菊が東京など各地の菊花競技会で優秀な成績を収めるに至り、全国に奥州菊が広まり、外地の日本人の楽しみとして育てられていた。

昭和８年（1933）の東北菊花研究会『奥州菊銘鑑』によると、正次自身も昭和７年東京市主催の全国菊花大会に出品し「大稜威」が優等の首席に、「大観」「蛍ヶ岬」は一等二席及び三席、他の菊もすべて入賞した。このころの思い出として、貨車で菊を上野駅まで運び、そこからは荷車に抱えるように大事に日比谷の菊花大会会場まで運んだことが伝えられている。

菊の運搬は大変で、特に花が咲いている状態での運搬は今でも難しい。振動で花弁がこすれると傷ついて、黒ずんでくる。その当時、一日、八戸から上野まで蒸気機関車に揺れ、その後凸凹道もある東京の街を荷車に乗せてゆっくり鉢をひっくり返さないよう指示しながらの運搬である。いろいろな工夫をしながら、わが子に添い寝するように大事に扱ったことであろう。今でも、八戸の菊花会の人は自宅から菊祭会場までの運搬が審査より緊張するようである。

全国の品評会での活躍で八戸以外の人々にも奥州菊熱が広がってゆく。これまでの審査は、審査委員の主観によることがあいまいさを残していたが、ここに、奥州菊の審査基準を定められたのである。広く奥州菊は如何なる点を重要に見るかという、一の目標のために採点のための審査基準を決定することにした。100点満点で、花型（計40点）内統一ある変化の美（25点）＋掴み走りの力（15点）。花幅（計25点）内花弁の長さ及形（20点）＋重ねの有様（5点）。花色（計18点）内色彩（10点）＋湿ひ（8点）。茎葉（計17点）内葉の形状、色澤（10点）＋茎の色及び性質（7点）。といった基準である。

また、菊の名前の下には、実生作成者の名前、例えば香月園は（香）、青森の柴田氏は（柴）と表している。実生作成者を確定させ、品種の確定をすることができるためでもあった。

また特筆に値するのは、草丈を数字で示していることである。この草丈は1～6番まであり、このような表示は奥州菊花壇特有の栽培方法に関係している。

2-7　奥州菊花壇の特徴

奥州菊花壇は独特な栽培方法をとっている。まず、地植えであるということ、植え替えをしないということである。明治43年の新聞「はちのへ」によると、南部氏の丹頂園などで大規模な菊花壇が作られていることから、江戸時代から続く花壇菊伝統があったようである。菊花壇のある家はその時期になると、「興行仕り候」と書き添えたものを門外につるして、鑑賞者を招いたという。

一般的に菊花壇は前から段々に菊の背丈が高くなるよう、さながらお雛様のひな壇のように構成されている。これは、菊がすべて鑑賞者に見えるようにするため、もっとも合理的な配置といえる。

現在の花壇菊は鉢物中心であるので、開花した後、丈の長尺順に簡単に並べることが出来る。

香月園ではどのように行っていたかというと、平らな長方形花壇枠を決めて、そこに6列で苗を植えて管理する。香月園では花壇枠の大きさは奥行き2尺の幅8間の花壇枠を通路分2尺開けて平行に細長く2列作られた。一つの花壇には3列×30本＝90本菊苗が植えられる。通路を隔てて同じように花壇が作られる。つまり180本の菊が植えられる。一本から2輪を仕立てる。香月園の花壇では

180本×2輪仕立てで360輪の豪華な花壇であった。つまり、一度植えたものは植え替えをしないのである。それは、あらかじめどの花はどれだけの草丈になるのか、色合いはどのようになるのか分析して前の年までに計画して初めて実行できるのである。育成時は、180本の菊に支柱がたてられている。成長するにつれて前から順番にせの高い菊畑が形成される。その上に仮設の雨よけ屋根が架けられると菊花壇の完成である。

前述した各々の菊に草丈の順番1～6の番号をつけていることは、まさにこの花壇を構成する菊の草丈を表している。番号1番は最前列となる丈の伸びにくい菊でおおむね二尺五寸（75cm前後）でそこから2は三尺、3は三尺六～七寸、4は四尺二～三寸、5は五尺と丈の高い順に植えられ、6番目は六尺で、したがって、一番背の伸びる菊で最後列となる。最後列は1.8~2.0mになるのでこのような計画が必要であった。

なぜ、このように後から草丈調整が困難な方法をとるのであろうか。この方法は八戸という気候に関係すると考えられる。八戸では、やませという冷害が、たびたび起きている。植え替えをすることにより、根の張りが弱くなり成長に不利である。植え替えをしないでやっと見るべき菊が作ることができるのである。東京の様な気温の高いところでは、菊の成長も早く茎も棒のように太くなる。美観からしても、そして菊の花を大きく咲かせるためにも、太い茎は嫌われていたようで、植え替えによって茎を太らせないことも、菊作りの秘伝となっている。

この花壇菊の方法は古く江戸時代にすでに確立していたようである。「菊作方覚」（天明元年）の中に、江戸では植え替えするが、八戸では寒冷地なので植え替えをしないとある。そのような江戸時代の伝統的栽培方法が昭和初期の香月園の花壇菊に伝えられていた。

菊花壇は管理の困難さから、明治の末ごろから、鉢栽培が主流となっていく。

花壇菊の観賞の妙技は其花一つ一つを見るのではなく、花壇全体の色合い、形の調和を味わうことであった。地植えゆえに、ごまかしが効かない、植え替えもできない。まさに、緻密な計画と管理、そして天候への神頼み、よほどの栽培技術がなければ花壇菊を毎年披露することはできないのである。

奥州菊の性状について、『奥州菊の栽培』では次のようにのべられている。「奥州菊の各種各様の種類から、東北地方の気候風土、栽培方法並びにこれが観賞をなすべき特異性に養われて出来たもので、気分はとりも直さず東北地方一帯の地方性を濃厚に表現しているのであります。一言で申せば奥州菊は太管を一層向上せしめたもので、雄大な掴みと走りと、簡にして要を得た花弁の一つ一つがかくかく意義ある活躍をなして、一見不整の様にも見えるが、しかもその中に歴然として統一の美を存し、花色は湿ひあって生気が溢れ自然味豊かな所にこの花の特徴があります。これも他の大菊と称するものに比較すると偉大さにおいて、雅味において、大いに差異の存することは当然でありまして、単に太管とか大掴みとかの名称を以ってしては、どうしてもその気分を言い表すことは出来ないのであります。花弁は太く極めて少なく、四方に勢いよく放出し、中央の弁は不規則に、或いは掴むように、抱える様に、盛り上がり気味に花芯を圍む様子は、怒涛の澎湃たるが如く激漂の噴越せるが如く、実に豪壮雄偉日本菊中の一大異彩であります。」

昨今の緑化推進での、学校、町内会での花壇作りにおいても、当初の計画以上に花が大きくなり、バランスを崩すこともある。菊花壇はまさに、総合芸術としての菊花壇であった。また、この高度な栽培技術が八戸を菊の郷と評す大きな要素になったと言えよう。

2-8　奥州菊の写真品評会　世界に広がる奥州菊

昭和9年(1934)より画期的な菊品評会が正次らによって企画された。すでに全国で作られている奥州菊は海外にまで栽培が広がり、満州、朝鮮、樺太、台湾と愛好者を増やしていた。この状況で、東北菊研究会は、それらのすべてを集めて品評会を行いたいと考えた。しかしながら、樺太と台湾の気候差から花の盛りを考えるとき、菊の花を一堂に会する品評会は不可能であった。そこで、それぞれ花の盛りに自慢の花の写真を撮って香月園に送ってもらったのである。「朝鮮は気候風土がよく我が東北地方に類似し最近御送した種類は何れも成功し急速度を以て奥州菊の発展を来しつつあるのであります。わけても京城の西田氏、中尾氏、平壌の桜井氏、元山の松本氏、慶南の石井氏、咸南の角町氏等に続々と優秀なる品種の御栽培を始め西田氏、中尾氏何れも優秀なる御成績をあげたのは喜びにたえないところであります。満州では営口の原田氏の御丹精は写真で拝見致しまして深く敬服に堪えぬところであります。上田氏亦御熱誠みるべきものあり台湾の奥田氏が熱帯地に於いても栽培の方法によっては充分なる成績をあげ得らるべきを確信し御栽培を続けて居ります。」(奥州菊銘鑑昭和10年東北菊花研究会)

八戸の会員が審査委員となり写真をみてそれぞれの出来栄えを比べ、優れたものには賞をあたえて表彰されている。第一回の写真品評会は350件の応募があり、

審査は女鹿左織氏など八戸の菊会の重鎮があたった。その結果、

一等賞　雪渓　盛岡市　小枝指建造、 大観　青森市　沖田富重

二等　月の洋　岩手県　阿部市吉、 月の洋　青森県　棟方徳壽

春の暁　鳳凰堂　朝鮮　佐藤護　、大観　満州　原田勝太 以下省略

他にも、東京、新潟、大分、福井といった地域の出品受賞があった。

そして、優秀花は銀杯をもって表彰し、その写真は次年度の東北菊花研究会の菊銘鑑に批評を添え、写真入りで紹介している。この、写真による品評会は、全国の菊愛好家より支持され、たくさんの感想や意見が届けられた。香月園ではそれらの愛好家の要望に沿うため菊苗の生産を行い、全国に第四種郵便で苗を送っている。今でいう通信販売である。

海外に住む日本人にとって、内地と同じように、菊を育てることは、故郷と一体になれる時間であったのであろう。

2-9 秩父宮の香月園訪問

秩父宮香月園訪問　正次より説明を受ける秩父宮殿下　昭和10年8月

正次の残した下書き便箋原稿に秩父宮の香月園訪問の様子が描かれている。この原稿は戦後、秩父宮記念財団前田利男氏が秩父宮を顕彰するために出版企画されたもので、生前秩父宮と交流のあった人として原稿を依頼されたものである。

昭和 10 年 (1935) 8 月 30 日秩父宮が八戸で行われた軍事演習に参加した。秩父宮は同 10 年に弘前の連隊に着任し、軍事演習のため来八したのである。正次も八戸地区の在郷軍人会に所属をしているので、軍服での出迎えであった。

「8 月 29 日八戸の石田屋に投宿、翌日朝、大舘村新井田付近の軍事演習に参加し、

午前 10 時 30 分香月園到着しました。私が先導して園内の見学をされました。奥州菊について、ご下問があったので、謹んでお答え申しあげましたが、この地方で生まれ、発達した菊というので特に御興味を持たれた様に相察せられました。播種栽培と肥倍栽培との違いについてのご下問もありました。

食用菊においてもいろいろご下問あり。「この地方では菊を食べるそうですが、黄色いもの以外あるのですか？」、「晴嵐という赤いものも、白の大涛などという品種もございます。」とお答えしました。温室の小さい花なにどもめでなさられ、ご出発の時間の迫られているにもかかわらず、果樹園のほうもご覧を戴き洋梨、和梨、欧州葡萄などに就いてもご下問があったので謹んでお答え申し上げましたが、地方産業の発達のためにご激励を賜ったものと相察しられ恐れ多くの外はございません。11 時過ぎに香月園内の松春閣に入られお昼を採られ、零時 15 分門前に整列した家族のもの達にご会釈を賜り、尻内に向かってご出発なされました。」

同年 10 月 26 日献上花として、弘前の連隊に 3 鉢お届けしたようである。翌年 3 月 20 日には自著『奥州菊栽培』一部を献上した。同年 11 月 12 日再び奥州菊 3 鉢を献上した。

2-9　戦中戦後の東北菊花研究会

昭和 19 年から同 49 年頃の菊銘鑑がある。

同 19 年は戦争末期の大変な時である。紙の質もよくないことが当時の物資統制の状況を物語っている。そんな時にも菊作りをつづけていたのである。さすがに終戦の年同 20 年は菊の銘鑑はないが、同 21 年からまた菊銘鑑が始まっている。同 23 年頃は菊のほかにも、ダリア、サクラソウの注文があるから、戦後まだ食糧事情の悪い時期に多くの人が花を植えることを望んでいることが感じられる。

菊畑の正次と誠一郎親子

同 25 年長根の公園建設が始まる。本来、食料増産のための新田開発の予定場所あったが、公園になることになった。同 26 年春に 400 本の染井吉野の背丈ぐらいの苗木を、香月園で八戸市からの請負で植えている。現在では、長根リンクの桜並木として市民に愛されることになる。戦後の実生開発は正次、誠一郎親子での作業であった。

同33年ごろからカラーコート紙に菊銘鑑が印刷された。同30年代からは毎年香月園として菊名鑑を発行している。

菊まつり事始め

昭和47年八戸市議会で八戸市の花「菊」を決定した。それを契機に同年11月1日から5日まで八戸市児童遊園地（現武道館付近）で八戸市の花「菊」制定記念、八戸の産業振興展併催の第一回菊まつり菊人形展が開催された。八戸市は秋山市長、商工会議所は橋本八右衛門氏、八戸物産協会は小松正巳氏が代表として官民挙げての開催であった。

3　菊と文芸

|3-1|「むらもみぢ」に見る菊見会　遠山家旧蔵

「むらもみぢ」は文化8年（1811）八戸城内で行われた菊見会の様子をつたえる写本である。8代藩主南部信真が、十七夜の月の光がさしこんで菊に紅葉の影が映し出された様子を詠んだ「むら紅葉いととうつろふ月影になを弥増るいろいろの菊」と呼んだ句から「むらもみぢ」と名付けられた記録集である。それより2年前、文化6年相撲好きの信真が、八戸豊山寺で行われた相撲上覧の際、菊の花がないのは残念と側近に漏らしたことから、参勤交代で江戸から戻った2年後の文化8年に菊見会が準備されたようである。

八戸藩は俳句が盛んな土地であった。7代信房公は五梅庵畔李と号し江戸の俳諧でも活躍していた。その弟であり8代藩主信真も畔和という俳号を持っていた。菊見会の際も、俳句、ざれ歌などが披露された。

信真の歌の外、若殿様徹三郎以下15人の家臣の連句が記録されている。また、その当時の菊の絵もある。宝船、孔雀、扇などの形をした菊細工や当時流行の菊の姿もわかる。菊見会では、実際に菊が飾られ、その菊を愛でて句が詠まれた。実際に飾られた菊がカラースケッチされたものである。宝船が描かれている。また菊は8～9輪さいた花型でこれが当時流行していた花型であろう。

江戸では文化年間から巣鴨、染井で菊細工が流行していた。藩主信真も江戸で盛んに菊見会に参加していたのであろう。そのようなことから八戸でも是非菊見会を開きたいと思っていたのではないであろうか。

9月9日に開かれる菊見会は菊の花を楽しむだけではなく、長寿を願う重陽の節句としての年中行事としての意味も持っていた。

このように菊見会と文芸は切っても切れない関係にあったのである。菊に関する俳句が畔李の継承した星霜庵の門下の句にある。この星霜庵の門下の北正の句に「膳箱にこもる匂や残菊」膳箱の食用菊の香を詠んだ句である。同じく「菊の香や不斗剥がれ行く壁の蝶」は蕉風俳句を自認する星霜庵門下らしい句であろう。敬愛する松尾芭蕉の句に「てふ（蝶）も来て酢をすう菊の鱠哉」食用菊の鱠の香りにさそわれ蝶が飛んできて菊鱠を吸う様子であるが、北正はこの句を意識していたのであろう。菊の香に誘われて蝶が土壁からはがれる様に菊鱠に誘われてゆく様を、食膳の食用菊の香に箸を進める自分を重ねているように思われる。また、このような句もある「菊苗や人柄に似ぬ分惜しみ」子龍　菊苗を無心された人が、なんとなく分けてあげるのが惜しい、菊を我が子の様に愛したのではないであろうか。

この子龍は船越宣美で四世五扇楼である。明治時代には菊花会の千代見会会長を務めている。また、戦後しばらくまで船越家では重陽節の頃には、家族で俳句を詠み合いすることが当たり前であったそうである。

「菊合わせ」は単に、菊を観賞し、食事を楽しむだけでなく、俳句、和歌の披露の場でもあった。この様に、徳武は江戸と八戸の菊文化を共有していた。しかも、殿様の意向で菊作、俳句などが奨励されていたと推察される。

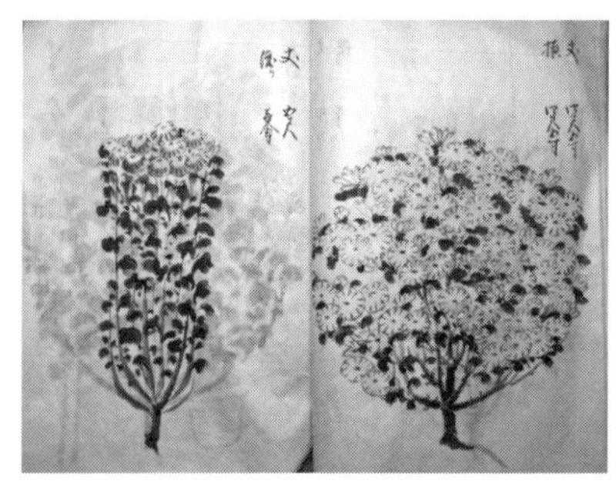

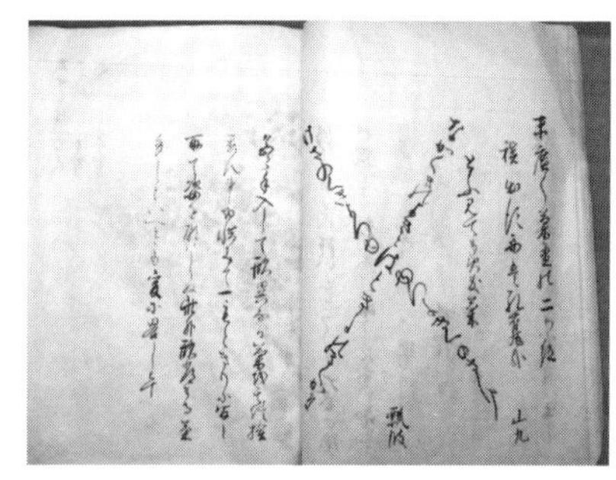

むらもみぢ　菊仕立て絵　八戸市立図書館収蔵（左）
むらもみぢ　俳句　八戸市立図書館収蔵（右）

3-2 「菊押葉添句標本帖」の再発見

香月園には、明治 7 年から 20 年代に栽培されていた菊の葉と思われる押葉が 126 枚残されている。

菊の栽培はその植物遺伝学の研究が主な主題と考えているが、明治時代は、植物学と文芸を菊文化として織り交ぜ醸成していた。その事例として「菊押葉添句標本帖」を紹介したい。

この標本帖は、明治時代の八戸の菊の押し葉を集めたものである。一頁に 2 ～ 3 枚の葉がのり付され、葉の表面に朱色で菊の銘柄が書き込まれている。その葉の脇に色とりどりの小さい短冊に五七五調の添句がなされている。押し葉の貼られている台紙はその頃の小学校の地理の教科書『万国地誌略』で明治 7 年頃から文部省が出版したもので、それに裏張りしている。添え句は、その菊の花の特徴や名前の持つ意味を含めて読み込んでいる。製作者、時代はまだ不明である。

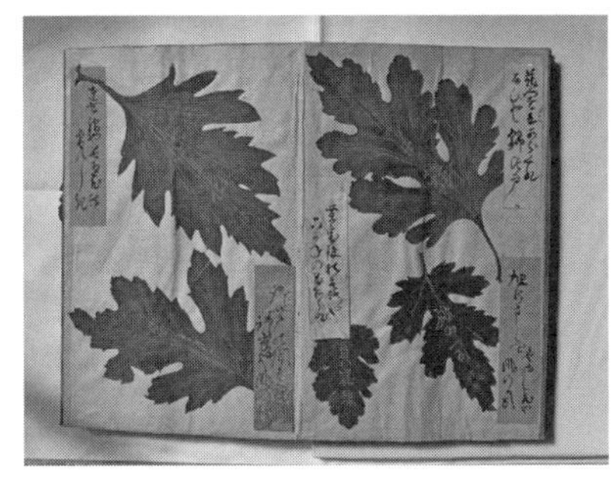

菊押葉添句標本帖　香月園所蔵

時代背景をみると、明治 18 年 (1885) に 5 代目橋本八右衛門が八戸で初めての菊花会「佳友会」を設立する。また、18 年から毎年『八戸菊銘鑑』が会員の小井川元吉の撰取により刊行される。菊銘鑑は江戸時代より見られるもので、相撲番附のような物である。上の段から優れた銘柄が書かれる。真ん中の行司、勧進元などにはレジェンドといわれるような名花、古花が登場する。

この標本帖にある菊の名前と『八戸菊銘鑑』のものとを照らし合わせてみた。明治 19 年版は 82 種の菊の名前が一致する。明治 23 年版になると 99 種類である。明治 20 ～ 22 年版の八戸菊銘鑑が発見されていないので比べられないが、標本帖の製作は概ね明治 7 年から 20 年ごろのものであると思われる。少なくとも、香月園の周辺で作られたものである。

4 代目八十郎、5 代目八右衛門の時代、河内屋には、「河内屋文庫」といって、草本、国学、俳句、和歌などの蔵書が五千冊を有していた文庫蔵があった。その頃二戸福岡の呑香稲荷の宮司小保内孫陸、江戸の儒学者芳野金陵、国学者本居豊頴との交流も伝えられている。また、橋本波安、武尾猛三郎、小井川元吉などの歌人も周辺にいた。

重陽の節句に対する人々の考えも、句会、挨拶状など生活習慣の中に取り入れられていた。菊見会と俳句,連歌など、菊と文芸活動は切り離されないものであったのであろう。上記の標本帖は菊と文芸の繋がりを一枚の作品の中に証明しているものであると言える。添え句は弘前大学人文社会科学部教授渡辺麻里子氏、及び学部生の達谷窟佐紀氏、内海弥生氏、畑山佳奈子氏、福士ちひろ氏に分析していただいた。『古今和歌集』、『平家物語』など内外の多くの古典文学にもとづいた教養なくしてはできない作品である。

「連城の玉と見なしや岡のきく」という添え句が付けられるのは「連城の玉」という菊である。これは、中国の故事になぞらえられたものである。楚の国に卞和（べんわ）という人がいた。ある時、山中で玉の原石を見つけ、それを楚の厲王（れきおう）に献上した。鑑定したところただの雑石であると鑑定された。王は怒って卞和の右足を切断する刑に処した。厲王が死んだ後、次の王武王に再度石を献上するも同じ結果で、今度は左の足を切断された。続いて文王が即位したとき、卞和はその石を抱いて三日三晩泣いたそうである。文王は何故かと問、試しに磨かせてみると名石であることがわかり、これまでの不義を詫びて和氏の壁と名付けたということである。

また、別の故事もある。天下に知られた名石があった。この名玉が趙の恵文王の手に渡った。それに敵である奏の昭襄王が十五個の城と交換しようと持ち掛け、趙は奏に名石を渡してしまった。しかし、恵文王は、本当に城をくれるのか疑って、部下の藺相如を派遣し、奏の計りごとで嘘であることを見破り、策を立てて、ついに奏より取り返すことが出来た。「完璧」の故事でもある。

「布引の瀧」は「布引やきぬをさらせし花の瀧」と詠まれている。布引きは白い絹を水で洗い流した花の瀧のようだ。布引の滝は華厳の滝、那智の滝と並ぶ三大神滝の一つで、伊勢物語、人間浄瑠璃、などの枕言葉として引用される滝である。この他に、布引を枕詞として使った和歌がある。古今和歌集　橘長盛　「ぬしなくてさらせる布を棚機にわが心とや今日はかさまし」この句は７月７日に朱雀院帝が布引の滝をご覧になった時に、待ち人に詠ませた句である。

「高砂」の添え句は「高砂や霜をいただく齢くさ」長寿を祝う高砂よ、霜を頭にのせるような白髪頭になるくらい長生きしたいものだ、命を延ばすという齢ぐさの異名をもつ菊のように。兵庫県高砂市の浜辺が地名である。枕言葉としてつかわれている。古今和歌集には「高砂・住之江の末も相生のやうに覚え」。この句を踏まえ、世阿弥は能「高砂」で、白髪の老夫婦を登場させ、相生の松によって、夫婦の和合と長寿を祝福しているのである。

この標本帖の菊銘柄と江戸時代の浮世絵「百種接分菊」に描かれた菊の銘柄とを比べると、「高砂、入日の海、吉野山、田毎の月」などの銘柄が一致する。江戸時代に江戸ではやった菊が八戸にも伝えられていた。

この標本の中に、明治30年頃まで存在した「黄寶珠」という菊の葉がある。

これは阿房宮の親であると言われている菊である。菊寺で有名な対泉院の上田祖堂和尚が明治期に育てていたようである。小井川潤次郎のその著書「はちのへの四季」の中で、「明治30年頃和尚が大事に育てていた。既に盛りは過ぎ小ぶり鞠のような花であった。」と記している。

黄寶珠の葉　香月園所蔵

「黄寶珠の露やこがねの玉あられ」黄寶珠の上にのる露が黄金色に輝く美しいあられの様であるという意味であろうか。黄宝珠は江戸時代の浮世絵に描かれているので、今で言う厚物系のこんもりとした菊である。

この標本帖の持つ科学的意味について考えてみたい。なぜ葉っぱの押し葉が品種の記録として残されていたのか。明治時代において記録写真は高価で貴重である。そのため、全国各地で菊銘鑑はあったが、果たしてどのような菊であったのか、花の色は？草丈は？と基準があいまいであったため、菊の名前を確定させることが、不十分であった。同じ菊の種類が江戸での名前と八戸での名前が違うということはよくあった。

同じ八戸のなかでも、Ａ氏が生み出した実生の新品種が翌年Ｂ氏の実生として発表されＡ氏とＢ氏が喧嘩になることもあった。それもそのはず、菊の花の盛りは短く、その特徴を書き表したとして、翌年には比べることができない。また、新品種と喜んでいると、次の年に先祖帰りするものや、別の花に変化することもある。

何年かは、番号札で呼ばれ下積みして、やっと、しこ名が付き、菊番附に登場するのである。そのとき、葉っぱの特徴が品種確認の材料になる。

写真判定できないかと言っても、白黒の時代である。枯れた菊の花を保存しておいたとして、翌年にこの花であることは証明することが困難である。

江戸時代にも同じようなことがあり、『菊作方覚』にも、見本の作り方が紹介されている。菊の花を竹筒にいれ、寒天を流し込み固めて、見本として残すことがあったらしい。その菊見本を大名家に見せるだけで大金になったということであるので、菊の種類の判別がいかに大切であったかがうかがい知ることができる。そこで考えられたのが、菊の葉の押し葉ではないだろうか。葉の特徴は固定化することが可能である。しかも、保存が良ければ長期間菊の種類の判別に役立つのである。

黄宝珠と阿房宮の葉の比較　香月園所蔵

押し葉を見ると菊の種類によって明らかな違いを知ることができる。

丸い葉っぱ、ギザギザの葉っぱ、切れ目の深いもの浅いものとさまざまである。まるで人間の耳たぶのようにその人によって違うのである。標本帖を生み出した明治の当時のその人はそのことをわかっていて菊の押し葉帳を作成したのである。

正次も実生品種を発表するときは、実生番号と花の特徴、そして葉っぱの押し葉を数年間記録して、新品種が固定したかを判断していた。

また、その標本帖の中にある菊で黄寶珠という花は阿房宮の親であると言われている。明治 18 年の八戸菊銘鑑にも菊の種類として、行司役に、黄寶珠の名前を見る。

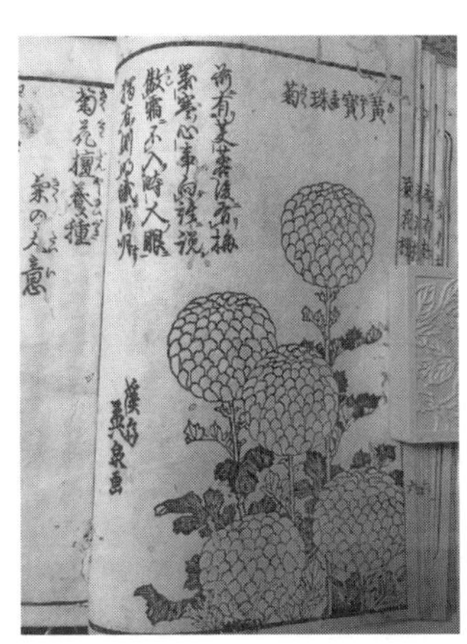

『十二ケ月の内　九月縁日の菊』　渓斎英泉画　（国会図書館デジタルアーカイブス）（左）
『菊花壇養種』に見える黄宝珠　渓斎英泉画　橋本修所蔵（右）

この黄宝珠、実は天保、弘化のころ江戸でも評判の菊であった。浮世絵師渓斎英泉の『十二ヵ月九月縁日の菊』に黄宝珠の花が描かれている。また、同時期の園芸書『菊花壇養種』という本の中に、「近来珍しい花」として登場している。この園芸本の作者も渓斎英泉である。英泉は菅井菊叟という名前で出版している。花の形も毬のような形をしている。江戸で評判の菊が、参勤交代などで八戸にもたらされ、品種改良されて阿房宮という花を生み出したのではないか。

おおむね、江戸時代弘化年間から明治 30 年頃には栽培がおこなわれていたようである。この黄寶珠の葉の特徴が、現在ある阿房宮の葉に似ている。

八戸菊プロジェクト『菊押葉添句標本帖』翻刻

2018/2/3 現在

葉の通番号	担当	頁	丁	表裏	元の葉番号	葉名	句	菊名鑑19年	菊名鑑23年	備考	短冊寸法	葉寸法
1	福士	1	1	ウ	61	日ノ橋	薫★か　花たつ花の　旭のにほひ	○	○	(る?)	8.9×2.4	12.7×10.6
2	福士	1	1	ウ	62	雲の上	潔白に　咲て位の　あ★雲上	○	○	(る?)	9.2×2.2	11.3×7.2
3	福士	2	2	オ	63	長生殿	御簾揚る　長生殿や　雪の朝	○	○	(★竹＋戸)		15.6×11.4
4	福士	2	2	オ	64	金龍勢	流星や　こかねの龍の　翔るさま	○	○		8.8×2.4	13.7×7.7
5	福士	3	2	ウ	65	緋ノ衣	天久の　うわきとも見よ　緋の衣	○	○		8.9×2.3	15×11.1
6	福士	3	2	ウ	66	三国一	三国や　いまは万国　一ノ花	○	○		9.1×2.2	14.5×8.1
7	福士	4	3	オ	67	月暈	月暈や(つきかさや)　おぼろ日傘の　茶色菊	○	○	(菊や菊?)	8.9×2.9	14.3×8.2
8	福士	4	3	オ	68	漢帝誉	白蛇斬る　漢の武勇や　世の誉	×	○	(誉?)	8.9×2.3	8.1×3.7
9	福士	4	3	オ	69	白龍山	白龍の　玉あらそひか　白玉珠	○	○	※葉が破れている	9.0×2.3	10.2×8.5
10	畑山	5	3	ウ	70	金★織	唐織や　龍田の姫の　箴(はり)の音	×	×	(音?)	9.1×2.2	16.8×8.7
11	畑山	5	3	ウ	71	鶴一声	咲たせは　猶一声や　★の霧	○	○		9.0×2.3	15.4×7.7
12	畑山	6	4	オ	72	千代恵	色も香も千代にかほるや　黄生艸	△	○		8.9×2.2	18.3×9.2
13	畑山	6	4	オ	73	白川ノ関	白河の　関をたゝくや　秋の風	○	○		9.0×2.3	8.2×3.5
14	畑山	6	4	オ	74	田毎の月	しら露や　田毎にうつる　花の蔭	○	○		9.3×2.3	13.7×6.4
15	畑山	7	4	ウ	75	織殿錦	織殿の　にしき染たせ　菊の秋	○	○		9.3×2.3	14.8×8.6
16	畑山	7	4	ウ	76	富士嵐	見あくれば　雪★ひくるか　富士おろし	○	○		9.3×2.3	15.0×8.4
17	畑山	8	5	オ	77	琥珀臺	眼の鹿を　吸とる★か　こはく台	○	○	(花?)	9.1×2.3	16.4×7.5
18	畑山	8	5	オ	78	千里響	千里たい　響たらぬや　花の色	○	?	(たい?)	9.0×2.3	8.0×4.6
19	畑山	8	5	オ	79	千丈ノ瀧	雲間から　千筋の糸や　瀧のいろ	○	○		9.2×2.2	10.8×7.1
20	畑山	9	5	ウ	80	錦の戸	花園★　からくれなひや　錦の戸	×	×		8.6×2.1	16.7×9.7
21	畑山	9	5	ウ	81	緋の司	旭のさして　色まし花や　緋の司	×	×	(て?)	9.3×2.3	9.9×6.6
22	畑山	9	5	ウ	82	黄宝珠	黄宝珠の　露やこかねの　玉あられ	×	△	折れている	8.8×2.3	5.4×4.0
23	畑山	10	6	オ	83	雪月花	きせ★や　長★花の　雪けしき	×	○	(月?)	9.0×2.2	17.3×8.4
24	畑山	10	6	オ	84	錦御衣	御簾の間に　錦の御衣や　緋の袴	×	○		9.1×2.3	12.1×9.1
25	畑山	11	6	ウ	85	〈白／黄〉御衣ノ袖	鈍★の　塵を払ふか　御衣の袖	△	○		9.0×2.2	7.0×9.1
26	畑山	11	6	ウ	86	羅城門	鬼の手も　見ゆるよふなり　羅城門	○	○		9.0×2.4	14.6×8.9
27	畑山	12	7	オ	87	白大鵬	大鵬の　羽をのしさませ　三千里	?	?		8.9×2.3	16.3×9.0
28	畑山	12	7	オ	88	高炉峯	香炉峯の　にほふや遠き　わら家まて	×	△		9.0×2.4	12.5×8.3
29	達谷窟	13	7	ウ	89	白滝	しら雲と　見ゆるや　瀧の浪の花	○	○		8.9×2.3	18.1×10.4
30	達谷窟	13	7	ウ	90	黄金水	水上て　砂金も掘るか　こかね水	○	○		8.9×2.3	12.9×7.7
31	達谷窟	14	8	オ	91	富士の雪	黒白の論なし　富士の　六つの花	○	○		9.1×2.3	16.9×9.9
32	達谷窟	14	8	オ	92	岩打浪	しら浪の　岩打さまや　花の風	△	△		9.3×2.3	13.0×8.2
33	達谷窟	15	8	ウ	93	入日の海	入日さし　薄くれな★や　海の面	×	○	(れ?)	8.9×2.2	16.2×10.3
34	達谷窟	15	8	ウ	94	隠レ蓑	初雪に　笠もきせたし　かくれ蓑	○	○		8.8×2.2	12.2×7.8
35	達谷窟	16	9	オ	95	なし	むらさきに　ゆかりもあるや　白き鹿子	×	×	葉なし		
36	達谷窟	16	9	オ	96	〈ヱンブ〉蜀江の錦	蜀紅や　呉羽★★羽の　にしき織	○	○	※蜀江の錦	8.9×2.4	14.0×9.0
37	達谷窟	16	9	オ	97	七越	七越や　こしの深山の　雪★いろ	○	○		8.9×2.4	10.1×5.0
38	達谷窟	17	9	ウ	98	楯無	楯なしの　★たついろや　狂ひ咲	○	○		9.1×2.4	11.4×4.0
39	達谷窟	17	9	ウ	99	〈東京〉黄金牡丹	山吹の　いろはものかは　花の王	○	○	※黄金牡丹	8.8×2.4	16.7×7.8
40	達谷窟	18	10	オ	100	廬山の曙	曙や　廬山の峯は　雲かくれ	○	○		8.8×2.3	15.4×7.1
41	達谷窟	18	10	オ	101	色競	いろ＼／に　垣間の花や　艶くらへ	×	○	※葉が欠けている	8.9×2.1	13.0×8.5
42	達谷窟	18	10	オ	102	黄金司	★★の　黄金のいろや　黄の司	○	○		8.9×2.2	8.5×3.9
43	達谷窟	19	10	ウ	103	立濤	しら露も　浪たつさまや　花雫か	○	○		9.0×2.3	12.8×8.1
44	達谷窟	19	10	ウ	104	鷹蹴の鶴	蹴られても　なを品のよき　真鶴哉	○	○		9.0×2.3	15.6×8.9
45	達谷窟	19	10	ウ	106	冠の紐	品のよき　花やかむりの　紐の色	×	×		9.0×2.4	7.4×5.7
46	達谷窟	20	11	オ	107	東雲	東雲や　薄むらさきの　雲のあらし	○	○		9.1×2.2	16.0×9.6
47	達谷窟	20	11	オ	108	白幣	秋風や　花飄(ひるがえ)る　宮の幣	○	×		8.9×2.2	7.4×5.0
48	達谷窟	21	11	ウ	109	白内雲	霧はれて　うつまくなりや　雲のあし	×	×		8.8×2.0	11.7×6.6
49	達谷窟	21	11	ウ	110	乱獅子	乱獅子や　岩間をくるふ　花のなか	○	○		9.0×2.2	17.8×8.0
50	達谷窟	22	12	オ	111	平安ノ都	平安の　一春もなき　都哉	×	○		8.6×2.2	15.0×7.9
51	達谷窟	22	12	オ	112	蟹牡丹	文明や　牡丹も蟹の　なりにさく	○	○		9.0×2.4	18.2×9.4
52	達谷窟	22	12	オ	113	布引瀧	布引や　きぬをさらせし　花の瀧	○	○		9.2×2.2	10.5×5.9
53	福士	1	1	ウ	55	吉野山	花園に　★つくいろや　よしの山	○	×		8.9×2.5	12.0×5.7
54	福士	1	1	ウ	56	初元結	元服や　初元結の　花かつら	○	○		7.3×1.9	11.4×7.5
55	福士	1	1	ウ	57	緋達磨	手をあけて　なてても見たし　緋のたるま	×	○		7.5×2.0	6.9×4.2
56	福士	2	2	オ	58	大鳥毛	大名の　伊達や紫玉の　大鳥毛	×	○		7.4×1.9	14.5×6.5
57	福士	2	2	オ	59	小町笑	鏡台に　むかふ靨(えくぼ)や　小町笑	○	○		7.5×2.0	11.5×5.0
58	福士	2	2	オ	60	磯の浪	あら磯そ　★れを浪の　花★★や	○	○		7.4×2.0	10.0×5.5
59	福士	3	2	ウ	49	二十五弦	なし	×	○		7.4×2.0	16.7×9.5
60	福士	3	2	ウ	50	龍門瀧	なし	×	○		7.5×2.0	8.2×4.3
61	福士	3	2	ウ	51	薄野	すすきのや　諏訪法性の　兜★	○	○		7.4×1.9	9.4×6.6
62	福士	4	3	オ	52	なし	雲間から　それかあらぬか　富士煙	?	○	葉なし／富士霞か？	7.5×2.0	15.8×7.0
63	福士	4	3	オ	53	魁の梅	魁(さきがけ)や　薄の梅の　花魁	○	○		7.4×2.0	8.6×5.0
64	福士	4	3	オ	54	金光鳥	黄金の　光り持けり　花のゝや	△	○		7.6×2.0	10.4×6.0

65	内海	5	3	ウ	44	九重白鶴	なし	×	×		7.4×1.9	12.9×7.8
66	内海	5	3	ウ	45	高砂	高砂や　霜をいたゝく　齢くさ	○	○		7.5×2.0	13.4×8.4
67	内海	6	4	オ	46	雪燈籠	とふろうの　灯かけにてるや　雪の菊	○	○		7.5×1.9	9.7×7.4
68	内海	6	4	オ	48	日暮	開くかと　日くらしにけり　真白きく	○	×		7.4×2.0	12.4×7.5
69	内海	6	4	オ	47	怒虎	清正が　鑓の相手や　いかり虎	×	×		7.6×1.9	10.3×5.2
70	内海	7	4	ウ	37	扶桑一	なし	○	○		7.3×1.9	14.5×6.3
71	内海	7	4	ウ	38	小花碇	濱きくの　★からりけり　いかり綱	○	○		7.3×2.0	11.1×6.2
72	内海	7	4	ウ	39	吾妻降	なし	○	×		7.4×2.0	12.2×4.5
73	内海	8	5	オ	41	瑞亀	なし	×	×		7.4×1.9	8.6×4.6
74	内海	8	5	オ	40	唐頭	なし	?	?		7.3×1.9	13.5×7.8
75	内海	8	5	オ	42	紅葉ノ瀧	水上は　三宝の★★　瀧紅葉	○	○		7.4×1.9	11.0×6.7
76	内海	8	5	オ	43	舞子朝日	濱きくや　舞子のよふに　ならひ咲	?	?		7.3×1.9	7.5×4.6
77	内海	9	5	ウ	31	隅田川	花鳥に　その色とりむ　すみた河	○	○		7.4×2.0	13.9×7.6
78	内海	9	5	ウ	32	神代衣冠	しら露を　見ても尊し　神代きく	×	○		7.3×1.9	9.5×5.9
79	内海	9	5	ウ	33	諸白髪	★竹を　杖と見なしや　諸白髪	○	○		7.5×2.0	8.7×6.1
80	内海	10	6	オ	34	〈キ／白〉大楼閣	なし	△	△		7.5×1.9	14.4×8.0
81	内海	10	6	オ	35	蓬来国	除福さえ　求かねけり　不老きく	○	○		7.4×1.9	11.1×6.0
82	内海	10	6	オ	36	嵐山	嵐山　こゝろして★け　花盛	○	○	（ゆ？）	7.4×2.0	9.7×5.0
83	内海	11	6	ウ	25	有や無やの関	有や無やの　おもかか見つつ　花の形か	○	○		7.4×1.9	14.7×7.9
84	内海	11	6	ウ	26	蘭丸	蘭丸や　花をちらせし　本能寺	○	○		7.4×1.9	11.1×5.2
85	内海	11	6	ウ	27	網代守	雪見くさ　までも守るか　網代菊	○	○		7.4×1.9	11.5×6.6
86	内海	12	7	オ	28	奥州錦	菊の名に　奥の名所や　にしき塚	×	×		7.5×1.9	14.0×6.6
87	内海	12	7	オ	29	新花代	めつらしき　色香持けり　花筏	×	○		7.5×1.9	10.5×7.8
88	内海	12	7	オ	30	朝霞	なし	×	○		7.6×1.9	8.1×4.1
89	畑山	13	7	ウ		飾蝦	なし	×	×		7.5×1.9	5.9×2.2
90	畑山	13	7	ウ		音羽の瀧	立よれは　こころ清水　花の瀧	○	○		7.6×2.0	12.0×7.6
91	畑山	13	7	ウ		大盃	大盃や　★★★★★★　菊の露	×	○		7.4×1.9	11.7×5.8
92	畑山	13	7	ウ		八重ノ汐路	葩(はなびら)は　八重の汐路や　なみのいろ	×	×		7.5×2.0	12.3×4.5
93	畑山	14	8	オ		黄大鵬	なし	○	△		7.4×1.9	12.4×7.5
94	畑山	14	8	オ		峯の紅葉	なし	×	○		7.5×2.0	8.1×3.8
95	畑山	14	8	オ		落雁	雁かねや　堅田へ落る　菊はたけ	×	○		7.5×2.0	12.4×6.8
96	渡辺	15	8	ウ	19	比良ノ雪	白たつや　富士におとらぬ　比良の雪	○	○		7.5×1.9	11.8×7.4
97	渡辺	15	8	ウ	20	濡鷺	濡れ鷺の　其まゝおれや　園の菊	○	△		7.4×2.0	10.6×4.3
98	渡辺	15	8	ウ	21	三千歳	三千歳や　聖王母の　★★★★★★	×	○	（今年？★ね？）	7.5×1.9	11.2×6.5
99	渡辺	16	9	オ	22	三室山	見て行む　三室の山の　秋の花	○	○		7.5×2.0	13.7×6.6
100	渡辺	16	9	オ	23	狂獅子	牡丹にも　菊★あきてや　狂獅子	○	○	（も？に？）	7.6×1.9	10.3×6.3
101	渡辺	16	9	オ	24	連城	連城の　玉と見なしや　岡のきく	○	○		7.6×1.9	10.9×7.2
102	渡辺	17	9	ウ	11	源氏丁字	なし	○	○		7.5×2.0	10.0×6.2
103	渡辺	17	9	ウ	12	平安城	なし	○	○		7.3×2.0	10.5×6.5
104	渡辺	17	9	ウ	13	仮寝の夢	見のこして仮寝の夢や　きくの宿	○	×		7.4×2.0	11.0×4.7
105	渡辺	17	9	ウ	14	宮城の	宮城野や　萩もゆかりの　からよもき	○	○		7.6×2.0	9.9×4.7
106	渡辺	18	10	オ	15	はで姿	曲咲に　さいて興あり　は手姿	○	○		7.5×2.0	10.7×5.6
107	渡辺	18	10	オ	17	白玉	なし	○	○		7.6×1 9	11.7×4.0
108	渡辺	18	10	オ	16	小倉山	なし	○	○		7.4×1.9	11.2×4.5
109	渡辺	18	10	オ	18	月ノ柱	なし	×	×		7.4×1.9	10.6×5.3
110	渡辺	19	10	ウ		茶大鵬	なし	○	×		7.3×1.9	9.4×7.4
111	渡辺	19	10	ウ		赤勝り	なし	×	○		7.5×2.0	7.5×5.4
112	渡辺	19	10	ウ		鷲毛	花散れは　雪にも似たり　鷲毛菊	×	○		7.6×2.0	11.4×5.7
113	渡辺	19	10	ウ		白鯱	なし	○	×		7.3×1.9	10.3×4.5
114	渡辺	20	11	オ		桜嶋	なし	○	×		7.7×1.9	14.6×5.9
115	渡辺	20	11	オ		飛龍舞	なし	×	○		7.5×1.9	12.3×6.0
116	渡辺	20	11	オ		白大鵬	なし	×	○		7.5×2.0	10.3×6.6
117	渡辺	21	11	ウ	3	榒ノ尾	なし	×	×		7.4×1.8	9.5×5.6
118	渡辺	21	11	ウ	5	獅子奮迅	なし	○	○		7.6×1.8	11.3×4.6
119	渡辺	21	11	ウ	4	浅香山	山ノ井に　蔭うつしけり　浅香きく	△	○		7.4×2.0	9.1×4.0
120	渡辺	21	11	ウ	6	吉野川	水上は　花の雫か　よしの河	×	○		7.5×2.0	10.9×5.4
121	渡辺	22	12	オ	7	盛久	なし	×	○		7.5×2.0	6.5×2.7
122	渡辺	22	12	オ	9	園の司	なし	○	○		7.4×1.9	10.3×6.0
123	渡辺	22	12	オ	8	幕ノ内	これもまた　菊番附に　幕の内	×	○		7.3×2.0	9.9×6.4
124	渡辺	22	12	オ	10	白大盃	大盃や　齢を廻る　喜久の酒	○	○		7.5×2.0	10.4×5.3
125	渡辺	23	12	ウ	2	青森蜀紅	なし	△	○		7.4×2.0	16.7×7.5
126	渡辺	23	12	ウ	1	陸奥翁	陸奥の　はてにもありや　菊翁	×	×		7.5×1.9	14.3×9.4

3-3 宮沢賢治の菊と俳句

昭和2年（1927）11月1日～3日花巻で開かれた花巻秋香会主催の「東北六県菊花品評会」について、興味深い事実がある。東北大会ということで青森、八戸、仙台からも多数出品があった。この菊品評会の審査委員を宮沢賢治が務めている。八戸からは香月園も出品しているから、正次も会場で賢治と声を交わす機会があったかもしれない。会場は花巻川口町の花城尋常高等小学校（旧川口尋常小学校）で、そこには賢治の母校であり、町内に実家の宮沢商店があった。

「東北菊花品評会出品案内」の冒頭で、「陳者今回陸奥八戸町女鹿左織氏、漆沢昇氏、南部秀寿氏、仙台市菅野佐一郎先生等のお薦めとご後援により当花巻秋香会主催にて来る11月1日より3日まで花巻川口町花城尋常高等小学校に於いて東北菊花品評会を開催すること相なり申し候間、別紙規定により奮ってご出品されたたく、願いあげ奉り候。」このことから、東北菊品評会の開催について、当時東北の菊會の先導役である八戸の菊花会の人々が運営にまで協力していることが明らかである。

賢治は大正15年花巻農学校の教師を依願退職し、自から羅須地人協会を設立し、農民に肥料の配合などの営農指導をしていた。

大正13年ごろ賢治は花巻病院の花壇設計など花に係わる活動も多い時期である。菊花会の顧問になってもらうべく、花巻の菊花会秋香会が声をかけたようである。菊作りは肥料作りでもある。的確に名花を品評会の日に、咲かせるために、古来より施肥の研究が続けられてきた。特に奥州菊は肥料を沢山使うので、施肥管理が重要な種類の菊である。花巻秋香会は賢治の農学者としての肥料設計の能力に期待していたのであろう。大会開催地としては何とか良い成果をあげようとするのが常である。

賢治自身も菊を作り品評会に出品していた。花巻の菊花会では中菊厚物中心の作品であったので、八戸の奥州菊の大掴み大輪菊は観衆の注目するところであった。

審査委員長は農学者として有名な盛岡高等農林校長鏡保之助、他に審査委員には、盛岡高等農林杉村孝治、八戸の菊花会の重鎮女鹿左織、南部秀壽などを招いている。仙台からは陸軍主計正菅野佐一郎、花巻からは、花巻農学校中野新作、医師岩泉周甫、瀬川兆次郎、そして、宮沢賢治である（昭和2年10月23日花巻秋香会東北菊花品評会案内）。

昭和2年11月2日岩手日報には「一斉に花巻の催し、きのう秋を名残に菊花展を始めとして花巻川口町花城小学校を会場とした東北六県菊花展覧会、おもちゃや手芸展その他の催しは、この秋を名残に一日から一緒クタに蓋を開けたがお天気に恵まれて朝から観衆殺到している。会場の内外はまん幕、万国旗で飾られ景気を添えている菊花展は、二階裁縫室二室を占拠して、地元花巻両町は勿論、日詰、盛岡その他、県外は八戸、青森、仙台からそれぞれ出品ありて、黄、赤、白、紫等といろどりに美しく陳べられて芳香を放ちけんを競ふているのが午後審査に着手した。（以下略）」この品評会と賢治の文芸活動に大いなる関係を見出すことが出来る。

賢治と菊俳句のつながりを伺わせる資料がある。

『年譜宮沢賢治伝』堀尾青史氏著によると、<昭和２年花巻秋香会主催東北菊花展が催され。審査、出品者として協力する。菊の句の短冊を書き、入賞者に与える。>

この記述からすると、賢治の菊の俳句の中に、受賞者への副賞としての俳句を贈った。ということであろう。賢治は菊についての俳句を 16 句残している。

菊を詠んだ俳句 16 の句の内 14 句は「装景手記」(1927) に納められている。「装景手記」の表紙には、< 6, 1927　6, 1928　6, 1929 >と表示されていて、昭和２年から４年６月までの記録と読める。残り２句は無罫詩稿用紙に残されており製作日は不明である。この菊品評会は大変権威のある大会だったようで、青森県尾上町から出品した尾上の菊花会はその様子を克明に記録していた。

「尾上町文化誌第二号」によると昭和２年の東北六県菊品評会では、八戸橋本八右衛門—香月園（大観）、尾上村工藤徳太郎（暁富士）、尾上町三浦久和雄（曠原月）、青森市延年会（富山雲）、尾上町西谷嘉三郎（蔟雲）、同　田邊文四郎。八戸、青森の奥州菊が特賞を占めているので菊の展示会は奥州菊中心となっていた。

出品の菊は切り花ということで満開の菊を傷めないようどのように運搬するかについて尾上菊會の記述がある。八戸では一本ずつ新聞紙にくるんで旅館に到着と同時に水風呂に一昼夜付けておく、そうすれば、元の姿に戻るという。尾上ではもしものことを考えて、菊一本ずつ水入りのビール瓶にさして、雁字搦めに動かないよう組み立てて貨車を一両借り切って瓶のまま運搬した。花のために車両を借り切るとは大袈裟にも見えるが、現在と違って、尾上から花巻でさえ、汽車の便によっては一日仕事である。ましてや東北大会となれば作品の輸送での失敗はできない。菊作人の真剣な様子と見るべきであろう。

賢治は授賞者に自分の俳句を添えて表彰した。賢治は俳号を風耿と号していた。

賢治の菊に関する俳句が 16 句残されている。その中に「大管の一日ゆたかに旋(めぐり)りけり」という句がある。これは、賢治のいわゆる「装景手記」ではなく、無罫詩稿用紙に書かれたものである。大管は、香月園の受賞菊の名前「大観(たいかん)」と大菊の花弁名称の「大管(おおくだ)」を掛け合わせているのではないか。大管は奥州菊の花弁の特徴である管物を表す形状である。大観は、香月園の実生で、その当時奥州菊の代表花で各品評会の優秀花に選ばれている。奥州菊の大観が龍のように掴み、四方に波のように流れる様を一日見飽きることなく贅沢に菊品評をしながら楽しんでいる様子ではないだろうか。この句は昭和 2 年の東北大会で特賞「大観」の副賞として読まれた句ではないかと思う。大観という菊を見てからでないと書けない句である。11 月 1 日審査会の当日午前中に展示され、午後審査を行っている。11 月 3 日が表彰式であるので、この間に詠んだ俳句でないだろうか。

橋本香月園実生「大観」純黄で背の高い花

この「大観」は河内屋に関係する名前である。河内屋では江戸時代から造り酒屋を営み、大正 9 年までは、「老の友」という銘柄であった。大正 10 年頃「八鶴」という銘柄に変更している。当初「龍冠」という観賞菊の名前が第一候補であったが、商標登録機関で確認したところすでに別の人が登録済みで断念し、第二候補である八鶴と決まった。その際、日本画家横山大観につてがあって商標ラベルを揮毫してもらったそうである。横山大観はその頃、画壇で活躍している時であり、無類の愛飲家であった。「私は絵の注文はよく受けるが、字を書いてくれとは珍しい。」と二つ返事で同意した。また「飲んだことのない酒の字を書けというのは、見たことのない風景を描くがごとし」という返事に、河内屋から急いで 4

斗樽を贈って描いてもらったとのことである。酒好きの大観は４斗樽を原稿料にきりりと締まった格調高い「八鶴」の字を贈り清酒八鶴は誕生したのである。

賢治がもう一句無罫詩稿用紙に残していた句がある。「狼星をうかがふ菊のあるじかな」。夜の四十万に輝く満天の星空に、狼星（シリウス）を探しながら、自分の育てている菊を愛でている様子がうかがえる。11月菊品評会のあたりは、菊の大敵の霜が降りる季節である。古来菊は星見草ともいわれている。シリウスが見えるということは、放射冷却現象で霜が降りやすい状況で、菊作り人にとって不安な緊張した夜の時間である。どうか菊に霜が降りないようにと半分願いを込めた祈りにも似た瞬間をとらえた句であろう。

いったん霜に当たった菊は花弁が黒ずみ出品できなくなる。一年間精魂込めて育てた菊が品評会前日の一晩でダメになることは今までも多くの菊作りの人が経験した惨事である。菊作り人しかわからない苦労の様子が見て取れる。賢治も品評会の度に経験したことであり、入賞者への菊管理の大変さを共有しているのではないか。星詠みの賢治らしい視点で菊名人達の共有する不安を見事に表し、このような労苦をともにしながら一年通して菊に愛情を注ぎ、本日品評会で優秀賞に輝いたことへのこの上ない賛辞の句と捉えられる。

もう少し踏み込むとやませに悩み、霜、冷害に苦しんだ当時の東北のすべてのひとに対する慈しみでもあるのでは。そして、賢治は冷害に常に立ち向かう東北人に奥州菊を重ね合わせているのではないだろうか。この二句は無罫詩稿用紙に書かれたものである。大観という菊を見たことや、11月の菊品評会時の気候を考えると、この二句はやはり昭和２年の作品ではないかと考えられないだろうか。この花巻大会では青森県の奥州菊のほかに、地元花巻の柏田仁左吉、岡善之助、永田善次郎、高橋廣治、小瀬川富三も一等賞を得ている。開催地花巻秋香会の面目は保たれた。賢治の菊の腕前はいかがであったのかは不明であるが、菊の俳句を通じ、菊作人として、また、植物学者の観点からとらえた時、純粋に菊を楽しんでいる賢治が見えてくる。

賢治はこの東北大会の１年前の大正15年８月には妹親子を連れて八戸へ２泊３日の小旅行をしている。その時書かれた短編詩『八戸』には、亡くなった妹トシへの愛情あふれるものである。妹シゲ親子、末の妹クニともに兄弟そろっての久しぶりの夏休みの旅であったようである。八戸訪問の目的は所説あるが、菊の審査委員に推薦された賢治であるが、奥州菊のどの点を品評するのを確かめるための旅ではないかと考える。そのころ、花巻の菊花会で育てていた菊の種類は中菊であったのである。そのため、八戸から女鹿左織、南部秀壽という奥州菊の大家を審査委員に招いている。植物学者、菊花会顧問の賢治が見たいと思う場所は、香月園のガラス温室や珍しい植物、そして菊の栽培場でなかったのか。また女鹿左織、南部秀壽、橋本正次との顔を合わせ、奥州菊はどの点を評価するのか審査委員として勉強する必要があったのではないか。色川大吉著『東北の再発見』（P.91）の賢治の泊まったと推測される番町陸奥館から香月園は徒歩で８分の所にあった。『銀河鉄道の夜』ケンタウルス祭の夜の描写に出てくる「電気会社の前の六本のプラタヌスの木などは、中に沢山の豆電燈がついて、ほんとうにそこらは人魚の都のように見えるのでした。」の電気会社は番町近くの八日町の河内屋橋本八右衛門が設立した「八戸水力電気会社本社」と考えられないだろうか。既に１年後の東北大会は花巻で行われることは決まっていたと思われる。顧問として、大会成功のために、会場の設営、展示方法、菊について相談したいことがあったのではないだろうか。その後、花巻でも奥州菊作りが盛んになり、花巻市は昭和48年菊の花を市の花と制定している。

『チュウリップの幻術』宮沢賢治著の舞台を思い起こさせる香月園チューリップ畑

夏目漱石と菊海苔

漱石の小説「山鳥」には、南部の干し菊についての話が出てくる。

この「山鳥」は、八戸の是川村出身の市川文丸青年が文学をこころざし上京し、漱石山房に出入りする様子についての話である。この青年が土産として持ち込んだ山鳥、菊海苔が漱石の胃袋を満足させたのであろう。漱石と親しくなった市川青年は病院の費用として漱石から二十円借金し、ついに返済できないまま故郷に帰るのである。漱石が返済不用と、それも許したのは、この市川文丸の人柄と山鳥、乾し菊のうまさであろうか。

文中には食用菊を土産に持参したことについて詳しく述べられている。「或る時妙なものを持ってきてくれた。菊の花を乾して、薄い海苔のように一枚一枚に堅めたものである。精進の畳鰯だといって、居合わせた甲子が、さっそく滲しものに湯がいて、箸を下しながら酒を飲んだ。」この市川文丸氏は、実弟が第５代八戸市長山内亮、叔父が衆議院議員那須川光宝という名家の出であった。

明治２０年代に東京の農学者で、日本園芸会副会長を務めた田中芳男はたびたび八戸を訪れていた。その時、小井川元吉、河内屋にも立ち寄った。菊の花を見るためである。干し菊に、菊海苔と命名したのは田中芳男であった。

3-4｜画家橋本雪蕉の描いた香月園の菊

橋本雪蕉（1802-1877 年）通称素淳は花巻の人である。三代目橋本八右衛門昭方（1794-1836 年）が大慈寺にかけられた幽霊の絵に才能を見出し、河内屋に使用人（後に義弟）として引き取り、画を学ばせた。店で酒樽の記帳を命ぜられても、帳面に山水草木、魚虫の絵を所せましと描いていた。

23 才より当時江戸で流行の絵師谷文晁のもとで学んだが、その画風が合わないということで、江戸を去り京都の浦上春琴の元で南画を学ぶ。天保３年より鎌倉の建長寺にとどまり仏画を描き、弘化２年江戸に戻ってからは儒学者芳野金陵らと交わり、画塾を開いている。八戸藩との関係は、遠山日記にも「文政 13 年 6 月 9 日絵師素淳四時参」遠山屯とも親交があり、屯の快気祝いに出席しているのでこれも河内屋との関係と推察される。

国光初句　橋本雪焦白梅花図　文政10年　長者山新羅神社

春琴に学んだ修行時代のことだが、文政10年（1827）藩命で長者山の社殿の落慶記念の「国光の発句」画を描いている。藩主７代目信房公は俳句に秀で、五梅庵畔李と称していた。その、信房公の俳句と一門の句八十句と共に、雪蕉の描いた白梅が掲げられている。また、鎌倉建長寺に滞在していた時代は建長寺和尚真浄の「無明慧性禅師像」を描き称賛を得る。このころ雪蕉と号を改めた。

慶応４年（1868）の官軍による江戸の騒乱をさけ八戸に戻り、八日町の河内屋に安住の地を得る。雪蕉を見出した３代目八右衛門はすでに鬼籍にいたが、その後を継いだ４代目八十郎は暖かく迎えた。雪蕉がこの時期描いた香月園の草花の絵は「名花十二客之図」として知られている。八日町香月園の園内に育てられている菊、ボタン、梅などの画材に事欠かなかった。

明治９年（1876）東北巡行の際、自ら描いた絵「赤壁舟遊の図」「鱸魚の図」を天皇の御在所五戸の三浦家に自ら持ち込み天覧を賜った。その絵のすばらしさに随行員の木戸孝允より、このような巨匠がこのような田舎の地にいるとはと驚嘆されたという。雪蕉没後、明治14年の東北巡行の際、八戸での天皇の御在所には雪蕉の描いた「名花十二客之図」が掛けられていたそうである。

この建物は旧八戸小学校として八幡櫛引八幡宮の境内に移設されている。現在八戸市来迎寺に本居豊頴揮毫による雪蕉墓があり、同市長者山に親友儒学者芳野金陵撰文の顕彰碑が残されている。

名花十二客之図　橋本雪蕉
（八戸市美術館収蔵）

あとがき

奥州菊を「めでる」心

江戸、明治、大正、昭和と奥州菊（八戸菊）に魅せられた多くの人の菊を愛でる思いに焦点を当ててみた。江戸時代より京、大坂、江戸との菊文化の交流の中から、八戸独特の花型を持つ菊が生まれてきた過程が明らかになってきた。明治期に入ると河内屋、佳友会を中心に東京の日本園芸会で菊の郷八戸が全国に認められていったのである。八戸独特の花型の菊に「奥州菊」となずけたのが香月園主任橋本正次であった。

観賞用菊の中から食用菊が生まれ、鑑賞しながら、その風味も味わうという文化は他の地域には見られない。やませに悩まされてきた北奥州の宿命として、食べられるものはなんでも食べるということはあったのかもしれないが、うまいものでなければ長くは続かない。東北の人間にとって、寒いことは当たり前で、食べられない恐怖が遺伝的に残されている。そんな時、阿房宮の黄色はほっとする瞬間である。

八戸人は鑑賞菊を愛で、食文化としての菊を愛でること、さらに文芸愛でることを当たり前のように考えていた。究極の菊を「めでる心」という言葉がふさわしいのではないかと思う。このような、菊をめでる心が八戸の中に水脈としてながれているのである。その隠れた水脈はいつでも流れているのではないか。この菊文化が発達したことには、この東北の奥州の地であったことが大きく影響しているのではないかとが思われる。遠く中央と呼ばれる場所から距離的に、文化的に離れていたことが、独自の菊文化を生んだのである。その中で、この地方の気候にあった菊の形にこだわりがあった。八戸にあう菊作りが行われてきた。八戸独特の菊作りが情熱を持って行われてきたということである。ほかの地域に行けば、全国どこでも関西系の大菊が作られており、その土地独特の花型の菊は少ない、わずかに嵯峨菊、肥後菊、江戸菊などが古典菊として残っている。

香月園という園芸施設ができたことも、冷害を克服し、農業技術の発展により地方の殖産興業を進めることを目的としてきた。

特に、香月園では、近代的園芸技術に裏付られた菊の実生開発が行われた。

その菊文化のあとを継いだ正次の世界に奥州菊を広めていくという思いは、むしろ使命として進んでいたようである。正次の奥州菊への思いをこのように語っている。「特色のあるものを一種一本を集めて総合美を賞するのが当地の花壇です。一つ一つの意義ある花の集団を見静かに目をつぶればゆとりある生きた気分の花型がまざまざと心にうかんで参ります。この花壇全体に流れるところの一つの型こそが最も理想に近い花であるのです。私は、交響曲を聴く気分でその美に陶酔し各々の音色をひろう様な気分で個々の花形を考えます。奥種菊はある意味未成品であります。おそらく永遠に未成品であるかもしれません。そして進化し改良されていくのです。」菊の花に寄せる思いが彷彿とさせる。

最後に執筆に当たり弘前大学人文社会科学部渡辺真理子氏、林剛史氏、三浦忠司氏、工藤釗氏、木村久夫氏、齋藤潔氏、岩淵令治氏、青木隆浩氏、工藤亮悦氏、田名部清一氏、山内文子氏、八戸学院大学中居裕氏、同大加来聡伸氏にご教示いただいた。資料提供では、山田稔氏に食用菊の花壇菊復元制作をお願いした。八戸クリニック街かどミュージアム小倉学氏、櫛引八幡宮様、長者山新羅神社様、呑香稲荷様、八戸市美術館様からも貴重な資料いただいたことに感謝申し上げる。また、正次の次女長島みち氏、三女橋本かず氏、母橋本陽子からの伝承も参考にさせていただいた。

菊の手入れをする橋本正次

参考文献

1 『軽邑耕作抄』日本農書全集2　淵沢円右衛門　弘化3（1846）年P121～122
2 『六ケ所村史』上巻Ⅱ　盛田稔1996年～1997年　P 350～357,446
3 『写真で見る八戸の歴史　明治大正の試練』北方春秋社1970年
4 新聞　はちのへ　明治43（1910）年より大正2（1913）年記事
5 新聞　奥南新報　明治43（1910）年より記事
6 『八戸聞見録』　渡邊村男明治14（1881）年　現代語訳木村久夫　平成29（2017）年
7 『橋本雪蕉遺墨展』　1968年
8 『八戸の四季』　小井川潤次郎　北方春秋社　昭和35（1960）年6月
9 『八戸市の誕生』　中村誠一　週刊八戸社　昭和37（1062）年5月
10 『岩崎弥之助伝』　東大出版　1979年
11 『菊花壇養種』　菅井菊翁　弘化3（1846）年
12 「菊名集」「菊作方覚」「むらもみち」　遠山家所蔵書
13 『八戸藩「遠山家日記」の時代』　三浦忠司2012年　P18,P62～63
14 『菊栽培大観』　誠文堂　石井勇義編　橋本正次　昭和5（1930）年
15 『奥州菊名鑑』東北菊花研究会　　橋本正次　昭和11（1936）年
16 『食用菊阿房宮の栽培方法』　三戸郡農会　昭和5年1930年
17 『菊花栽培秘訣』　　実際園芸　石井勇義編　昭和3（1928）年
18 月刊評論　5・6月合併号　地方の誇り　奥州菊の話　橋本正次　昭和14（1939）年
19 『日本園芸会　雑誌』国立国会図書館マイクロ　明治24（1891）年から28（1895）年
20 『奥州菊の栽培』　橋本正次　昭和11（1936）年
21 『チュウリップの幻術』　宮沢賢治　大正12（1923）年
22 『再発見橋本雪蕉の画業を探る』花巻博物館平成19（2007）年10月6日
P41～54
23 『浮世絵でめぐる江戸の花』　日野原健司　平野恵　2013年P42～45,204～206
24 『伝統の古典期菊』　国立歴史民俗博物館　2015年P28～33，62～63
25 『東北の再発見』　色川大吉　2012年P94～95
26 『温室』法政大学出版会　平野恵　2010年
27 『人と植物の文化史』　国立歴史民俗博物館　岩淵令治　2016年
28 『遠山家日記　第1巻～4巻』八戸市
29 『日本における菊栽培の伝統と菊細工』　劉洋　2013年
30 『教育と歴史』　稲葉捨己　昭和59（1984）年6月18日
31 『八戸藩江戸勤番武士の日常生活と行動』国立歴史民俗博物館　岩淵令治2007年
32 『天野桃隣と太白堂の系譜並びに南部畔李の俳諧』　松尾真知子2015年P175
33 『南部覚え書』　東奥日報　昭和50（1975）年
34 『参勤交代と菊つくりの広がり』　岩淵令治　2015年
35 『館村の話』小井川潤次郎　平成5（1993）年8月5日
36 『近代の光と闇　色川大吉歴史論集』日本経済評論社　色川大吉　2013年P10
37 『福羽逸人回顧録』（財）国民公園協会新宿御苑刊　平成18（2006）年4月
38 『復刻三戸郡誌（歌謡篇）南部のうた』小井川潤次郎昭和2（1927）年4月
P152～159
39 『尾上町文化誌第二号』
40 『年譜宮沢賢治伝』中公文庫　堀尾青史　1966年

41 『南部一之宮櫛引八幡宮』編集発行櫛引八幡宮　昭和63年9月25日P58～59
42 『八戸俳諧史　全』復刻　前田利見　1981年
43 『菊花栽培寶典』　誠文堂　石井勇義編　1936年
44 『年譜作家読本　宮沢賢治』河出書房新社　山内修編著　1993年
45 『月刊きたおうう12月』中居幸介　昭和49年12月　P61～64,152～159
46 『二戸史叢書　北の松下村塾会輔社（上）（下）』平成25年
47 『大久保利通とその時代』国立歴史民俗博物館　2015年　P79
48 『天皇制と民衆』色川大吉　昭和60年　P24～27
49 『日本庶民生活史料集成　第13巻』八戸藩稗三合一揆（野沢蛍）三・一書房P32～33

第2節　八戸のハリストス正教徒パウェル源晟

木鎌耕一郎

はじめに

本節は、明治初期に八戸で最初のハリストス正教（＝ロシア正教）の洗礼を受けたパウェル源晟（みなもと あきら）の生涯を、自由民権運動への参画や青森県会議員、衆議院議員時代の政治活動を跡づけつつ、明治期のキリスト教徒の特質や、日本を取り巻く国際状況によってハリストス正教会がこうむった受難に目を向けながら辿ることが目的である。

特に注目したい点は次の三点である。第一に、明治初期の正教入信者が「国家の革新」という大志を抱き、西洋近代の思想を摂取する過程で受洗に至ったのに対して、ニコライがもたらしたロシア正教は「近代化」や「西洋化」に抗する宗教であったことである。パウェル源の人生において、両者の齟齬はどのように表面化したのだろうか。第二に、日清戦争後に高まった反ロシア的な国民感情の中で、正教徒が直面せざるを得なかった受難である。パウェル源の場合、それはどのような形をとったのだろうか。第三に、正教徒となり政治活動に邁進したパウェル源に対して、ニコライ自身はどのような眼差しを向けていたのか、という点である。ニコライが記した『宣教師ニコライの全日記』（以下、『全日記』[1]）には、たびたびパウェル源に関する記述が登場し、ニコライが八戸に二度訪れた次第も記録されている。日記に見られるニコライの主観的評価をもとに検証したい。

1　初期信徒の入信動機と政治に対するニコライの姿勢

1-1　初期信徒の入信動機

ハリストス正教会の布教は、1868年（明治元）に、ニコライが土佐藩出身の澤邉琢磨、仙台藩出身の酒井篤礼、能登出身の浦野大蔵に、密かに洗礼を授けたところから始まる。当時、新政府は、キリシタン禁制政策を保持したままだった。

翌1869年（明治2）に、ニコライは本格的な宣教事業に着手するため、一時ロシアに帰国した。その間にパウェル澤邉は、新政府の藩閥政治に対する反発を抱いて函館に集結していた元仙台藩士たちに、「国家の革新は人心の改造によりせざる可らず。人心の改造は宗教の改革よりせざるべからず。宗教の改革はハリストス教を以てせざるべからず」[2]と説き、キリスト教の研究に励み、布教の準備を進めた。1871年（明治4）にニコライが再来日すると、十二名の元仙台藩士が受洗した。

青森県でのハリストス正教会の伝道は、比較的早い時期に始まっている。函館で受洗した者たちが、函館と仙台を行き来する中で、その間に位置する南部地方、三陸沿岸地域で布教が行われたからである。1873年（明治6）には、三戸や八戸を伝教者が訪れている[3]。八戸での布教開始について、『全日記』には次のように記されている。

> 八戸の伝教はパウェル源を介して始まった。かれは盛岡にいたころ、イアコフ高屋から正教について聴いた。かれは八戸に帰ると、友人の伴と相談して、一緒に函館の宣教団に正教関係の書物を送ってくれるように依頼した。当時アナトリイ師のもとにいた丹野が書物を送り、これらを源と伴はかれらの周りに集まった二〇人ほどの人たちとともに読み始めた。その後、八戸にイオアン酒井が立ち寄り、全部で三日、かれらに教理を説明した。それからペトル朽木が伝教者としてこの地に派遣されて来て、一年滞在した。明治九年にパウェル沢辺神父が八戸で最初の信徒たちを洗礼した。サワ山﨑が伝教者としてこの地に明治一一年と一二年に滞在した。それからステファン江刺家が昨年の公会までいた。昨年のその公会でパウェル源が当地に任命された[4]。

ニコライは、八戸布教のキーマンがパウェル源であったと認識している。源が「盛岡にいたころ」とあるが、それは一時期彼が、現在の弁護士にあたる「代言人」として活動していた頃のことと考えられる。1875年（明治8）2月15日付で、源が代言人として県参事に建議書を送った記録がある[5]。八戸に裁判所ができる1877年（明治10）以前には、盛岡の裁判所に出向くことが多かったという指摘もある[6]。盛岡での布教の始まりも八戸と同様、1873年（明治6）であるが、早くも1874年（明治7）4月に4人、7月に17人が受洗し、翌1875年（明治8）には73名が受洗している[7]。つまり、八戸よりやや早い段階で多くの信徒を獲得し教会の基盤が整いつつあった盛岡で、源はイアコフ高屋から教えを受け、八戸に帰ってから書物を取り寄せ、仲間とともに教理研究に臨んだということになろう。

八戸で最初に洗礼を受けた人々のほとんどは士族階級だった。パウェル澤邉やイオアン酒井が伝教に関わっていることから、おそらく八戸の最初期の受洗者たちは、旧仙台藩士が聴いたのと同じように、彼らから「国家の革新は人心の改造によりせざる可らず。人心の改造は宗教の改革よりせざるべからず。宗教の改革はハリストス教を以てせざるべからず」という言葉を聴いたと想像できる。パウェル澤邉が語ったこの言葉の論理構造に着目すると、目的に対する実行方法を示した三つの条件文から成りたっていることがわかる。

国家の革新→人心の改革

人心の改革→宗教の改革

宗教の改革→ハリストス正教

すなわち、「国家の革新」という目的のためには「人心の改革」の実行が不可欠である。「人心の改革」という目的のためには「宗教の改革」の実行が不可欠である。「宗教の改革」という目的のためには「ハリストス教」という実行が不可欠である、という構造である。ここで「国家の革新」が最上位の目的に置かれている点に着目したい。幕末から明治初期の動乱を体験し、戊辰戦争で苦汁を舐めた憂国の士族にとって、正教入信の直接的動機は宗教的真理の渇望ではなかったといえる。むしろ正教は、新しい時代に即した「国家の改革」という大目的のための実行手段であった[8]。こうした動機づけは、正教徒のみならず、明治初期にキリスト教諸派に入信した人々にも、少なからず当てはまるだろう[9]。彼らにとって「国政の改革」の実現とは、従来の封建社会の通念や既成概念を打破し、それにとって代わるものとしての近代的な合理主義、すなわち西洋文明をもって、新しい日本を開化することであった。キリスト教は、そのような西洋文明を支える精神的支柱として受け入れられたのである。

パウェル源晟にまつわるいくつかのエピソードにも、このような近代人の傾向を看取することができる。1890年（明治23）に出版された『衆議院議員候補者列伝：一名・帝国名士叢伝．第３編』[10]には源晟の名前と経歴が紹介されている[11]。この書は、数少ない少年期の源に関する情報として、次のようなエピソードを伝えている。源（当時は河原木姓）が八戸城中に仕えていた十四歳の春、多くの者が狩猟に行って城中に人手が足りない中で、たまたま大規模な祈祷が行なわれた。集まった僧侶は数百人だった。源と三、四人の僚友は僧侶たちの給仕を命じられた。源は自分がその身分にないということで争ったが、寺社奉行らに給仕を強いられた。源は怒って、食椀の中に芥子を混ぜた。それを食べてひどい目にあった僧が、食椀の中身を取り替えるように言うと、源は天皇から賜ったものを取り替えるべきではなく、謹んでこれをいただくようにと返した。僧は大いに怒って、このことを寺社奉行に訴えた。寺社奉行は、源が少年であるという理由で沙汰無しとしたが、僧はさらに家老に訴え、源たちは訊問された。源は、自分一人でやったので他の者は知らないと答え、三日の謹慎を受けたという。このエピソードには、少年期の血気盛んな源が、権威に盲従することなく、封建社会の常識に抗して行動した痕跡を見ることができる。

源が藩から謹慎を命じられたエピソードは、もう一つある。1871年（明治4）5月、源は藩に東京留学の願書を届けたものの、許可がおりないまま出立したため、東京の藩邸で10日間の謹慎処分を受けている。藩の仕来りに抗してまでも自らの目的を遂行しようとする大胆な姿勢には、近代人の個人主義的な特性を読みとることができる。同年7月に河原木姓を捨て、源晟と改名[12]したことにも、個人主義的な性向が表れているように思われる。

このような性向を涵養した要因の一つに、洋学の学びがあると思われる。源は、藩校で文武の他、岩泉正意から数学や洋学を学んでいる。岩泉正意は、盛岡藩の日進堂で大島高任から英語、物理、化学、博物、応用科学などを学び、八戸藩校で英学寮長となり、八戸における洋学の振興に努めた人物である。岩泉がジョン・スチュワート・ミルの「代議政体論」や「ミルトン論」を翻訳していることは注目に値する。

上述した源の東京留学は、数カ月余りで中断された。1871年（明治4）に廃藩置県が断行されて、9月末には青森県という行政区が誕生し、藩費での留学が困難となったためである。しかし、帰郷後の源は、一時期、八戸藩校の洋学部の教師に名を連ねている他[13]、『衆議院議員候補者列伝』には、1872年（明治5）の夏に、岩手県の久慈で学校を開いて、教頭に雇われたとも記されている[14]。

なお八戸では、同年に岩泉正意と英国人ルセーが西洋思想を教える私塾を開業し、1875年（明治8）には、その私塾を発展させた学校として、蛇口胤親が夜学「開文学舎」を自宅に開いた。「開文学舎」には、源とともに受洗し、政界で活動をともにする関春茂が学んでいる他、やはり源の盟友となる奈須川光宝、浅水礼次郎などが学んでいる[15]。岩泉の教え子である源は、帰郷後も岩泉のところに出入りしていたはずである。このように、岩泉らを通して洋学、とりわけ西洋政治思想を学修した教え子たちから、青森県政に携わり、議会制政治を体現していく者が輩出されている。彼らの経歴には、西洋思想によって啓蒙された近代人という特性をはっきりと見ることができる。

体制に阿ることのない個人主義的な性向をもち、洋学を通して近代的合理主義を吸収し、西洋政治思想に触れて進歩的な議会制民主主義を学んでいた憂国の志士には、「国家の革新」という上位の目的の実現手段としてのハリストス正教という論理を受け入れる素地が整っていた。入信者の中から、後に政治活動に邁進する者が出てくることは、ごく自然な流れだったと考えることができる。パウェル源もその一人であった。

1-2 政治に対するニコライの姿勢

一方で、ニコライにとっては、ロシア正教の信仰を日本人に根づかせることこそが最も上位の目的であり、「国家の革新」ということは、その実現手段としてすら眼中になかったようである。

上述のパウェル澤邉が語った条件法の記述は、ペトル石川喜三郎が記した『日本正教伝道誌』の中に登場する。1899 年（明治 32）のニコライの日記には、ペトル石川が、同書の記述をニコライに読み聞かせた場面が記されている。ニコライは「石川は十分な資料を集め、活き活きと詳細に記述しており、さながら歴史物語だ。神意の糸が随所に見える」と評価しつつ、パウェル澤邉ら最初期の受洗者の入信動機について、次のように嘆いている。

> それにしても、最初の動機に純粋な宗教的欲求のなんと少ないことよ！ 宗教的な飢え、真理の探究心の少なさはもちろんだ。教えが受容され、育まれるのはまったく偶然の原因によるもので、動機は国の役に立とうということだ。教えは精神の表面にとどまり、キリスト教の影響は魂の内奥には及んでいない。パウェル沢辺〔琢磨〕は、キリスト教の洗礼を受けて二年もたってから、友人たちの生活費を用立てるためサムライ精神を発揮して妻を娼家に売ろうとしたのだ。こんな例は枚挙にいとまがない[16]。

ニコライの言う「偶然の動機」という表現は、明治初期のキリスト教入信者の一般的特徴を言い得ている。実際に、教派を問わず入信者の多くは、新しい国づくりが始まる時代に、西洋文明を吸収する過程でキリスト教を受容した。とりわけ、英米からのプロテスタントの宣教師は、西洋文明から学ぼうとするエリート青年層の欲求に応えて、英語教育等を武器に日本社会の近代化の礎を築き、文明開化に貢献しようとした。

ところが、ニコライがもたらした正教は、他のキリスト教諸派とは事情が異なっていた。この点に関して、中村健之介氏は次のように解説している。

> ニコライが伝えた東方正教の一つであるロシア正教は、簡単に言えば「近代化」「西洋化」「文明開化」に抵抗する宗教であった。近代化とは、宗教の非宗教化の動きである。
>
> そのロシア正教が、近代化、西洋化の波に乗って日本に入ってきたのである[17]。

近代化に抗するロシア正教を日本人に根づかせようとするニコライと、近代化を積極的に推し進めようとする日本人、この両者はどこかですれ違うはずである。そのことを示すひとつのエピソードが、1893年（明治26）のニコライの日記に見られる。この年の5月、ニコライは青森県を巡回していた。ニコライが黒石から弘前に到着したときのことである。弘前に派遣されていた伝教者ペトル伴義丸（源とともに八戸で最初に洗礼を受けた一人）が、教会で「演説会」を開催する手はずを整えて、ニコライの来訪を待っていた。伴のこの行動に対して、ニコライは激高した。日記には、次のように記されている。

> 家の前には、習慣に反して、だれもおらず、大きな紙を張った看板が目に入り、そこには大きな字でわたしの名前がかかれていて、わたしがきょう「演説」をすると公示されていた。わたしのほうへ飛び出してきた伝教者伴に、わたしはこの看板を撤去するように命じ、教会堂に入ったが、そこにもかまどのそばに座っている三人の若者以外にだれもいなかった。（中略）
>
> 「ここではキリスト教はプロテスタントによってのみ知られています。プロテスタントがやっているように演説をしなければなりません」〔伴のセリフ〕
>
> わたしは我慢できず、伴をこっぴどく叱った。ろくでもないわれわれの伝教者たちのうちの何人かが異教徒の猿真似をしようというこのような意図が、わたしにはひどく忌まわしいものに感じられる。お手本は聖書や教会の歴史の中だけにある。われわれ正教徒が、このキリスト教の変わり種を、つまり、教理さえもなく、「説教」もなく、あるのはただこの忌まわしく空っぽなおしゃべ

りである「演説」だけのプロテスタントを真似るなどということは我慢できない。このように自分自身を侮辱し、正教の「布教者」につばを吐くことは、だれであっても激怒するだろう！[18]

ここで話題となっている弘前のプロテスタントとは、メソジスト派のことである。弘前では、慶應義塾で学んだ菊池九郎が旧藩校をもとに開いた東奥義塾を舞台に、本多庸一も加わり、明治初期の段階でメソジスト派の宣教が展開された。宣教の端緒は、東奥義塾に赴任した英語教師のジョン・イングの働きである。イングは、横浜で洗礼を受けた本多庸一が、アメリカ・オランダ改革派の宣教師バラの推薦を受けて、英語教師として東奥義塾に招聘した人物である。本多は、イングとともに、東奥義塾の学生を中心に勢力的に伝道した。

イングが赴任してから半年後の 1875 年（明治 8）6 月には、東奥義塾の上級生 14 人が受洗し、7 月にはさらに 8 人が受洗した。弘前とその周辺地域には講義所が複数設けられ、受洗した学生たちは連れだって精力的に布教に励んだ[19]。東奥義塾を通して青年士族の知的エリート層に広まったメソジスト派は、明治中期になると平民層にも浸透していった。1891 年（明治 24）に設立された藤崎美以教会は、商人や農民からなる自給教会であった[20]。

このようにメソジスト派の地盤が堅固だった当時の弘前地区において、ペトル伴が伝教活動に苦戦していたことは明らかである。ニコライも、上の引用箇所の後に、「弘前は、おそらく、布教するには良くない土地である。きっとまだ早いのだ。メソジストが二〇年ここで全力を傾けた」と記し、信徒獲得が難しい地であるとの認識を示している。

なお、弘前において、メソジスト派の伝道活動の主体と自由民権運動の主体は重なっていた。1879 年（明治 12）に、東奥義塾の教師や学生を中心に政治結社「共同会」が結成されているが、その指導者は本多庸一や菊池九郎であった。共同会の会員は、毎週のように「演説会」を催し、国会開設や憲法の制定などの民権思想を訴えかけたという[21]。つまり、彼らにとって、布教と民権運動は連動したものであり、いずれも「近代化」「西洋化」「文明開化」への啓蒙活動である点では共通していたと言うことができよう。

ペトル伴が「プロテスタンがやっているように演説をしなければなりません」と語ったのは、弘前で成功を収めているメソジスト信徒たちが、布教においても民権運動においても「演説」を多用して人心を掴んでいた様子を目の当たりにしていたからであろう。

しかし、そのようなプロテスタント的手法を用いようとするペトル伴に対して、ニコライは我慢ならなかった。なぜなら、ロシア正教の「お手本は聖書や教会の歴史のなかにだけある」からであり、ロシア正教にとって「近代化」「西洋化」「文明開化」は、世俗的で非宗教的なものにすぎないからである。

ニコライは、正教が日本に広まったのは政治と結びついていないからだ、と考えていた。東洋学者で日本留学中にニコライと親交のあったポズニェーエフは、著書『ニコライ大主教の大いなる事業』において、日本で正教が普及した理由に関するニコライの分析を、次のように説明している。

> 十六世紀にすでに日本人の中には少なからぬキリスト教徒がいたのである。ところがキリスト教は政治と結びついて、そのために日本の最も優れた統治者たちまでがキリスト教を禁じる命令を出すという結果を招いた。（中略）
>
> 十六世紀に「日の出づる処の国」へやって来た政治的陰謀をこととするキリスト教に、日本はつかまらなかった。そこにニコライ大主教は、日本の歴史における神の特別の慮いの手を見ていた。それと共に大主教は常に次のことを言われた。すなわち、いまや時代は全く変わったのであり、日本におけるキリスト教宣教は政治とはいかなる関係も持つことなく行なわれるのであり、従って、各人のキリスト教の受容は自由であり、かつ国民にも政府にも危険をもたらすおそれはないのだということである。（中略）
>
> このように故大主教は、日本における正教の弘通の理由として、何よりもまず日本に一般にキリスト教を受け入れる準備態勢ができたということをあげている。弘通の第二の条件としては、正教が政治との関係から全く切りはなされていることがあげられている[22]。

このように、政治を宣教の道具に用いない姿勢を有していたニコライからすれば、受洗当初のパウェル澤邉の姿に「純粋な宗教的欲求」、「宗教的な飢え」が少なく、彼が「国家の革新」という「偶然の動機」によってキリスト教に帰依したことを嘆いたのも当然であろう。同様に、民権運動や県政、国政に携わるようになった八戸の源晟に対しても、同じような印象を抱いたと想像することができる。少なくとも、後述のように、伝教者を辞して政界入りした源晟に対して、ニコライが厳しい眼差しを向けるようになったことは確かである。

2　源晟の政治活動

2-1　伝教者と民権運動の両立

パウェル源は、1876年（明治9）10月に八戸で受洗した後、東京の伝教学校で学び、翌1877年（明治10）7月には副伝教者として八戸地域を担当している。さらに1878年（明治11）4月には千葉県下総郡、同年7月には秋田県久保田に4か月、その後山形県庄内や新潟県で伝教し、1879年（明治12）7月には岩手県大館等の伝教者となった。翌1880年（明治13）7月の公会で、故郷の八戸地域の伝教者になることが決まった。『衆議院議員候補者列伝』の履歴によれば、その後も函館や宮城県での伝教に携わったとされる。

1881年（明治14）6月、ニコライは東北地方の巡回の折に、初めて八戸を訪れている。『全日記』には、パウェル源の八戸における伝教者としての具体的な働きが記されている。それによると、「現在、源が行なっている伝教の概要」として、①「月の四の日と九の日に女性を相手にルカに因る聖福音の講義」を源宅で実施、②「毎週月曜」にルカ中里宅で「マトフェイ〔マタイ〕に因る聖福音の講義」、「源の指導のもとに輪講」、③「五の日」には「ロマ人に達する書〔ローマの信徒への手紙〕の講義」を教会にて、④「七の日には夜、魚町で伝教のために借りた家の二階で伝教が行なわれた」という。ただし、このうち③と④は、この日記が書かれた時点では中断していた[23]。また、日記には、ニコライがパウェル源の家を訪ねた際の記録として、次のような記述がある。

> かれの家はごく普通の士族の家で、かなり古いように見えた。家族構成は八三歳になる老婆と妻と二人のこども——　一二歳と六歳　——、これに本人を加えて総計五人である。「あの子が家にいないと困る」と老婆は言うが、源のほうは「家族が丈夫なうちは、一年でも二年でも、教会が行けと言えば他所へでも行けます」と言う[24]。

この時期のパウェル源は、八戸の信徒に対して福音書やロマ書の講義を行うなど、伝教者としての役割を実直にこなしていたことがわかる。さらに教会の命に従い、どこにでも伝教に行く覚悟も表明している。

パウェル源は、伝教者として各地で布教活動を行っている同時期に、自由民権運動に着手している。1880年（明治13）4月、マルク関春茂やアンドレイ井河元寿などの八戸の正教徒の他、奈須川光宝などの岩泉正意の教え子らによって、自由民権運動の結社である暢伸社が結成されると、パウェル源もそれに加わった。翌1881年（明治14）に、暢伸社のメンバーは、馬産事業への県の課税をめぐる争議に端を発する「産馬紛擾事件」で、馬産者側に立って県との折衝に臨んだ。この時期の源は、伝教者の活動と自由民権的な活動を両立していたといえる。ただし、八戸の正教徒の社会的な影響力は、八戸地域の信徒獲得には、直接結びつかなかったようである。この点について、山下須美礼氏は次のように指摘している。

> 暢伸社が産馬農民の声を代弁して青森県と闘った、いわば農民側に立った存在であったにもかかわらず、正教会の伝教が農民に広がり、農民層を教会に取り込んでいくというような展開は見られなかった。政治活動と伝教活動は同時並行で進められてはいたが、彼らのなかで切り離されたものとして認識されていたか、もしくはもともと指導層であった士族による産馬紛擾事件の主導は、彼らの指導層としての立場をより強固なものとすることはあっても、同じ信仰を共有するというような関係を築くことには、容易に結びつかなかったのである。[25]

『衆議院議員候補者列伝』に「同年夏上京シ大井憲太郎氏ノ紹介ニヨリ自由黨ニ入リ」[26]とあるように、1882年（明治15）の夏にパウェル源は、おそらく公会のために上京した折に、正教徒で法学者の自由民権運動家だったパウェル大井憲太郎を介して、自由党に入党した。

この前年の２月６日に、八戸の信徒である川崎子英の逝去に際し、パウェル源は、喪主となってキリスト教式に死者を埋葬したため告訴され、「懲役三十日、贖罪金貳円廿五銭」の判決を受けた[27]。この頃、各地の正教徒の間で同様の訴訟が相次いで起こっていた[28]。このような訴訟に、代言人をしていた大井憲太郎が弁護を務めたことが知られているので[29]、源と大井との関係は埋葬事件に関連しているかもしれない。いずれにしても、民権主義の立場から自由党に入党することで、本格的に政治活動に身を入れる心づもりであったことがわかる。

当時、中央で板垣退助や後藤象二郎らが展開していた国会開設運動は、全国に波及し、地方の自由民権運動を担う結社によって支持されていった。青森県では弘前を筆頭に津軽地方に多くの民権主義的な結社が立ち上がっていたが、八戸では暢伸社がそれに当たる[30]。運動の高まりを受けて、1881年（明治14）10月12

日に、ようやく国会開設の勅諭が出され、1890 年（明治 23）の国会開設が約束された。やがて行なわれる国政選挙に対応するには、県政での政治活動が不可欠であった。

そのような中、1882 年（明治 15）の第三回半数改選選挙で奈須川光宝が初めて県会議員に当選し、1884 年（明治 17）の第四回半数改選選挙で浅水礼次郎も初当選する。さらに、1886 年（明治 19）2 月に、パウェル源が青森県議会第五回半数改選選挙で県会議員に初当選、マルク関春茂も 1888 年（明治 21）の第六回半数改選選挙で初当選する[31]。こうして定員 5 名の三戸郡選出の県会議員の席は、暢伸社のメンバーが占めることになった。パウェル源は、県会議員に当選した後、伝教者を辞した[32]。

2-2　県政時代

暢伸社のメンバーが県議会で活動するようになった時期に、青森県内で起こった大きな政治的な事件は、1888 年（明治 21）の夏に起こった鍋島知事の「無神経事件」と後藤象二郎の来県に端を発する「大同団結運動」である。この二つの出来事に、パウェル源がどのように関与していたかを見ておこう。

当時の知事は、政府から派遣された官吏であった。青森県では、1886 年（明治 19）7 月から元元老院議員の鍋島幹が知事を務めていた。彼は官憲擁護の立場にあり、保守派の人材を郡長に登用するなどして、民権派を弾圧した。1888 年（明治 21）に起こった「無神経事件」とは、7 月 28 日の官報に掲載された「本県如きやや無神経の人民なれども」という鍋島知事の表現が火種となり、民権運動を担う県内各地の有志から、知事への抗議と辞職勧告の声が上がった出来事である。この抗議運動は、弘前から始まり、青森、八戸にも波及し、やがて事件は、中央紙でも報じられるようになった[33]。八戸では、暢伸社のメンバーが知事への抗議運動を行っている。「青森県三戸郡有志総代」が鍋島知事宛ての「上書」[34]を記しており、このメンバーには源晟、関春茂、奈須川光宝、浅水礼次郎ら、県会議員の名が並んでいる。

自由党は、国会開設を政府に認めさせた後、政府の弾圧と党内の分裂によって勢力を失って解党したものの、1887 年（明治 20）には、後藤象二郎が旧自由党系の自由民権運動の諸派に大同団結を呼びかけた。この運動は地方にも広がっていった。後藤が東北遊説の一環として青森県を訪れたのは、翌 1888 年（明治 21）の 8 月である。青森県の民権派は、先の「無神経事件」において、津軽地方と南部地方に関係なく、官憲に対する抗議という同一の目的のもとに共同で戦ったこともあり、後藤の来県は「大同団結運動」に呼応する自由党系諸派の全県的な団結に弾みをつけた[35]。

後藤の青森県遊説は、大館から弘前に入り、青森、八戸という経路で行なわれた。『衆議院議員候補者列伝』の記述によると、パウェル源は弘前の遊説からすべてに参加している[36]。弘前の菊池九郎が発行人となって同年12月6日に大同派の新聞として創刊された「東奥日報」紙の編集人として源晟の名が見られるのも、地域を越えた当時の大同団結の勢いを物語っていよう。

大同団結の運動の高まりにより、八戸では、1889年（明治22）10月19日に「土曜会」が結成された。土曜会の幹事は、奈須川光宝、パウェル源晟、浅水礼次郎で、三名の常議員の中にマルク関春茂がいた。土曜会に対抗して、商家層を中心に組織されたのが改進党系の「公民会」であった。公民会の指導者は大芦梧楼、遠山景三らである[37]。両者の対立は激化し、官憲に反抗的な土曜会に対しては、警察からの弾圧があった[38]。

このように県内の政治結社は、自由党系の大同派とそれに対抗する改進党系の改進派に分かれる形となり、県議会選挙や間近に迫った衆議院選挙に向けた争いが激化していった。

県内各地の自由党系の大同派の諸団体や有志は、後藤の遊説を機に、政談演説会や懇親会を何度も開催した[39]。パウェル源は津軽地方で開催される懇親会にも足しげく参加しており、1889年（明治22）11月3日に東津軽郡小湊で開かれた「公同会小湊支部懇親会」、同年11月13日に青森丸吉楼で開かれた「第八回有志懇談会」で、演壇に立ったメンバーの中に名前を見ることができる[40]。

1890年（明治23）2月の県議会半数改選選挙で、パウェル源は再選した。この年、第一回衆議院議員選挙が開かれ、第一区（東津軽郡、上北郡、下北郡、三戸郡）では、土曜会の奈須川光宝と、同じく大同派の工藤行幹が当選した。第二区で当選した榊喜洋芽および第三区で当選した菊池九郎も大同派であり、青森県での最初の国政選挙は、完全に大同派の勝利となった。

同年11月の臨時県会で、パウェル源は、県会副議長に当選した。翌1891（明治24）年8月には、府県制施行後の初の県会議員選挙が行なわれ、三戸郡からはパウェル源の他、マルク関春茂が当選している。ここでも大同派が優勢となった。

ただし前年から帝国議会で地価修正案が提出される動きがあり、この案は東北地方の地価を高く修正することで地租の値上げを想定していたため、これに対しては、県内の大同派も改進派も共同で反対運動を行なった。三戸郡からはパウェル源、マルク関、浅水礼次郎が陳情のために上京している。反対運動は東北地方の他、中央でも行なわれ、地価修正案は否決された。9月には臨時県会が開かれ、パウェル源は県会議長に当選し、4名の参事会員の一人にマルク関が選ばれた[41]。

パウェル源が県会議長を務めた時期に行われた八戸での交通事業に、八戸線の敷設がある。東北本線は1891年（明治24）9月に青森まで開通していたが、八戸の中心地である八戸町は、本線の尻内駅（現在の八戸駅）から離れていた。その理由は諸説あるが、どうやら地元の農民や馬産業者が鉄道の必要を感じていなかったという背景があるようである[42]。1892年（明治25）のある日、パウェル源とマルク関が知事を訪ねた際、日本鉄道社長が同席しており、彼から、尻内駅に余っている鉄道資材を活用して、八戸町まで支線を通すことを提案された。源と関はこの件を土曜会に持ち帰り、第百五十銀行頭取の大久保平蔵と階上銀行頭取の泉山吉平を推して、この二人が知事および日本鉄道と折衝にあたることとなり、八戸線の敷設が決まった。支線開通までに停車場の位置や土地の買収の問題で、パウェル源は采配を振るったという[43]。

1894年（明治27）3月、前年12月の衆議院解散を受けて行われた第三回衆議院議員選挙において、青森県では自由党が推したパウェル源が第一区で当選した。この選挙でも改進派は大敗した。一方、中央では、自由党系の組織が合同して革新自由党を組織した。これを受けてパウェル源ら4人の青森県選出議員は革新自由党に入党し、青森県自由党もまた、名称を革新自由党に改めた。6月に衆議院は解散し、9月に第四回衆議院議員選挙が行なわれ、パウェル源を含めて同じ顔ぶれが当選した。

ところで、パウェル源が県会議長をしていた時期に、ニコライは巡回のため青森県を訪れている。1893年（明治26）5月に、ニコライは岩手県から北上し、三戸、八戸、三本木、青森、黒石、弘前を巡回した。パウェル源は、三戸から八戸に向かうニコライを出迎えて随行し、青森でも人力車15台で華々しく出迎えた[44]。

この時のニコライの日記から、パウェル源の家族について、いくつかのことが判明する。まず、パウェル源の長女、マリア源ヒデは、東京の宣教団の女学校を卒業し、八戸の教会で勉強会や祈祷のための集会を行っていた。マリア源ヒデは、1876年（明治9）に八戸で最初の受洗した26人のうちの一人で、当時は6歳だった。また、同じく最初の受洗者の一人で東京の宣教団の神学校を卒業後、ロシアのペテルブルグ神学大学に留学して神学士となったアンドレイ源珪蔵がヒデと結婚した[45]。アンドレイ源珪蔵は、結婚後にヒデと東京に移り、神学校の教師となっている。なお、ニコライは青森の教会のメトリカ（信徒名簿）をチェックして、「八戸から来たパウェル源〔晟〕の家族が五人」[46]を数えており、青森では「泊まるところはパウェル源が自分のところに用意してくれ、妻ワルワラとともにたいへん親切にむかえてくれた」[47]と記していることから、この頃のパウェル源が、家族とともに青森に移り住んでいたことがわかる[48]。

2-3｜国政時代

衆議院議員に当選したパウェル源は、国政の場でどのような活動をしたかについては、詳らかではない。ただ、パウェル源が国政入りした1894年（明治27）が、日清戦争が始まった年と重なっていることは、注目に値する。日本は翌年、下関条約で遼東半島や台湾を割譲させたが、すぐにロシア、ドイツ、フランスによる三国干渉が行なわれ、日本は遼東半島を清に還付せざるをえなかった。その後ロシアは、中国大陸での影響力を強めていく。このことから日本人の反ロシア感情が急激に高まり、後の日露戦争に行きつく。つまり、パウェル源の衆議院議員時代は、国民の中に「ロシア憎し」の声が高まっていく時期に相当する。ここでは、まだ反ロシア感情が芽生えていない、三国干渉直前の1895年（明治28）の２月から３月にかけて、青森県で起こった対ロシア貿易港の誘致運動におけるパウェル源の働きを、「東奥日報」紙の記事をもとに跡づけてみたい。

日清戦争中の日本国内では、ロシアを横断するシベリア鉄道が間もなく全通することから、戦後にロシアとの貿易が振興されるという展望があった。シベリア鉄道全通によって始まる貿易による経済的利益は、イギリスやドイツなど当時の列強国の関心事でもあった[49]。そのような中、青森県では、青森港に対ロシア貿易を担う拠点港を誘致するため、1895年（明治28）に「對魯貿易港期成會」を立ち上げ、運動員に県会議員の工藤卓爾を定めて衆議院特別委員会に働きかけるとともに[50]、青森県選出の代議士が関係各方面にロビー活動を展開した。その中でも、ロシア通の正教徒であったパウェル源の活躍が際立っていた。

同年２月20日の「東奥日報」紙には、青森貿易港案を衆議院に提出したパウェル源が陳述した「對魯貿易港案提出の理由」が掲載されている。それによると、青森港は非常に広く水深が深いため、多くの船舶が停泊しても不都合はなく、東北本線が開通して三陸地方や北海道の物産の輸出入がすでに行われている。奥羽本線により、秋田県や弘前地方からの貨物を扱うことができる。北海道の函館よりもシベリア（西利比亞）方面の輸出入の拠点港として適しており、ウラジオストック（浦塩斯徳）からの距離も北海道を除いて青森が最も近いことなどを、強くアピールしている[51]。

ただし、衆議院特別委員会ではロシアとの貿易港の候補として、青森港の他に「越前の敦賀」、「筑前の唐津港」なども挙がっていた。さらに政府は、目下の条約改正に全力を注ぎたいので、ロシア貿易に関する開港地の選定は、条約改正が完了した後に行なうべきとの考えから、反対の意向を示していた。このため、パウェル源らは、大蔵大臣の他、外務省、農商務省を訪問して嘆願活動に奔走している[52]。

ロシアにとっても、シベリア鉄道全通後の日本との貿易は関心事であった。日本からの輸入品は、これまでイギリスやフランスなどの西側諸国を介して行われていたが、ロシア本土から日本海に鉄道が達すれば、日本と直接貿易が可能になるからである。そのことを裏づけるように、３月初めの「東奥日報」紙には、ロシアの東洋貿易事務委員やロシア陸軍の中将で商務局参事官のザブーキンなる人物が、皇帝の勅命を受けて商況視察委員として来日した記事が掲載されている[53]。

パウェル源は、ロシアからの商況視察員の来日を知り、早々にザブーキンが滞在していた築地の旅館を訪問した。このことが「源代議士魯國商況視察員を訪ふ」という３月５日の記事に記されている。記事によると、この訪問に際してパウェル源は、自分の娘婿で、東京の神学校で教授をしていたアンドレイ源珪蔵を、ロシア語の通訳として伴っていた。ザブーキンは、パウェル源を喜んで迎え、シベリア鉄道が全通した暁には、日本から鉄、銅、硫黄などの需要品を供給できるように貿易港が必要であり、ウラジオストックと接している青森港はそれに適していると思われるので、「近々全港の視察旁々北海道を漫遊する筈なり」と述べた。そしてパウェル源が、青森港をロシアとの貿易港にするための建議を議会に提出している旨を伝えると、ザブーキンはたいへん満足して激励したという[54]。

ザブーキンと随行書記官二名が、函館駐在ロシア領事ウスチノフの案内で北海道を視察する際に、青森港にも立ち寄ることが明らかになると、誘致運動の関係者は、にわかに色めきだった。

３月５日、運動員の工藤卓爾から、衆議院の特別委員会で審査中だった「青森港對魯貿易港案」が委員会を通過したことが議長に報告されたとの電報が、「對魯貿易港期成會」に届いた[55]。また、３月８日の衆議院議会において「對魯貿易港法案」が審議の結果、衆議院を通過したことが、パウェル源から青森に届いた[56]。さらに、パウェル源から佐和知事に対して、ザブーキンが函館のロシア領事と随行員二名とともに、3月9日に青森への直行列車で出発するとの報せが届いた。

この段階では、視察員一行が、青森港を視察した後に函館に行くか、もしくは直接函館に向かい、帰路に青森港を視察するのかは不明であった。そのため、青森町の重鎮たちは、視察員の接待について協議を始めている[57]。

視察員一行が到着する予定の3月10日の紙上では、青森町の有志が集合して協議し、まず小田桐町長の他三名が一行を浅虫で出迎え、この日一行が青森に滞在することがわかれば11日に丸吉楼に招待して饗宴を催すことに決まったことが伝えられている[58]。ただし、同日の記事には、パウェル源から佐和知事に届いた手紙に、視察員一行は函館からの帰路に青森港を視察する筈である旨が記されていることも報じている[59]。結局、ザブーキン一行が青森に到着した際、小田桐町長らは、一行と「かぎや旅店」で会見し、函館より前に青森港を視察してくれるよう促したが、一行は帰途に立ち寄ることを約束して、同日夜9時40分の船で函館に向かった[60]。

なお、この時に関係者がザブーキンと交わした会話の内容が、3月13日の紙面で詳述されている。それによると、ザブーキンは、青森町関係者が語る青森港の利便性のアピールに、一定の期待を寄せる一方、衆議院に提出された法案が日本人の船舶のみ出入りできるという内容であることを「残念に感じた」と語っている。ここから、ロシアが日本との「直接貿易」を念頭に視察員を派遣したことがわかる。青森町関係者は、本来は各国の船舶が利用できる「純粋の開港場」になることを希望しているが、政府がそれを認める算段がないため、まずは日本の船舶だけが出入りできる港を希望したのだと弁明している[61]。なお、ザブーキン一行は、早くも3月12日に函館を発ち、青森に到着した。この日、佐和知事や小田桐町長ら関係者は、一行を招待して盛大な酒宴でもてなし、視察員一行は翌日東京に戻った[62]。

ザブーキンが帰京した後も、パウェル源と運動員の工藤卓爾は、各方面に働きかけを強めていった。3月20日、榎本農商務大臣や京阪地区の実業家との会合に、ロシア公使とザブーキンが招かれた。この会合にパウェル源と工藤は出席することを許可された。パウェル源は、通訳としてアンドレイ源珪蔵を伴って会合に出席した。ザブーキンは、源らに青森での歓待に対して感謝を述べ、酒席で懇ろに交流したとされる。「東奥日報」の記事は、こうしたことは「畢竟源氏が露國人に交際縁故あると青森町民が懇にザブーキン氏一行を優待したるの結果なるべし」として、ロシア通であるパウェル源を引き立てている[63]。

以上のように、1895年（明治28）2月から3月にかけて、青森県ではロシアとの貿易港の誘致運動が高まり、前年に衆議院議員に当選したパウェル源は、そのために奔走した[64]。正教徒であるパウェル源が、ロシア留学を果たしてロシア語に堪能な息子の働きを味方につけて、商況視察員ザブーキンに青森港の利便性をアピールして好印象を引きだす様子を、地元の青森では強い関心をもって報道し、その働きを高く評価した。パウェル源にとっても、ロシアと日本の友好関係は大いに望むところにちがいなく、この運動に意欲的に取り組んだものと想像できる。

ところが、同年4月に入って日清戦争の講和交渉が進んで下関条約が締結されると、ロシア政府は遼東半島を放棄するように日本に迫り、フランスとドイツもこれに同調した。この三国干渉に、日本は従わざるをえなかった。さらにロシアが満州に鉄道の敷設する動きを見せると、日本国内では、反ロシア的な感情が急激に高まった。

三国干渉後のロシアに対する敵対感情の高まりは、日本の正教会の受難の始まりであった。東京の正教会本部では、ロシアを憎む日本人からの襲撃に備えて、警察が警護に当たった。この事実からも、当時の緊迫感がうかがわれる[65]。

同時に、このようなロシアに対する国民感情は、正教徒であるパウェル源の政治活動にとっても、大きな逆風になった。貿易港誘致の運動において、パウェル源の活躍は県民から高く評価され、ロシア通として称賛された。しかし、日清戦争後のロシアとの政治的対立を機に、彼の立場は逆転したのである。実際に、パウェル源が政界を去ることになる選挙では、後述のように、彼が正教徒でロシア通であるがゆえに、敵国側の人間として攻撃の対象となっている。

『全日記』によると、この年の7月[66]と8月に、パウェル源がニコライを訪ねている。8月の訪問でパウェル源は、正教会が利用している箱根の塔ノ沢にある温泉施設での療養を、ニコライに申し入れている。

夕方にパウェル源が訪ねてきた。女生徒たちが塔ノ沢から帰ってきたら、そこに一ヵ月いかせていただきたいとわたしに頼んだ。パウェル源は心臓に脂肪が沈着する病気に苦しんでいるので、医者は転地療養を勧めているそうだ。〔塔ノ沢の管理人の〕ミヘイ〔日比〕に、源が塔ノ沢でしばらく過ごすという内容の手紙を書くことを約束した[67]。

パウェル源が申し入れたこの一ヵ月の転地療養は、ロシアに敵対する国民感情の高まった時期と重なっている。

2-4 政界を追われる

1894年（明治27）3月と9月の衆議院議員選挙で青森県選出の代議士となったパウェル源は、再選をかけた1898年（明治31）3月15日の選挙で落選した。このときのパウェル源の選挙活動については、不明な部分が多い。落選の背景にどのようなことがあったのか、いくつかの説明を拾い上げてみたい。

まず『八戸市議会史』の説明によると、当時の中央政界において進歩党と自由党が合流して憲政会をつくる動きに応じて、八戸の自由党系の土曜会と進歩党系の公民会が合同することが決まった。ところが、土曜界の重鎮であったパウェル源と、公民会の大芦悟楼がこの動きから外れて、「別行動」をとったとして、次のように説明される。

> ここで土曜会の源と公民会の大芦というそれまでのうごきとは全く別な組合せができ、奈須川・関の土曜会系に公民会の遠山という勢力ができあがる。そして間もなく行なわれた総選挙で源と奈須川が対決し、奈須川が代議士に当選して源は落選という結果になった[68]。

パウェル源はなぜ「別行動」をとったのか。その理由について『概説八戸の歴史下1』では「日清戦争その他に示された日本の帝国主義化と、自由党と政府の妥協に対する源の抵抗」という中里進氏の説を紹介している。すなわち、パウェル源は、自由党左派として地租の引き上げや軍事費の増強に反対しており、その立場を貫くために、青森県選出の他の3人の代議士が進歩党に入党した時、自らは丙申倶楽部に入ったという。この行動の理由は、「変質しつつあった自由党本来の伝統を死守するのあまり、自由党と袂を分かち、その反動として長年の敵対者と結びついた」[69]からとされる。また、小野久三氏は、パウェル源が「別行動」を選んだ理由について、当時の野党が反ロシア的な政策を主張していた点を視野に入れ、次のように記している。

> 日清講和条約締結直後の三国干渉の中心はロシアであった。ロシア皇帝がその首長をかねたギリシヤ正教会の八戸における最初の受洗者である源の立場は

対露敵愾心でかたまっていた当時の民心とそれを代弁した野党のそれとは同調しがたかった。“源は伊藤――つまり一時的にも政府の政策に接近しなければならなかったのではないか。この不満から、本県選出の革新党菊池九郎、工藤行幹、白鳥慶一の三代議士が改進党と組んで進歩党を樹立したが、源は彼らと行動を共にすることが出来ず、少数派の丙申倶楽部に入った。この源の動きは当時としては背信行為だった。議会の解散とともに、県の大同派はいかって源の立候補をみとめず、奈須川を買ったのである”[70]

パウェル源の真意はどこにあったのかは定かではないが、いずれにしても、選挙期間中の「東奥日報」紙には、このいわゆる「背信行為」を機に、パウェル源への激しい攻撃の論調が現れる。注目されるのは、パウェル源の政治的転向を追求し、その背信を糾弾する当初の論調が、やがて選挙戦が白熱するにつれて、敵国ロシアに近い正教徒パウェル源に対する個人攻撃へと変容している点である。

1898年（明治31）2月24日付の「東奥日報」紙の雑報に、「第一區の形成《源氏と村谷氏と提携す》」という記事があり、源の転向の経緯を伝えている。まず、青森県の進歩党は第一区の候補者に徳差藤兵衛を押して、八戸の土曜会の候補者と提携することを決めていた。土曜会では候補者の推薦を源晟に決めたが、源は承諾する前に十日間の猶予を請うたという。その間に源は、村谷有秀と秘密裏に会合を重ね、進歩党八戸支部なるものを開いたとされる。そこで進歩党青森県支部は、源の代わりに土曜会の奈須川光宝を候補者に推すことを決めたという。この記事は、源の行動を「嗚呼源氏の行爲早速政事家として政友に對する交誼を露呈も有せさるもの其心事の醜且陋なる洵に嘔吐に堪えさる」と強い論調で批判している[71]。

「東奥日報」紙の3月1日付の「南部候補の由來」という記事には、取材が進んだためか、上記の記事よりもやや詳しい経緯が紹介されている。これによると、衆議院議会が解散した後、源は奈須川光宝に手紙を出して出馬の意向があるかどうかを問うている。奈須川が立候補しないのなら、自分が立候補しようと考えていたという。これに対する奈須川の返事はなかったが、源は福田祐英なる人物を関春茂に会わせ、源が公民会の大芦氏から政治交渉を受けていることを伝えている。

交渉の内容は、当時、八戸町議会の多数派勢力だった公民会派の半数勢力を土曜会派に譲る代わりに、公民会派の遠山景三を県会議員に推してもらうというものだった。さらに、今回の衆議院選挙では、源晟を候補者とし、次回を奈須川、次々回を大芦にすることを要請している。関春茂はこの交渉話を斥け、仲間と相談して源を八戸に帰らせた。

土曜会では総会を開き、解散による総選挙であるから前代議士に世論を代表してもらうのがよいとして、進歩党青森県支部の意向である徳差藤兵衛との連合を条件に、源を候補に推すことにした。ところが源はこの条件への返答を十日間待つように要請した。そして、この猶予期間中に田中藤二郎[72]や村谷有秀が八戸を訪れて、源に何事かを密談していったとされる。

問いただされた源は、土曜会の浅水礼次郎に対して土曜会の総会を再び開催することを請うた。再総会の場で、条件を無視して賛成多数で首尾よく候補者になるためである。これに対して浅水は、条件を無視するのであれば敢えて再総会の必要はないと返答した。浅水は源の行為を「拙策」とし、三十年来の知己がばらばらになることを惜しんでいる。源はまた、奈須川が県議会を辞職して立候補するならば自分は立候補を断念するとも語ったとされる。

大芦と福田は進歩党八戸支部を作りあげ、源と村谷の両者を候補者とした。関春茂、江渡種助、川守田大次郎の三人が源を説得したが、源は耳を貸さなかったとされる。そこで進歩党青森県支部は、奈須川を推すことになる。奈須川は簡単には承諾しなかったが、最終的には候補者になることを受け入れたという[73]。

投票日が近づくにつれて、「東奥日報」紙上ではパウェル源に対する攻撃がエスカレートしていく。2 月 25 日の「見番の権利者も政界の有力者か」という記事では、村谷と源が開いた大懇親会の発起人の中に、芸者屋の元締めである「見番」の名前があることを取り上げて中傷している[74]。

3 月 3 日の「源晟氏の昨今」という記事では、独自の動きをとった源が、親戚からも候補を辞退するように勧められ、本人も今では勝算がないと見て後悔しており、奈須川に交渉して候補者を降りてもらい、自分と徳差が連携するともちかけたが、今更それはかなわないと論じている[75]。

また同日の紙面には、「公憤生」を名のる投稿者の公開状が掲載されている。投稿者は、源が「露教」を信仰し、かつては伝教者であったことを指摘した上で、「露教」の教えが国境を排して世界が一つの人種として一致することにあるという「世界博愛主義」を説くものと説明する。そして、源がこれまで提携していた政友を離れて敵対する勢力と手を結んだことでその不徳義を非難し、「汝の敵を愛せ」という聖書の教えや「世界博愛主義」を信仰する源だからこそできた行為であったと皮肉っている。

さらに、これまでの代議士としての源の振舞いは「博愛主義経済主義露教主義」の三主義に基づいており、結果として、他の代議士たちが国民的政府の建設のために政府を弾劾している時に、源は行動を起こさず、「隠遁議員」と言われたと指摘し、国民の望む代議士とは言えないので「自知の明あらは請ふ候補を断念して政界を去れ」と忠告している[76]。

投票日前日の「東奥日報」紙には、「孤憤生」と名のる投稿者から「第一區選挙者に警告す《賣國奴を選む勿れ》」という公開状が掲載されており、源に対する攻撃はさらに過激さを増している。この投稿者は、源をめぐる「露國の探偵たる醜評」を並べ、「ニコライ堂の鐘突き」呼ばわりし、「國民たるの資格も無き」と強硬に弾劾している。さらに、源が代議士になることができなかった暁には、「ニコライ派牧師」となるはずで、彼の姿は日本人であるが、精神は「露國の奴隷とする非國民」に他ならず、そのことは参謀本部や警視庁の知るところでもあると指摘し、三国干渉後の「ロシア憎し」の国民感情を味方につけて、正教徒パウェル源を徹底的に「売国奴」扱いしている[77]。

3 月 15 日に行われた衆議院議員選挙の青森県第一区（有権者 2,966 名）の結果は、徳差藤兵衛が 801 点、奈須川光宝が 721 点で当選し、村谷有秀が 543 点、源晟が 471 点で落選した。さらにこの年、第三次伊藤内閣のもとで 6 月 10 日に衆議院が解散となり、これを受けて行われた 8 月 10 日の選挙でも、やはり第一区（有権者 3,580 名）から出馬した源晟は、大幅に得票を減らし、わずか 21 点の得票で落選した[78]。

｜2-5｜ニコライの日記に見る政界引退後のパウェル源

ニコライが日本にもたらしたロシア正教は「近代化」「西洋化」「文明開化」といった世俗的なものに抗する宗教であった。その正教に、「近代化」「西洋化」「文明開化」を積極的に受け入ようとした多くの日本人が出会い、入信した。この食い違いは、当面の間表面化しなくても、もとより、どこかの段階で歯車が噛み合わなくなる可能性を孕んでいた。パウェル源の場合はどうだったのか。『全日記』の記述をもとに跡づけてみよう。

パウェル源が政界を引退した翌年の 1899 年（明治 32）7 月 1 日のニコライの日記には、パウェル源の娘婿アンドレイ源珪蔵が神学校教師を辞した出来事が記されている。

日本の正教会では、1882 年（明治 15）から 1889 年（明治 22）までに、十二名がロシアの神学大学に留学しており、アンドレイ源もその一人であった。留学生は、帰国後に東京の神学校の教授を務めたが、その中で教役者として正教会のために最後まで働いたのは四名で、その他のほとんどが、別の仕事を得て去ってしまった[79]。アンドレイ源もその一人であった。ニコライは留学経験者が神学校を去るたびに、日記の中で嘆いている。アンドレイ源の辞職を機に、ついにニコライは、ロシアの神学大学に留学生を派遣することをやめてしまった[80]。

ニコライの日記によれば、アンドレイ源は、神学校の教師を辞す理由として、父パウェル源が「金を要求」しているので、神学校より高給の仕事に移るのだ、と述べたという[81]。これを聞いたニコライは、パウェル源がかつて伝教者を辞めて政治活動に向かった出来事を思いおこし、次のように憤りの気持ちを記している。

> 父のパウェル源（アンドレイの養父。養子になる前のアンドレイの姓は川崎）も以前伝教者だったが、やはり教役者の職を辞めた、というより、辞めさせられたと言ったほうがよいだろう。かれは何年間も伝教者としての給料を受け取りながら、八戸や青森で市の選挙に関わる世俗の仕事に従事し、教会の金を悪用していたのだ[82]。

パウェル源は、既述のように、伝教者の身分でいる時期に、すでに自由民権運動に携わっていた。彼は教役者と民権運動の両立期を経て、1886 年（明治 19）の県議会議員に当選してから伝教者を止めた。ニコライは、パウェル源が伝教者の身分でありながら民権運動に励んでいた時期の事を指して、「教会の金を悪用」したと語っているのであろう。

同年 10 月 19 日のニコライの日記には、パウェル源が賭博で逮捕されたことが記されている。ここでもニコライは、パウェル源に対して厳しい言葉を用いて突き放している。

> それにしても、パウェル源が入獄しているとは初めて知った。かれが花札賭博で警察につかまったことは、知っていた。かれ自身が葉書で、「好奇心から賭博場へ行ってみたところ、なんたる恥さらしか、つかまった五〇人のなかに入ってしまいました」と知らせてきたからだ。それが一ヵ月半ほど前のことだ。

> どうやら警察はかれを逮捕しただけでなく、入獄させる理由ありと判断したらしい。きょう沼辺書記に聞いたところでは、源はもう三年このかた、賭博に入れあげているらしい。となれば、事業自得というところだ。それにこれは、教会にたいするかれの恥知らずな行為に神罰が下ったのかもしれない。かれは、自分の養子アンドレイ源（旧姓は川崎〔圭蔵〕）に神学校と神学大学で教役者になるための教育を〔宣教団から〕受けさせてもらったにもかかわらず、すべての約束を反故にしてアンドレイを教会から離れさせ、もっと稼げる他の職場〔長崎の領事館の通訳〕へつけてしまったのだから[83]。

ニコライはパウェル源の逮捕について、「自業自得」「神罰」という表現を用いて、厳しい評価を与えている。政界引退後のパウェル源が、娘婿に金を無心したり、賭博で逮捕されたりといった情報は、ニコライの日記でしか確認できず、事実関係は不明である。このようなネガティブな情報が見られる一方で、1902年（明治35）の『公会議事録』の記述からは、パウェル源が政界引退後に正教の信仰から離れてしまったわけではなく、その後も八戸の教会のために働いていたことを窺い知ることができる。『公会議事録』によると、同年の公会で、八戸地区の担当者であるボリス山村司祭が「パワェル源 外七名」から提出された「八戸教會提出請願『目時傳教者再任派遣の件』」という案件を読み上げている。ボリス山村司祭は、八戸でパウェル源とマルク関から実情を聞いた上で、目時伝教者を八戸に派遣する必要を訴えている[84]。政治活動から身を引いたパウェル源が、なおも八戸の教会の教勢回復のために尽力していた姿が見えてくる。

八戸の教会の教勢は、実際に行き詰っていたようである。1904（明治37）年4月にマルク関が東京を訪問した折に、ニコライに八戸の教会堂の老朽化と勢いの無さを伝えている[85]。

1908年（明治41）11月4日のニコライの日記には、八戸から本部に手紙が来て「伝教者を派遣してくれるか、報奨金を定めてかつての伝教者でいまは八戸の信徒となっている者の一人を働きに迎えてもらいたい」との請願があったことが記されている。この時も、ニコライのパウェル源に対する評価は、次のように厳しいものだった。

> 言い換えれば、パウェル源に教会の給与を与えるということで、この源から上述の願いが出ているのだ。源は長年にわたって教会から騙し取ってきた。つ

まり、俸給を受け取りながら、教会のためにはまったくなにもしないのと同然だった。教会に少なからず悪を働いた。たとえば、自分の養子のアンドレイ源を教会のつとめから外し、長崎のロシア領事館に通訳として職に就かせている。アンドレイ源はこちらで教育され、その後サンクト・ペテルブルグ神学大学で教育を受けたのだったが。それもただ、あちらでは神学校の教師として、こちらで教会がかれに与えていたよりは少し多い給与がもらえるということだけの理由だった。こうして、いまパウェル源は、ロシア語の通訳として各地をごろごろしているこの養子の稼ぎで暮らしている。教会の財布にまた手を突っ込もうとしているのだが、不幸なことにこの財布は以前より中身がずいぶん少なくなってしまっている。パウェル源のような欲深さを秘めた老獪さと知恵が、だれかれのうちに増えてきているからだ。

このように『全日記』において、アンドレイ源が神学校の教師を辞職してからのパウェル源への評価は厳しさを増すばかりで、不肖の信徒として描写されている。

パウェル源は政界引退後も、八戸工業学校、八戸町立徒弟学校長、町立図書館長などに就き、八戸町会議員、学務委員なども務めたとされるが[86]、どういうわけか亡くなる年に当たる 1918 年（大正 7）の 4 月 15 日に、長崎県に籍を移している。住所は「長崎市南山手町 35 番地」で、旧ロシア領事館のあった町内に位置することがわかる[87]。娘婿のアンドレイ源を頼って長崎に渡ったのか、事情は判然としない。なぜなら、すでに 1903 年（明治 36）に、アンドレイ源は長崎のロシア領事館を解雇されているからである[88]。

おわりに

八戸で最初のハリストス正教徒の一人であるパウェル源が、自由民権運動に参画し、青森県政や国政において活躍した様子と、政界引退後の動きを辿ってきた。県政では議長として活躍し、八戸線の施設にも尽力した。国政に移ったパウェル源は、日清政争末期に、地元の期待を受けて青森港を対ロシア貿易港にする嘆願と交渉に奔走し、ロシア通の正教徒であるがゆえの活躍に対して、地元から賛辞が送られた。しかし、ほぼその直後の三国交渉を機に、ロシアを憎悪する国民感情が噴出した。やがて彼は、「売国奴」「露探」呼ばわりされ、政界を追われる身となった。

正教会の宣教はニコライの采配と日本人教役者の働きによって、明治中期まで勢いがあったが、日清戦争後の三国干渉を経て、ロシアに対する国民の敵対感情が高まったことにより、大きな困難に見舞われた。パウェル源という一地方の正教徒の歩みの中に、明治期の日本の正教会が直面した問題が、鏡のように映しだされているかのようである。

明治初期に函館で最初に入信した士族たちは、新政府の方針を憂い、新しい日本の国づくりのために「国家の革新」という大志を抱き、「近代化」「西洋化」を受容する過程で正教と出会った。パウェル源も、そのような時代の申し子の一人に位置づけることができる。ところが、ニコライがもたらしたロシア正教は、「近代化」「西洋化」に抗する宗教であった。パウェル源の場合、後年に娘婿であるアンドレイ源珪蔵が神学校の教師を辞めたことを契機に、問題が表出した。それ以降、ニコライは、パウェル源の政治活動と正教徒としてのあり方に厳しい眼差しを向けることになった。

アンドレイ源が神学校教授を辞職したのは、パウェル源の政界引退の翌年である。ニコライの日記には、アンドレイ源の辞職の理由としてパウェル源の金銭要求に触れられていることから、辞職の背景には、パウェル源の政界引退との何らかの因果関係があったのかもしれない。その後のニコライの日記の中には、パウェル源に対する厳しい評価や、賭博で逮捕されるなどのネガティブな情報が散見される。『全日記』の情報は、日記という性格上、ニコライの一方向的で主観的な印象が含まれているとはいえ、極めて史料の少ないパウェル源の後半生を探るためのいくつものヒントを与えている。

それにしても、パウェル源が最終的に、何故長崎に籍を移して亡くなったのかは、依然として謎である。ただ、彼が最期までキリスト者として生き、家族からキリスト者として葬られたことは確かのようである。というのも、八戸市内にある河原木家の菩提寺である曹洞宗廣澤寺には、源晟の三回忌を記念して大正９年９月29日に建てられた「先祖代々之墓」があり、その脇に据えられた墓誌には、戒名が付された他の家族の名前に並んで、ただひとり戒名を付されずに「大正七年九月十九日源晟六十九才」とだけ刻まれているのを見ることができるからである。

付記

本稿は平成29年度学校法人光星学院イノベーションプログラム補助金による「八戸におけるハリストス正教関連人物に関する調査と文献研究」の成果の一部である「八戸の正教徒パウェル源晟の政治活動」『八戸学院大学紀要第56号』(61-85頁、2018年3月) に手を加えたものである。執筆に当たり、山下須美礼氏、源明氏から多くの示唆をいただいた。深謝申し上げる。

引用・参考文献一覧

青森県環境生活部県史編さん室編『青森県史研究第5号』青森県、平成12年
青森県議会史編纂委員会編『青森県議会史自明治元年至明治二十三年』青森県議会、昭和37年
青森県議会史編纂委員会編『青森県議会史自明治二十四年至大正元年』青森県議会、昭和40年
青森県史編さん近現代部会編『青森県史資料編近現代Ⅰ』青森県、2002年
『青森縣日記百年史』東奥日報社、昭和53年
青森県文化財保護協会八戸支部『奥南史苑』国書刊行会、平成元年
石川喜三郎編『日本正教傳道誌巻之壹』正教會編輯局発行、明治34年
石川喜三郎編『日本正教会公会議事録』正教會事務所、明治35年
石川喜三郎編『大日本正教会神品公会議事録』明治36年
伊藤徳一編『東奥日報と明治時代』東奥日報社、昭和33年
牛丸康夫『日本正教史』宗教法人日本ハリストス正教会教団府主教庁監修発行 昭和53年
大久保利夫『衆議院議員候補者列伝：一名・帝国名士叢伝. 第３編』六法館、明治23年
小川原正道『明治の政治家と信仰―クリスチャン民権家の肖像』吉川弘文館、2013年
小野久三『青森県政治史 (1) 明治前期編』東奥日報社事業局出版部、昭和40年
小野久三『青森県政治史 (2) 明治後期編』東奥日報社事業局出版部、昭和47年
河西英通「初期議会下の一東北代議士の歩み：『榊喜洋芽日記』を中心に」『弘前大学國史研究71号』弘前大学、1980年
河西英通「青森県の大同団結運動」『弘前大学國史研究80号』弘前大学、1986年
木鎌耕一郎「八戸におけるハリストス正教会の宣教と源晟」『八戸学院大学紀要第50号』、2015年
木鎌耕一郎『青森 キリスト者の残像』イー・ピックス、2015年
キリスト教史学会編『宣教師と日本人――明治キリスト教史における受容と変容』教文館、2012年
佐藤和夫「近代青森県キリスト教史の研究 (その一)」『弘前大学國史研究55号』弘前大学、1970年
佐藤和夫「近代青森県キリスト教史の研究 (その二)」『弘前大学國史研究56号』弘前大学、1970年
佐藤和夫「明治初期ギリシャ正教伝道史における士族信徒の政治活動について：三戸聖母守護会記録の一断面」『弘前大学國史研究62・63号』弘前大学、1975年
高橋昌郎『明治のキリスト教』吉川弘文館、2003年
「東奥日報」紙 (日付は各脚注を参照)
友田昌宏編著『東北の近代と自由民権――「白河以北」を超えて』日本経済評論社、2017年
『七一雑報』新報社、1876年 (明治9) 2月11日付
中里進「郷土の先覚者たち (1) 源晟評傳 (上)」『世代 十四号』平凡会、昭和23年
中村健之介『明治の日本ハリストス正教会』教文館、1993年
中村健之助『宣教師ニコライと明治日本』岩波書店、1996年
中村健之介編訳『宣教師ニコライの全日記』(全9巻) 教文館、2007年
中村健之介『ニコライ――価値があるのは、他を憐れむ心だけだ――』ミネルヴァ書房、2013年
日本メソジスト弘前教會『弘前教會五拾年略史』、大正14年

『函館ハリストス正教会史 亜使徒日本の大主教聖ニコライ渡来１５０年記念』函館ハリストス正教会、2011年
八戸近代史研究会『きたおうう人物伝 近代化への足跡』デーリー東北新聞社、平成7年
八戸教育史編纂委員会『八戸市教育史（上）』八戸市教育委員会、昭和49年
八戸市議会編『八戸市議会史記述篇上』八戸市、昭和53年
八戸市史編纂委員会編『新編八戸市史近現代 資料編Ⅰ』八戸市、2007年
八戸市史編纂委員会編『新編八戸市史通史編Ⅲ 近現代』八戸市、2014年
八戸社会経済史研究会編『概説八戸の歴史下巻１』北方春秋社、昭和37年
八戸社会経済史研究会編『写真で見る八戸の歴史　明治・大正の試練』北方春秋社、1970年
ポズニェーエフ著、中村健之介訳『明治日本とニコライ大主教』講談社、昭和61年
山下須美礼「八戸におけるハリストス正教会の成立と展開―受洗者名簿の記録から―」『弘前大学國史研究124号』弘前大学、2008年
山下須美礼「明治初期ハリストス正教会における仙台藩士族の西日本伝教」『歴史人類』40号 筑波大学大学院人文社会科学研究科歴史・人類学専攻、2012年
山下須美礼『東方正教の地域的展開と移行期の人間像―北東北における時代変容意識―』清文社出版、2014

注

1　中村健之介編訳『宣教師ニコライの全日記』（全9巻）教文館、2007年。
2　石川喜三郎編『日本正教伝道誌壱之巻』正教会編輯局、明治34年（58頁）
3　この経緯については、山下須美礼『東方正教の地域的展開と移行期の人間像―北東北における時代変容意識―』清文社出版、2014年の「第二章第一節 受洗者名簿にみる教会の成立」（66-89頁）に詳しい。
4　上掲『宣教師ニコライの全日記2』（61頁）
5　青森県史編さん近現代部会編『青森県史資料編近現代Ⅰ』青森県、2002年（133頁）
6　中里進「郷土の先覚者たち（1）源晟評傳（上）」『世代 十四号』平凡会、昭和23年（7頁）
7　日本聖公会HPの盛岡ハリストス正教会・聖十字架挙栄聖堂の沿革紹介による。
8　中村健之介も次のように指摘している。「ニコライに近づいて「福音伝道の前駆」となったかれら仙台の士族の根にあった動機は、プロテスタントに向かった日本人のそれと基本的に同じであったと考えられる。それは儀礼や神秘に魅かれる宗教的感性ではなく、あるいは苦しむ者が救われようとして綱にすがる依頼の願望でもなく、「国家の事」「人心の統一」を思う武士の志であり、「一事業を挙げ、名をなさざるべからず」という実践的な向上の精神であった」中村健之介『宣教師ニコライと明治日本』岩波書店、1996年（230-231頁）。
9　たとえば、日本のキリスト教雑誌の草分けで、神戸で発行された『七一雑報』にも「人心を清むるは真の宗教にして当今開花国といわるゝ国々にて人々信じ順がふ所の者にして即はち真神の教へなり」（1876年（明治9）2月11日）と記されているように、明治初期のキリスト教入信者の多くにとって、文明開化とキリスト教は不可分なものであった。
10　大久保利夫『衆議院議員候補者列伝：一名・帝国名士叢伝. 第３編』六法館、明治23年（1143-1147頁）
11　源晟が青森県会議員に初当選したのは1886（明治19）年で、その後、衆議院議員に当選したのは1894年（明治27）である。すると、『衆議院議員候補者列伝』が発行されたのは明治23年であることから、源は少なくとも、県政に携わって数年後という早い段階に、すでに国政入りへの意欲を見

せていたことがわかる。

12 上掲「郷土の先覚者たち（1）源晟評傳（上）」（6頁）、および八戸近代史研究会『きたおうう人物伝近代化への足跡』デーリー東北新聞社、1974年（46頁）を参照。

13 八戸教育史編さん委員会『八戸市教育史（上）』八戸市教育委員会 昭和49年（128頁）に、「明治四年一月から十二月まで八戸藩学校で教育を受けた小島穂積」による情報として、三人の教員の一人で「洋学部の先生」に源晟の名がある。

14 上掲『衆議院議員候補者列伝』（1144頁）

15 上掲「八戸におけるハリストス正教会の宣教と源晟」86-87頁

16『宣教師ニコライの全日記6』（42頁）

17『宣教師ニコライの全日記1』（65頁、注6）ロシア正教の他に、明治期のカトリック教会の宣教にも同様の傾向がみられる。当時のカトリック教会は政教分離や自由主義を特徴とする近代主義に背を向ける姿勢を鮮明にしていた。日本宣教を担ったパリ外国宣教会も、日本の近代化に対して警戒し、近代化の陰で苦しむ貧者や孤児の救済に熱心だった。青山玄「幕末明治カトリック布教の性格」『カトリック研究』第35号、1979年を参照。

18『宣教師ニコライの全日記3』（296-297頁）。〔〕は引用者の補足。

19「當時學生信徒は、受洗せば必らず傳道せざるべからざりき。されば彼等は三々五々に連れだちて、定日弘前付近一中部、熊島、悪戸、濱町一は勿論、定日に黒石に出張せり」（日本メソジスト弘前教會『弘前教會五拾年略史』大正十四年（8頁））

20 拙著『青森 キリスト者の残像』イー・ピックス、2015年の「第六章 弘前におけるメソジスト派の宣教」（113-123頁）を参照。

21 同上。

22 ポズニェーエフ著、中村健之介訳『明治日本とニコライ大主教』講談社、昭和61年（43頁）

23 上掲『宣教師ニコライの全日記』（61頁）

24 同上（63頁）

25 山下須美礼「明治初期のハリストス正教会と政治的活動」友田昌宏編著『東北の近代と自由民権――「白河以北」を超えて』日本経済評論社、2017年（237-238頁）

26 上掲『衆議院議員候補者列伝』（1145頁）

27 上掲「明治初期のハリストス正教会と政治的活動」（246-247頁）を参照。なお、『衆議院議員候補者列伝』では「十三年二月八戸ニ歸ル偶川崎子英病ンテ死ス耶蘇正教ノ式ヲ以テ南宗寺舊墓ニ埋葬ス寺僧之ヲ告發ス終ニ違令ニ問ワレ懲役四十日罰金三圓ニ處セラル」（1145頁）とあり、日数と金額が若干異なる。また同書では、この僧は、少年期の源が祈祷会の給仕にあたり、食椀に芥子を入れられて家老に訴えた同じ僧であるとされている。

28 埋葬事件については、上掲の山下須美礼「明治初期のハリストス正教会と政治的活動」（245-248頁）を参照。

29 牛丸康夫『日本正教史』日本ハリストス正教会教団府主教庁、1978年（75頁）

30 河西英通「青森県の大同団結運動」『弘前大学國史研究』弘前大学、1986年（41-63頁）

31 県議会選挙の当選者については青森県議会史編纂委員会編『青森県議会史自明治元年至明治二十三年』青森県議会、昭和37年を参照。

32 パウェル源は政界入りに際して、ニコライから激励されてイコンが贈られたという。八戸社会経済史研究会編『写真で見る八戸の歴史　明治・大正の試練』北方春秋社、1970年（53頁）参照。

33「無神経事件」については、同上（751-753頁）を参照。

34「官報は知事の預り知らぬところとか、一時の言であるというが、東津軽郡某集会議席で「かくの如き野蛮地には云々」といったことはみな知っているところだし、昨年本郡巡回中「この地蒙昧の民なれば神仏に迷わされ云々」は自分らも耳にしたところである。数年来県令において郡長戸長公選の建議をしたが、これを採用せず、他県人を迎えてこれに当てた。本県五十万人中一人の適任者もなかったというのか。無神経のことが官報に出てから所在の郡長戸長ら俄かに辞職するに至った。これでは何時の日にか上下の調和を見ることができよう。（後略）」同上（753頁）

35　後藤象二郎の青森遊説と大同団結運動については、同上（754-756頁）、および上掲「青森県の大同団結運動」を参照。

36　「廿一年後藤伯東北遊説ノ際暢神社委員トノ出迎ノ爲メ弘前ニ行キ懇親會ニ臨ミ又浪岡青森ノ懇親會ニ列シ伯ト共ニ八戸ニ來リ懇親會ヲ開キ席上痛切ナル伯カ演説ヲ聴キ爲メニ大ニ地方人士ノ志氣ヲ振起シテ暢神社亦尋テ振フニ至レリ」上掲『衆議院議員候補者列伝』（1146頁）

37　八戸社会経済史研究会編『概説八戸の歴史下巻1』北方春秋社、昭和37年（115-116頁）を参照。

38　土曜会発足当時の様子が次のように記されている。「こうしてはなばなしく発足した土曜会にたいして翌明治二十三年八月九日、集会及び政社法が発布されるとともに、八戸警察は源晟と浅水礼次郎の二人に出頭を求めてきた。これは土曜会は政社と認められるゆえに、法によって政計届を提出せよ、というものであり、さもなくば即刻解散せよ、というものだった。源・浅水の両名はこれに対して、同じような団体である三戸郡公民会にたいしては、なぜこのような事をせずに土曜会のみ政社として取締るのかと警察に抗議したが、警察はこれにはとりあわず、ただちに政計届を提出せよ、さもなくば違反者として処分すると恫喝した」八戸市議会編『八戸市議会史記述篇上』八戸市、昭和53年（54頁）

39　青森県有志大懇親会に発起人、賛成人、参加者のいずれで三回以上関係した人物を抽出した河西英通氏の調査によると、源晟は参加8回中、発起人が1回、賛成者が4回、参加者が1回であった。上掲「青森県の大同団結運動」（63頁）を参照。

40　大同派の会合については、上掲『青森県議会史自明治元年至明治二十三年』（770頁）を参照。

41　地租改正案に対する青森県における反対運動については、青森県議会史編纂委員会編『青森県議会史自明治二十四年至大正元年』青森県議会、昭和40年（53-55頁）を参照。

42　東北本線が八戸町から離れて敷設された理由について、上掲『概説八戸の歴史下巻1』には次のように記されている。「（1）市民の迷信ないし後進性、（2）土地買収の困難、（3）経済状態の悪化、（4）交通業者の反対などがあったようである。このほかに陸軍ことに参謀本部が、軍事上の観点から原則として海岸を通る予定の路線に反対を唱え、これが一時、八戸の本線問題についての真相として伝えられたこともあった」（172頁）

43　八戸線敷設の経緯については、上掲『概説八戸の歴史下巻1』（180-182頁）、上掲『青森県議会史自明治二十四年至大正元年』（95-96頁）、八戸市史編纂委員会編『新編八戸市史近現代資料編Ⅰ』八戸市、2007年（348-354頁）を参照。

44　上掲『宣教師ニコライの全日記3』（289-295頁）

45　同上（289-290頁）。なお、別の日にニコライが函館から青森に着いた時のことを記した日記から、マルク関春茂の息子も、東京の神学校に在籍していたことがわかる。「病気になってしまった神学生関の父親（いま青森の「県会議員」をしている）も来た」（『宣教師ニコライの全日記5』（159頁）

46　同上（294頁）

47　同上（295-296頁）

48　同上（294頁）。なお、パウェル源の議長時代に、県会書記長を務めた浦山助太郎の回顧によると「あの頃の宿賃は上等で二円から二円五十銭くらいだったと思うが、私の宿は柳町の小笠原宇八のやっていた家族的な旅館で、関春茂、源晟、奈須川さんらの自由派の人達が大部分ここを常宿にしていた。一晩二円くらいでしたネ」（上掲『青森県議会史自明治二十四年至大正元年』（103頁））とあり、宿屋を利用していた時期もあったようである。

49 「東奥日報」明治28年2月22日付。
50 「東奥日報」明治28年2月15日。運動員の工藤卓爾は、改進派から前年の衆議院議員選挙でパウェル源と同じ第一区から立候補して落選している人物であることから、この時の対ロシア貿易港の運動が全県的な運動だったことがわかる。
51 「東奥日報」明治28年2月20日付。
52 「東奥日報」明治28年2月26日付。
53 「東奥日報」明治28年3月3日付。
54 「東奥日報」明治28年3月5日付。
55 「東奥日報」明治28年3月6日付。
56 「東奥日報」明治28年3月10日付。なお、衆議院議会における議論の詳細は「東奥日報」3月12日付の記事に掲載されており、本案件の名前が「陸奥國青森港に於ける露領浦塩斯徳及西比利亞沿岸貿易」であることがわかる。
57 「東奥日報」明治28年3月9日付。
58 「東奥日報」明治28年3月10日付。
59 「東奥日報」明治28年3月10日付。
60 「東奥日報」明治28年3月12日付。
61 「東奥日報」明治28年3月13日付。
62 「露國商業視察官一行の招待會」についての記事を参照（「東奥日報」明治28年3月14日付）。
63 「東奥日報」明治28年3月12日付。
64 この年から青森町による開港請願書や「青森港ヲ特別貿易港二指定スルノ趣意書」が政府に提出されるなど、継続的に運動が展開されたが、輸入品目制限つきでようやく貿易港として開港されたのは明治39年であった。『青森港湾史』青森市役所、昭和8年（15－16頁）を参照。
65 当時の正教会をとりまく状況については、中村健之介『ニコライ――価値があるのは、他を憐れむ心だけだ――』ミネルヴァ書房、2013年の「第十二章 三国干渉とロシアを憎悪する日本」（221-238頁）を参照。
66 『宣教師ニコライの全日記4』（48頁）
67 同上（60頁）
68 上掲『八戸市議会史記述篇上』（61頁）
69 上掲『概説八戸の歴史下巻1』（125-126頁）。なお、同書はパウェル源の別行動の理由として、土曜会内部においてパウェル源が奈須川や浅水と思想上の疎隔が生じていたことや、八戸市内では公民会が優位であった点も挙げつつ、この問題について「正直にいってよくわからない」「結論は後の研究に譲らざるを得ない」と記している（126-127頁）。
70 小野久三『青森県政治史（2）明治後期編』東奥日報社事業局出版部、昭和47年（214頁）。引用文後半は「雑誌「北方春秋」昭和三十三年七月発行…八戸社会経済史研究会、八戸の自由主義者たち」からの抜粋とされるが、筆者は未確認である。
71 「東奥日報」明治31年2月24日付。
72 田中藤次郎は、1895年（明治28）に青森県会議員、1902年（明治35）から衆議院議員に三度当選している。
73 「東奥日報」明治31年3月1日付。
74 「東奥日報」明治31年2月25日付。
75 「東奥日報」明治31年3月3日付。
76 「東奥日報」明治31年3月3日付。源晟を「足下」と呼んでいる。
77 「東奥日報」明治31年3月14日付。1898年（明治31）3月の国政選挙において「東奥日報」紙は、以上のようにパウェル源を激しく攻撃したが、パウェル源の曾孫にあたる源明氏のお話によると、パウェル源の死後、もともと東奥日報社創立のメンバーの一人であったパウェル源への敬意から、東奥日報社からしばらくの間、源家に新聞が届けてられていたという。

78 8月の衆議院銀選挙では青森県の当選結果は、3月の選挙と変わらなかった。第一区では、徳差が1,247点、奈須川が1,227点で圧勝した。上掲『青森県議会史自明治二十四年至大正元年』(353頁)を参照。

79 上掲『ニコライ——価値があるのは、他を憐れむ心だけだ——』(203-205頁)

80 「今後〔ロシアの〕神学大学にはおそらくだれも派遣しない。今回の裏切り者である源の穴は、今年の卒業生のうちのだれかが簡単に埋めることができる」(『宣教師ニコライの全日記5』(318頁))

81 「試験を終えて部屋にもどると、サンクト・ペテルブルグ神学大学を卒業し、ここの神学校の教師をしているアンドレイ源〔圭蔵〕が来て、教役者の職を解いてほしいと頼んだ。父親が金を要求しており、神学校の職〈月に三五円〉よりも高額の俸給を得られる職をかれのために探してきたという」(『宣教師ニコライの全日記5』(317頁))別の日の日記の記述から、この時アンドレイ源は、長崎のロシア領事館の通訳の仕事を得たことがわかる。

82 『宣教師ニコライの全日記5』(317頁)

83 『宣教師ニコライの全日記5』(47頁)

84 「予も此の間八戸に参つたが、執事等とも相談し、同教會の先輩たるパフェル源、マルク關などの意見をも聞きたり」(石川喜三郎編『日本正教会公会議事録』正教會事務所、明治35年(99－101頁))

85 「聖体礼儀のあと、わたしの部屋に数人の客が立ち寄ったが、その中に、八戸の信徒で国会議員の関がいた。関は八戸の教会堂について、教会堂はすっかり老朽化しており、まもなくとり壊されるだろうと言った。その教会の土地は借地で、地主が返してもらいたいと要求している。おそらく信徒たちは新しい教会を建てる方向にいかないだろう。信徒数は少ないし、かれらのところには伝教者がこれまで四人(源、井河、久保、白井)もいたのだが、熱心な信徒はいない」(『宣教師ニコライの全日記8』(50頁))

86 上掲『青森県議会史　自明治元年至明治二十三年』(836頁)

87 同上に転籍先の住所が掲載されている。

88 「日本の新聞各紙に正教神学大学を卒業したアンドレイ源〔(川崎)圭蔵〕についての記事が出ている。かれは教会に奉仕するという自らの使命に背き、長崎の領事館に誘われて勤めたものの、そこを解雇されたという」(『宣教師ニコライの全日記7』(334頁))

第3節　八戸地域の産業研究の系譜

髙橋俊行

はじめに

本書の研究領域は、八戸地域における主たる経済事業そのものの成り立ちから、生産・販売・流通・収益などの動向、そして事業集積としての産業の成長・発展の過程や現状、問題点、課題に関する調査、研究、分析の成果を対象としている。ここで取り上げる産業とは、農林水産業をはじめ、製造業、流通業、運輸業、観光業などの経済分野を対象とし、その産業の歴史的経緯のほか、経済及び市場動向から雇用状況に関する調査研究を取り上げた。

八戸地方における歴史や生活文化に関する郷土史研究は、藩政時代の文献の研究が盛んな地域だけに研究書などの実績が実に多い。しかし地域固有の経済事業や産業を対象に、社会科学的な視点から、生産・流通などの動向に関して、調査、研究や分析を試みた研究書はそう多くはない。

過去に遡ってみても、経済事業に関する生産、流通などのデータの記録、調査が少ないことと、本格的に地域経済の主体である産業活動が調査対象として研究されたのは戦後に入ってからである。今回は、限られた調査、研究の中から得られた調査報告書や研究書、文献、史料など、著者が知り得る範囲内でリストアップし、紹介を兼ねて内容の説明の概説も試みたつもりである。

1　八戸地域における経済の現状及び産業動向

八戸地域における、藩政時代から明治、大正、昭和初期の産業に関しては、郷土史等によりその状況を知ることができる。しかし、産業構造をはじめ各事業の生産、販売などのデータに基づいて、現状分析とともに問題点や課題にまで言及した調査・研究書や文献等は限られている。

そこで、八戸地域の経済及び地域の産業について、これまでの歴史的な変遷に関する資料や史料及び書物、地域の経済及び産業の動向に関する調査書、そして地域の産業構造の分析・研究と課題研究に関する研究書に分けて紹介する。

1-1　地域の経済及び産業の歴史的変遷に関して

地域の産業構造に関して、本格的に調査研究されたのは、昭和 40 年以降である。それまでは、藩政時代から明治、大正、昭和初期は、限られた史料に基づく産業の状況や断片的なデータに関する記述となっており、産業経済の統計データが体系的に作成されるようになったのは、八戸市が制定された昭和 4 年以後である。

そうした中、「八戸の歴史」は古代から産業都市に至る通史であり、「八戸商工会議所 25 年史」は、八戸の明治維新以降の政治的背景や経済情勢、金融事情に係わる産業経済史といえる。

①「八戸聞見録」(発行者　北村　益)　　1942年 (昭和17)　原典著者　渡辺　村男

1881 年 (明治 14)、渡辺村男が明治天皇の八戸巡幸の際、献上目的で執筆された地歴誌で、八戸地方の自然、風俗、歴史、人物、産物等が記述されている。明治維新後、八戸藩の独占的な産業政策から開放されて間もない時期だけに、八戸地方の産業は未熟な段階にあった。そうした中、当時の農水産物や出稼ぎの様子、民間団体の状況から八戸地方の産業を推し量ることのできる貴重な史料である。

とくに野村軍記による鮫港修築の献言が明らかになるなど、和漢混淆文の文献が、2017 年、木村久夫 (元八戸市立鮫中学校校長) の現代語訳の出版により、当時の状況がより鮮明で理解し易くなった。

②「向 鶴」(青霞堂蔵版)　　1890年 (明治23)　里香　散士

「八戸聞見録」の著者である渡辺村男の教え子であった里香散士が、1890 年 (明治 23)、同書をベースに加筆執筆した著書である。新たな記述としては、八戸地方の財政のほか、明治中頃に中心街に店舗を構えた商人や事業者名が、業種ごとに記載されており、八戸の町の状況を具体的に知ることができる貴重なデータが加えられている。

③「八戸栞草」(青霞堂)

1894年 (明治27)　浦山　助太郎・加藤　政吉・浦山　十五郎

この史料は、主たる内容は当時の八戸地方の商家の広告であるが、広告を通して事業や取扱い商品の内容を把握できる。また八戸地方の人名録を業種別、町内別に掲載していることから、当時の事業の内容や商売の様子、その後の商家の変遷を知るうえで大いに参考になる。

④「八戸便覧」(青霞堂)　　1911年(明治44)　笹澤　魯羊

明治44年、三戸郡八戸町の市街地の地勢、沿革、戸数、人口、神社、仏閣,官公衙、学校から金融をはじめとする、商業、工業、農業、醸造業、酒造業、旅館、劇場、料理業など、当時の主たる産業の概要について著述されており、明治時代後半の八戸町の産業を知るうえで貴重な史料である。とくに中心街で商いに携わる商工業者の名録や三浦萬吉などの人物評のほか、木炭、金物などの商家の栄達を通して当時の産業の隆盛を知ることができる。

⑤「八戸産業経済誌」(発行八戸報知新聞社　代表者　金澤正美)　　1934年(昭和9)

昭和9年、小中野町中條にあった八戸報知新聞社が市制施行第5周年にあわせ、同紙の創業1周年の記念事業として発行したものである。

当時、産業の生産、物流などの資料の収集や整理が整備されていない時代に、八戸市の産業に関して、工業から商業、水産業、農業、金融などのデータを掲載した産業の概要は、初の民間版「八戸市統計書」としての体裁を整えている。

⑥「八戸市総覧」(東北通信社)　　1941年(昭和16)

東北振興の策源地と言われ、世界三大漁場の一つ、三陸・金華山沖に面する八戸港が、飛躍的に発展しつつあった戦前に、八戸総覧として編纂されたものである。内容は、八戸市の沿革から経済、産業、教育、人物、港湾などをとりあげた、昭和戦前の経済版「八戸聞見録」ともいうべき史料である。

⑦「八戸商工会議所25年史」(八戸商工会議所)　　1967年(昭和42)　小野　久三

昭和40年の八戸商工会議所創立25周年記念事業として、編纂委員である小野久三により執筆されており、発刊されたのは1967年(同42年)である。

本史の前編として、八戸の産業経済の推移と発展に関して、明治から大正、昭和戦前、戦後の復興、高度成長期、そして昭和39年に新産業都市に指定されるまでの産業発展の経緯が、政治的背景や金融事情の変化、漁業・港湾の発展とともに、実証的かつ体系的に執筆されている。八戸商工会議所の記念誌というより、明治維新以降の八戸の産業の発展過程を知るうえで貴重な史料であり、八戸地方の産業経済史としての評価も高い。

⑧「八戸の歴史～古代社会から産業都市まで」　1977年（昭和52）　西村　嘉

この書物は単なる地方史でも産業史でもない。八戸を舞台に、古代社会から産業都市に至るまでの産業はもちろんのこと、自然、環境、政治、経済、生活、教育、文化から人間に関する歴史的な変遷を、西村嘉という卓越した史観の持ち主の視点より描いた壮大な八戸通史であり、八戸地方の歴史を知るうえで必読すべき教科書でもある。

⑨「八戸商工会議所50年史」（八戸商工会議所）　1994年（平成6）

平成6年、八戸商工会議所50年史として編纂されている。前史として、前掲の25年史同様に、明治から大正、昭和にかけての八戸の経済史が執筆されている。

⑩「産業の振興」（八戸藩の歴史をたずねて）　2014年（平成26）　三浦　忠司

江戸時代の八戸藩の誕生から藩の廃止までの時間軸の中で、交通、産業、武士や 商人、農民の暮らしなどが分野別に記述されている。そうした中で、「産業の振興」の章では、八戸藩の主産業である、馬産地の状況、大豆の生産と加工、流通、鉄産業の隆盛と運送業や木炭産業の振興、そして鰯漁に伴う魚粕、魚油、干鰯、製塩の生産、流通といった、藩の経済を支えた産業の状況が平易に描かれている。

1-2　地域の産業経済の動向に関して

八戸地域において、独自のデータ収集や調査分析により、初めて地域の産業経済の動向を時系列的に分析したのは八戸信用金庫である。以後、その地区の景況調査と産業調査データは、青い森信金で継続されており、八戸地域の産業活動を知るうえで貴重な統計調査である。

①「景況レポート～中小企業の景況調査結果～」
1976年(昭和51)～現在　八戸信用金庫（現青い森信用金庫）

青森県に所在する中小企業を対象に、四半期ごとに調査を実施しており、地区全体とともに、八戸地区における産業別の景況動向を知ることができる八戸唯一の調査資料である。

八戸市のような県庁所在地以外の地方都市を対象に、景況調査を40年以上にわたり継続的に実施している調査としては珍しい。調査の対象先も、日本銀行の短期経済観測が資本金２千万以上、青森県内200社弱の中堅企業を対象としているのとは異なり、八戸地区だけで中小零細企業300社以上を対象としており、地域経済の実態がより的確に反映されている。

②「とれんど情報　〜経済レポート〜」

1978年（昭和53）〜現在　八戸信用金庫（現青い森信用金庫）

八戸市の主たる産業（漁業、水産加工、建設、鉄工、小売業等）動向を対象に、毎月の生産・売上・収益動向に関して、個別企業からのデータ収集と取材に基づいて調査分析し、その産業活動を公表している八戸版「経済月報」である。

当初は、経済概況の作成からスタートし、経済レポートの編集発行に続き、さらにトレンド情報として再編集され、八戸地区の産業動向、経営トピックス、統計情報などがビジュアルに掲載されている。

③「新たな転換期の八戸地域経済」（「地域からのメッセージ」　八戸地域社会研究会）

1996年（平成8）　髙橋　俊行

平成８年、八戸地域社会研究会の活動記録として出版された「地域からのメッセージ」に掲載されている。昭和50年代当時の工業化時代から新たな時代への転換期を迎えた八戸の経済情勢をはじめ、「重厚長大」型産業から「軽薄短小」ブームの到来を経て、60年代の高度情報化時代への移行と平成景気にいたる産業の産業構造の変遷の動向を知ることができる。

④「八戸地域の産業構造の変化と将来の成長産業は何か」（八戸地域史五十五号）

2018年（平成30）　髙橋　俊行

八戸地域の景気動向の現状及び昭和40年以降の八戸地域の所得の動向と産業の生産動向との関連を踏まえながら、平成８年頃を同地域の産業構造の変化のターニングポイントとして捉え、将来の八戸地域のリーディング産業としての成長産業の可能性について記述されている。

1-3　地域の産業構造の分析や課題研究に関して

八戸地域の主たる産業分野を対象に、専門家の視点から本格的な研究・分析されたものとしては、昭和 40 年、八戸市の企画審議室が作成した「八戸市の経済」があげられる。民間では、工藤欣一が「地方都市の発展と産業の構造」を発表し、八戸市の産業構造の変化を指摘し、今後の問題点と課題を指摘している。

その後、外部の専門家により、八戸地域の産業動向を本格的に調査し、地域の産業構造の分析に着手した研究書に、「地方中核都市の産業活性化（八戸）」と「都市機能の高度化と地域対応―八戸市の開発と場所の個性―」があげられる。

①「八戸市の経済」（八戸市企画審議室）　1965年（昭和40）

八戸市が、昭和 39 年に指定された新産業都市の建設推進を契機に、八戸市の経済発展の問題点の把握や課題の認識を踏まえ、さらなる飛躍を目指して、市の産業構造の分析に挑戦した際のものである。八戸市としては、初めての「八戸版経済白書」作成への挑戦であり、さらなる継続研究による調査分析により、将来の市の発展の展望が期待された。しかし、その後、八戸市長が岩岡徳兵衛から中村拓道に変わり、残念ながら最初で最後の「経済白書」で終わっている。

②「地方都市の発展と産業の構造―八戸市の事例分析－」（青森県の産業と経済）

1983年（昭和58）　工藤　欣一

昭和 58 年に出版された「青森県の産業と経済」の中で、八戸での経済思想史の第一人者である工藤欣一が、昭和 35 年の高度成長時代から昭和 55 年の低成長期にかける、地方都市としての発展過程と産業構造の変遷について分析している。

そこでは、第一次産業から第三次産業の動向とともに構造変化を調査研究しながら、その鋭い分析の視点から、八戸市の産業構造の変化にともなう問題点と課題が指摘されている。

③「地方中核都市の産業活性化（八戸）」（中央大学経済研究所編）　1987年（昭和62）

中央大学経済研究所の「地域部会」が、所属研究員による共同研究として、特定地域の産業経済の実態調査を中心に研究を行なっている。その研究対象として、八戸市が調査対象地域に選定され、4 年間にわたる現地の調査研究を経て執筆されたものである。

研究内容は、「八戸市の産業構造」に関して戸部栄一（八戸工業大学）、「水産加工業の展開と特質」は中居裕（北海道大学）、「鉄工業の現状と課題」は金田昌司（中央大学）、「小売業の現状と課題」は戸部栄一、「貨物輸送の展開」と輸送問題」は塩見英治（中央大学）、「八戸のビジネスリーダーの経営意識」は原山保（中央大学）、「釧路との比較」は、同部会主査である三宅武雄（中央大学）が執筆している。

④「21世紀を拓く新産業都市八戸のリストラクチャアリング」

1990年（平成2）　髙橋　俊行

八戸市の「21はちのへ研究奨励金制度」の交付金を受け、調査分析した研究報告書である。調査の目的は、八戸の工業化社会の進展と情報化社会への経済構造の転換といった変遷を辿りながら、八戸の地域企業が生き残りをかけて、どのような経営戦略をとろうとしているのか、また21世紀に向けて成長発展していくためには、どのような条件が必要とされるのか、地域企業の取材を通して実証的な究明を試みたものである。昭和40年代から同50年代の八戸地域の産業構造と景気動向を踏まえ、昭和60年代の高度情報化社会を見据えて、八戸地域の中小企業の情報化時代への対応に関して、八戸市内の中小企業を個別に取材しながら調査分析した研究報告書である。

⑤「都市機能の高度化と地域対応―八戸市の開発と場所の個性」（東北大学出版会）

2002年（平成14）

本書は、1996年のバブル崩壊後の長期にわたるデフレ不況の最中、文部省科学研究費補助金により、地方中小都市における経済社会の新たな内発型の展開への方向性を模索する目的から、八戸市を共同調査の対象に5年の歳月を経て執筆されたものである。

主な産業経済に関する内容は、「八戸市工業の高度化」は武笠俊一（三重大学）、「八戸鉄工業界を中心にした工業構造の高度化と地域工業の対応」は、執筆の代表である高橋英博（宮城学院女子大学）、「八戸港の機能的高度化と工業化」と「八戸漁業の展開と水産加工業」は佐藤利明（岩手県立大学）が担当執筆している。

⑥「八戸地域の雇用状況を考える～八戸市の人口減少の真の原因は何か～」

（弘前大学雇用政策研究センター・ビジネス講座）　2005年（平成17）　髙橋　俊行

2005年、弘前大学八戸サテライト設立記念講演として発表された研究報告書であり、八戸の雇用状況に関する調査分析としては初めて試みである。

当時は、自然増減が減少に転じことで地方の人口減少が加速し、人口減少問題が大きくクローズアップされていた時代である。本書では、平成９年以降、恒常的に人口が減少しており、その要因は、よく言われる人口の社会的な転出増だけではなく、人口の社会的な転入の低下が大きく影響したことにあると分析し、地方行政による産業政策の重要性を説いている。

⑦「若者層世代の地元就業率を高めるための職業観等の意識調査と課題」

2017年（平成29）八戸地域社会研究会

人口減少問題が深刻化している中で、なぜ新卒の若者が地元から出て行くのかをテーマに、若者の職業観や働きたい場所、企業、その理由などを調査する一方、地元企業に対しては、採用条件や若者へのアピールについてアンケート調査を実施し、現状の問題点や課題解決の方向性について分析を試みた報告書である。

⑧「八戸地域におけるＵＩターンの就労意識調査にみる地元企業の人材採用力の条件」

2019年（平成31）八戸地域社会研究会

人口減少問題への対応策として、人材の還流を促進することが重視されている。そこで八戸地域に勤務するＵＩターン者を対象にアンケート調査を実施し、地元で働く意味や地元企業で働く魅力を探ることによって、地元力の向上とともに、地元企業の魅力と採用活動力の強化の条件について提言している。

2　漁業･農業の成長発展･変遷･産業分析

2-1　漁業

戦前（昭和６年、同７年、同13年）、八戸市役所が発行した「八戸港大観」に、漁港、商港としての入港船舶、漁獲高、水産加工などの数値と概況が掲載され、末尾には、当時の八戸市長神田重雄の私案や結論が述べられている。

漁業に関する調査には、昭和13年の八戸市水産会による「八戸水産誌」があり、当時の経済状況や経緯などに関する解説が加えられている。明治以降の漁業に関して本格的に調査研究されたものには、八戸港史の「漁業編」、「八戸魚市場50年史」があげられる。また藩政時代から昭和30年代にかけての浜の産業史に関しては、田名部清一が「湊町の歴史～みなとの風光～」に詳しく述べている。

(1) 八戸地方の漁業の変遷

① 「八戸水産誌」(八戸市水産会)　　1938年 (昭和13)

昭和 13 年に、八戸市水産会が、地方の水産業の歴史に記録が大切であるとの趣旨から、「八戸水産誌」を発行している。現代版「八戸水産統計書」であるが、経済状況や経緯などに関する解説が加えられており、経済の実態把握の困難であった昭和初期の八戸の漁業界の動向を知ることができる。

② 「漁業編 」(八戸港史)　　1976年 (昭和51)　神山　恵介

八戸は「海から拓けたまち」として知られているが、その主たる漁業に関する調査研究となると、事業としての経済的な側面や産業としての動向に関して分析されたものは少ない。そうした中で、八戸の漁業の歴史を限られた文献資料を紐解きながら、明治・大正・昭和の漁業に関して本格的に調査分析した研究に、「八戸港史　５漁業編」がある。

内容は、明治期の漁業形態から大正、戦前期を経て、昭和 40 年代前半までの八戸港の漁業の近代化と全国有数の水産基地に発展した経緯が詳細に分析されている。

③ 「八戸魚市場五十年史」㈱八戸魚市場)　　1982年 (昭和57)

㈱八戸魚市場の創立記念事業として編纂された、八戸の漁業の産業史とも言うべきものである。内容は、藩政期から明治・大正期にかけての漁業の前史とともに、㈱八戸魚市場の設立された昭和初期から戦後の復興、高度成長時代の八戸の水産業の成長発展過程と二百カイリ時代を迎えた新たな時代の課題について詳述されている。

本書の監修・編纂には、八戸港史の執筆に係わった西村嘉、工藤欣一、神山恵介に、漁業家でもある熊谷拓治が参画しており、八戸の漁業史を学ぶともに、八戸の水産業界の現状や問題点・課題を知るうえでの入門書でもある。

④ 「八戸藩の漁業の一考察～湊川口十分の一役所について～」(八戸地域史　第四号)

1984年 (昭和59)　田名部　清一

八戸藩が創設されて間もない、元禄～宝永期 (1688 ～ 1710 年) 以降の鰯生産と加工、流通から租税など鰯漁業、すなわち八戸藩の漁業に関して執筆されている。

⑤「八戸漁連三十年史」(八戸漁連)　1987年(昭和62)

八戸漁連の創立記念事業として出版された記念誌で、前述の「八戸魚市場五十年史」の姉妹版とも言える。内容として、イカ釣り漁業の発展の経緯のほか、二百カイリ時代以降のイカ釣り漁業の大型化や海外出漁の展開に関して、漁業制度や金融・保険制度の変遷にも触れながら、日本の漁業の発展の流れに沿って記述されている。

本書の執筆は、服部昭（八戸大学)、熊谷拓治、髙橋俊行、正部家種康が担当、八戸魚市場五十年史とともに、八戸の水産業を学ぶうえでの必読書でもある。

⑥「湊町の歴史〜みなとの風光」(湊中学校創立四十周年)

1987年(昭和62)　田名部　清一

中学校の周年記念事業の一環として、湊地区の主力産業であるイワシ漁業をはじめとする網漁業やイカ釣り漁業などの浜の漁業について記述されている。いわば、藩政時代から明治、大正、昭和30年代にかけての「湊の浜の産業史」ともいえる。また、本書は八戸の前浜の漁民の歴史でもあり、湊の住民の視点から長年にわたり浜の漁業を調査研究してきた田名部清一でなければ語ることのできない漁民の産業史でもある。

⑦「八戸市の漁業・近代編」(八戸市双書)　2006年(平成18)　山根　勢五

八戸の浜で生まれ、自ら水産会社に従事してきた山根勢五が、明治、大正、昭和前期から戦後の復興、そして昭和52年の200カイリ時代直前までの、八戸の漁業の産業としての変遷について描いた漁業史である。歴史としての客観的記述だけではなく、その時代の先覚者であるリーダーたちを、トピックスとして描くなど、浜の歴史の生き証人としての語りかけるような執筆に、湊の情景が思い出される懐かしい八戸の漁業の物語でもある。

⑧「八戸藩の漁業」(北奥羽八戸藩の産業活動)　2016年(平成28)　斎藤　潔

後述の「北奥羽八戸藩の産業活動」において、藩政時代における鰯や鯨漁業、潜り漁のほか、鰯の加工、水産物の流通などの産業活動が執筆されている。

⑨「八戸藩時代の漁業（抄)」(湊町　知の散歩)　2018年(平成30)　田名部　清一

湊町生まれの市井の郷土史家が、三浜（湊・白銀・鮫）を舞台に展開された、藩政時代の鰯漁業（干鰯、〆粕、魚油生産）を中心に、漁業商人、漁業技術、漁法から鰯の加工品の生産の様子を、実に平易に記述している。次の章の「イカ・サバ・イワシの文化史」も、浜の古老のような語り口で描かれ、ニシン出稼ぎ漁業など、湊の漁業の様子を知るうえで興味深い内容である。

(2) 特定の漁業の変遷

漁業は、八戸市の経済活動にとって基幹産業であるが、八戸が水産都市として全国にその名が知れ渡ったのは昭和 40 年代以降である。その割には、漁業の産業としての個別事業に関しての調査研究は少ない。

①「宝暦期八戸藩の鰯漁業について」（八戸高専地域文化研究第3号）

1994年（平成6）　斎藤　　潔

宝暦期の八戸藩のイワシ漁業について藩庁日記の記事から考察した史料である。宝暦の 15 年間にも、鰯漁の豊凶が著しく、鰯は〆粕に加工され、主に関東地方に輸出されていたことを知ることができる。

②「八戸のイカ釣り漁業の史的研究」（八戸地域史第八号）

1986年（昭和61）　髙橋　俊行

日本一のイカの産地、あるいはイカの町と言われながらも、イカ釣りが何時から始まり、どのようにして八戸地方に技術が伝播してきたのか意外と知られていない。本書は 1985 年に八戸市の「21 はちのへ研究奨励金」の交付を受け調査したもので、八戸のイカ釣り漁業の歴史的変遷と将来の展望に関して執筆されている。

内容は、室町時代に佐渡において始まったとされるイカ釣りが、イカ漁からイカ釣り漁業へどのようにして発展し、青森県そして八戸に伝わり、一大産業として開花していったのか史的観点から調査分析されている。イカ釣り漁の盛んであった下北地域のイカ釣り漁業者や小中野町の元船頭からの取材調査を重ねながら執筆された興味深い内容である。

2-2　農業

①「近代八戸地方農村生活」（八戸の歴史双書）　　2004年（平成16）　舘花　久二男

八戸地方の農業の産業として経営の実態や生産、流通に関する調査研究書ではないが、八戸地方の農業に関する生産、流通などの動向や経営実体を知るうえで参考になる書物である。

3　水産加工の成長発展の変遷・産業分析

水産都市八戸と言われて久しいが、これまで八戸港に漁獲された水産物の流通や加工に関する調査研究された資料、文献等は意外に少ない。漁獲された水産物の加工に関して科学的な研究は、地域の基幹産業として生産性を高め、付加価値を創出するためには　水産業界にとっては必要不可欠なことである。

外部による専門家としては、地元出身の中居裕が、イカ、サバの加工流通過程に関して長年に渡り調査研究を行なっている。地元では、八戸大学の神山恵介が、漁業史の研究に続いて、水産物の流通の近代化過程の調査に取組んだ研究書がある。また、200 カイリ時代後の八戸の水産加工の現状や問題に関して、高橋俊行が調査分析をを手がけており、そこで取り上げられた課題は、未だ解決されていない古くて新しい問題である。

3-1　水産加工業界の動向

①「八戸の水産加工業界の動向と今後の課題」（八戸信用金庫）

1983年（昭和58）　高橋　俊行

昭和 52 年３月、水産業界にとって最も脅威とされた 200 カイリ時代が到来した。その後、八戸の水産加工業界がどのような変遷をたどったのか、その生産動向に関して分析のメスを入れ、現状の実態と問題点、課題を取り上げた産業調査研究である。

八戸の水産加工に関する調査研究としては始めてのケースである。本文末尾の今後の課題では、水産加工業界の資源、生産、販売、コスト、資金、収益、設備、人材などに関して、現状、問題点、課題と今後の方向に関する指摘は、現在でも解決されていない問題でもある。

②「200海里以後の本県水産業の動向と課題」（青森県の産業と経済）

1983年（昭和58）　竹内　栄司

昭和 58 年出版「青森県の産業と経済」の中で、戦後、日本一の水揚げ高を背景に成長発展を遂げてきた八戸の水産加工業界が、昭和 52 年の 200 海里時代の到来以降、どのように変化を余儀なくされてきたかが記述されている。当時、水産加工業界の中枢のリーダーの１人として、その経営上の問題点と対応の方向に関して言及し、課題の解決の条件などについて指摘した内容である。

③「八戸市における水産加工業の展開と特質」（地方中核都市の産業活性化）

1986年（昭和61）　**中居　裕**

八戸市の水産加工業界が、高度成長期にあった昭和30年代から低成長に移行した昭和50年代における生産、流通動向と、業界としての展開の特質に関して、専門家の視点から調査分析されている。とくに200海里時代以降、水揚げの構成の変化に伴う水産加工の生産や流通の変化とともに、加工経営体の動向の変遷にも言及し、今後の八戸の水産加工業界が抱える問題点と解決すべき課題について取り上げている。

3-2　水産物の生産・流通形態

①「八戸港における水産物取引の変革過程」（八戸大学紀要5号）

1986年（昭和61）　**神山　恵介**

「八戸港史」及び「八戸魚市場五十年史」を執筆した神山恵介が、既発表の研究に依拠しながら再調査研究のうえ、八戸港におけるイカ、イワシなどの水産物の取引流通の近代化にとって必要な組織である、八戸魚市場設立に焦点を充てた研究書である。

②「産地再編とシメサバ加工」（北日本漁業）　**1996年**（平成8）　**中居　裕**

八戸はイカとともに、サバの水揚げが日本一の水揚高を支えているが、そのサバの代表的な加工商品である、シメサバの生産と流通に関して調査した研究書である。

③「水産加工業の研究」（産地と経済）　**2015年**（平成27）　**中居　裕**

上述した「産地再編とシメサバ加工」が、本書に再構成され掲載されている。

④「水産物流通及び食の安全」（市場と安全）　**2015年**（平成27）　**中居　裕**

八戸市における水産物流通・消費の地域特性に関する研究成果が掲載されている。

⑤「八戸港のサバ加工と経済効果」（弘前大学）

2015年（平成27）　髙橋　俊行

八戸の水産加工業界は、主たる原料をイカとサバに依存している。経営の視点からみると、工場の稼働はイカの加工に依存しながら、経営面では、9月から11月にかけて水揚げの集中するサバの加工による収益に支えられてきたと言える。

そこで、本書では、八戸の水産加工業界では、サバの原料をどのような加工形態と流通、価格形成により収益をあげてきたのか、それぞれの加工形態の仕組みと原料コストを割り出すことによって、サバの経済効果の分析を試みた稀有な調査研究でもある。

⑥「八戸水産加工の経済効果～サバとイカの比較」（弘前大学）

2015年（平成27）　髙橋　俊行

平成27年、八戸市で開催された「いか シンポジウム『八戸いか関連水産業の課題と展望』」において発表された研究報告である。内容は、八戸の水産加工業界において，サバとともに事業を支えている魚種にイカがあるが、そのイカとサバの加工生産、販売の動向と、業界におけるイカ、サバの立ち位置について。独自に研究されたユニークな調査報告である。

4　商品の流通機能と消費関連産業の動向

地域の商品流通に関する調査研究は、これまで手付かずの分野で、分析された成果が極めて少ない。そうした中、八戸の青果物商の発祥から組合設立までの産業史は、八戸青果商業（協）の10周年記念誌に収められているほか、八戸市の中心商店街のショッピング性としての再生事業への調査研究に関しては「八戸市民のまちづくり」の中で記述されている。

また、特定の流通市場に関する調査研究としては、八戸港館鼻岸壁「みなと日曜朝市」と「青森県南地方の農産物直売所の現状と今後の解決すべき経営課題」が、八戸学院短期大学の研究紀要に収められている。その他、地方都市としては珍しい独自の消費実態調査が、「八戸市民の暮らしぶり ―八戸市家計調査を振り返って―」から窺い知ることができる。

4-1　卸売り流通機能関連

①「八戸の青果物の始まりと青果物商のおいたち」（八戸青果商業（協））

1987年（昭和62）　髙橋　俊行

1987年、八戸青果商業協同組合の設立10周年記念事業の記念誌「十年のあゆみ」の本史に、「八戸の青果物の始まりと青果物商のおいたち」が執筆されている。これは八戸地方の青果物商、つまり八百屋の発祥地である朝市の起源にさかのぼり、青空青物市場から「せり売り」による八戸農産市場が設立され、青果市場として発展を遂げ、現在に至るまでの調査研究である。本書の中で、市場での買参人である、青果物小売業者の組合である八戸青果商業（協）の歴史的変遷と、将来に向けての青果物小売業者の「生き残り」をかけた経営課題が言及されている。

4-2　中心商店街の再生事業関連

①「八戸市中心商店街の再生とタウンマネジメント」（「八戸市民のまちづくり」　八戸地域社会研究会）

2000年（平成12）　髙橋　俊行

八戸市の中心商店街の活性化に向けて、これまで行政、商工会議所、商店街等で、外部の専門家に依頼し調査を実施してきたが、市民の手で調査分析が行なわれたのは少ない。そこで、本書は、平成12年、八戸地域社会研究会が中心商店街の街づくり事業の一環として、市民の立場から新たにアンケート調査を実施したもので、その結果を「街のショッピング性～中心商店街の再生とタウンマネジメント～」として調査分析し、掲載したものである。

4-3　特定の流通市場の実態と動向分析

①「八戸港館鼻岸壁「みなと日曜朝市」の経済波及効果と地域活性化への課題」（八戸短期大学研究紀要　第36号）

2013年（平成25）　髙橋　俊行

「日本一の朝市」といわれる八戸港の館鼻岸壁日曜朝市であるが、その運営実体や経済規模、経済波及効果に関して、調査分析のメスを入れた報告書である。調査内容は、同朝市の出展者の業種、売上、業者数のほか、来場者の数や居住地、買い物動向などの実態を明らかにしている。また事業運営上の問題点や課題のほかに、地域経済の活性化の牽引役として期待される中、今後、観光産業としての運営のマネジメントについても言及している。

②「青森県南地方の農産物直売所の現状と今後の解決すべき経営課題」

（八戸学院短期大学研究紀要　第38号）　　2014年（平成28）　髙橋　俊行

近年、成長産業として注目されてきた農産物直売所（産直）に関して、県南地方の40ヶ所の産直を対象に、事業運営や経営規模、売上規模、販売方法などのほか、地域住民から視点から産直の利用状況に関しても、初めて調査・分析のメスを入れた調査研究である。調査の中で、近年、売上高の減少傾向にある産直施設の事業運営に関して、マーケティングの視点から、事業運営上のマネジメント機能の課題や留意点について言及している。

4-4｜地方都市の消費実態調査

①「八戸市民の暮らしぶりー八戸市家計調査を振り返ってー」

1988年（昭和63）調査実施主体：八戸市　調査分析：八戸信用金庫　髙橋　俊行

昭和59年から4年間、八戸市経済部消費計量センターが実施主体（担当者 須藤茂樹）で、八戸信用金庫が協力し、八戸市民30名を対象に独自の家計調査を実施、その結果を分析し調査研究報告書として作成したものである。内容は、独自にモニターとして市民からの協力を得て家計簿を記帳し、その家計収支の調査を4年間にわたり毎月実施した結果を集計して市民の生活実態を明らかにしたものである。県庁所在地以外の地方都市としては、極めて希少な調査研究である。

5　八戸港の築港と陸海上運輸産業

八戸の陸海上運輸産業に関しては、周年記念誌として発行された「八戸港史」をはじめ、「八戸港湾運送昭和史」、「八戸通運五十年史」の編纂を軌に調査研究された際に、各執筆者によって新たな研究の成果として発表されている史料が多くみられる。

5-1｜八戸港の機能と海運事業

①「近世における八戸の海運事業と八戸港の事情」（八戸港史）　　1976年（昭和51年）

昭和49年の八戸港開港35周年記念式典事業の一環として編纂されたもので、八戸市の経済の原動力となった漁港と商港としての機能について、その歴史的な経済発展の背景と築港運動の経緯について、豊富なデータに基づき執筆された調査研究書である。

編纂は、八戸社会経済史研究会の会長である工藤欣一の下で八戸港史編集委員会が組織され、西村嘉、中里進、神山恵介、堀田報誠の５名が執筆に携わっている。八戸藩創設以前の海運と八戸藩時代の海運事業と八戸港の機能に関しては、当時、八戸市立図書館に勤務していた西村嘉が担当執筆、八戸藩における八戸湊の歴史的地位を知ることができる優れた八戸の海運研究書である。

②「海から拓く～八戸港湾運送昭和史」(八戸港湾運送㈱)　1989年(平成元)

平成元年、戦時中の企業統合によって設立した、八戸港湾運送㈱の年史として刊行された出版書である。同社の港湾運送事業は八戸港の消長と軌を一にして歴史を形成してきたという意味から、「海から拓く」という表題が併記されている。

内容は、前史と本史より構成され、総括は、八戸大学の島守光男、前史において、「江戸時代の八戸湊の変遷と江戸航路の発達」に関しての執筆は三浦忠司、「明治から昭和前期の八戸港の築港と海運の発達」については、本執筆委員会のチーフである神山恵介がそれぞれ執筆している。本史の八戸港湾運送㈱の設立から発展の経緯と、八戸港の近代化の足跡という時代背景に関しては、八戸大学の教員である岩坂和幸、田中哲、服部昭が担当している。

③「八戸湊の入津船と八戸藩の海運」(八戸地域史　第14号)

1989年(平成元)　三浦　忠司

八戸藩の海運史料に基づき、江戸時代後期の八戸湊の入津船の動向や廻船の入津状況、海運構造について詳細に執筆されている。本書は八戸港湾運送㈱の年史を執筆した際に、八戸藩の海運事業に関する新たな研究の成果を発表したものである。

④「八戸藩における藩政改革以後の海運と産物流通」(地方史研究39号)

1989年(平成元)　三浦　忠司

八戸藩藩日記と同勘定所日記を手がかりに藩政改革期の海運を検討し、その後の安政６年（1859年）の廻船出入帳により、藩政改革後の幕末の海運動向を調査した史料である。

⑤「八戸湊と八戸藩の海運」(八戸港湾運送㈱)　1990年(平成2)　三浦　忠司

本書は、八戸港湾運送㈱の社史に執筆に際して、編集の都合上割愛された原稿を基に編成されたものである。内容は、八戸湊において営まれた八戸藩の海運の動向を、全国流通のネットワークの中でとらえようと試みられており、とくに藩政改革以後の海運事業として、木綿と鉄の流通の仕組みや価格動向のほか、八戸藩の江戸海運の動向が記述されている。

⑥「東廻り海運と八戸藩の産物輸送」(日本水上交通史論集第四巻江戸・上方間の水上交通史)

1991年(平成3)　三浦　忠司

江戸時代には、東廻り海運と西廻り海運との二大海運があり、本書は、東廻り海運を主流とする、八戸藩を対象とした産物輸送に関して調査研究された史料である。

⑦「海をつなぐ道―八戸藩の海運の歴史」(デーリー東北新聞社)

2018年(平成30)　三浦　忠司

本書は、青森県や周辺市町村からの年史や文献などの調査研究や執筆依頼のほか、長年にわたり海運に関する研究調査事業に携わってきた筆者が、これまでの関連資料や研究成果を基に、今回、新たな視点から江戸時代の八戸藩の海運産業を執筆したものである。

5-2　八戸の陸上交通(陸運)

①「地域の発展とともに ― 八戸通運五十年史」(八戸通運㈱)　1994年(平成6)

本書は、八戸通運㈱の創立50年を機に設立された、「五十年史」の編纂委員会のメンバーである島守光雄、神山恵介、三浦忠司、服部昭、田中哲、吉澤清が執筆を担当している。

内容としては、社史を八戸市の発展の過程の中で捉えるという編纂方針により、本書の前史第１章においては、江戸時代における陸上交通手段としての飛脚の機能、役割が三浦忠司により執筆されている。第２章では、明治から大正、昭和10年代における鉄道輸送事業としての発展過程が、神山恵介によって明らかにされている。本史、第１章において、戦時体制期の小運送業の胎動と統合の経緯から戦後の復興、高度成長期の通運業としての事業展開が、服部昭、田中哲によって紐解かれている。

6　製造業（琥珀・非鉄鉱山・酒造・造船・製塩・染色・鉄・鉄工・航空機）

八戸藩の琥珀から非鉄鉱山・酒造・造船・製塩・染色産業に関する研究は、斎藤潔がライフワークとして長年にわたり調査を続けており、|6-6|染色産業 ②「北奥羽八戸藩の産業活動」において、これまでの各研究史や市町村史などで発表されてきた研究論文に手を加え、一冊の書物に再構成され出版されている。

|6-1|琥珀

①「八戸藩の琥珀産業」（岩手史学研究）　1984年（昭和59）　斎藤　潔

琥珀（薫陸香）は久慈・野田地方の特産物であるが、産出量は少ない。主に装飾品や薬品として使われた。本稿では八戸藩久慈の琥珀について述べている。

②「八戸藩の琥珀」（北奥羽八戸藩の産業活動）　2016年（平成28）　斎藤　潔

上述の「八戸藩の琥珀産業」が手直し執筆されている。

|6-2|非鉄鉱山

①「八戸藩の非鉄鉱山」（北奥羽八戸藩の産業活動）　2016年（平成28）　斎藤　潔

八戸藩には非鉄鉱山は少なく、それも久慈地方に集中していたことが明らかにされている。

|6-3|酒造業

①「宝暦期八戸藩の酒造業」（八戸地域史　第26号）　1995年（平成7）　斎藤　潔

宝暦年間の八戸藩における酒造高や酒屋数、価格などに関する状況が描かれている。

②「八戸藩の酒造」（北奥羽八戸藩の産業活動）　2016年（平成28）　斎藤　潔

「宝暦期八戸藩の酒造業」を書き改めて、藩政時代全体の酒造に関して研究されている。

|6-4|造船業

①「近世八戸地方の造船業」（八戸地域史　第16号）　1990年（平成2）　斎藤　潔

八戸藩の造船事業の実態に関して調査研究しており、造船記録を精査して、八戸藩では造船事業が盛んであったことが明らかにされている。

②「八戸藩の造船業」（北奥羽八戸藩の産業活動）　　2016年（平成28）　斎藤　潔

「近世八戸地方の造船業」が手直し執筆されている。

6-5 製塩業

①「改訂版南部八戸の塩」　　1970年（昭和45）　横沢　信夫

八戸藩の塩専売制度の前後に関する製塩に関して執筆されている。

②「八戸藩の製塩」（日本塩業の研究　第20集）　　1991年（平成3）　斎藤　潔

本書は、斎藤氏が執筆した史料集「岩手県種市町の塩」（１）（1990年発行）、を基に執筆された、八戸地方の製塩法に関する史料である。

③「天明期八戸藩の塩事情」（日本塩業の研究　第21集）　　1992年（平成4）　斎藤　潔

④「化政期八戸の塩事情と統制」（日本塩業の研究　第29集）
2005年（平成17）　斎藤　潔

⑤「八戸藩西町屋の塩業経営」（日本塩業の研究　第33集）
2013年（平成25）　斎藤　潔

奥羽太平洋岸の製塩は、素水製塩法といわれ、海水を直接に詰める方法であり、瀬戸内地方で発達した塩田法とは異なる。未発達な製塩法と考えられているが、岩城地方など他領にも移出していた。西町屋は蒸散法を試みたが成功したとはいえないと論じている。

6-6 染色産業

①「宝暦期八戸の染色産業」（八戸地域史　第５号）　　1984年（昭和59）　斎藤　潔

本書は、宝暦時代の久慈地方におけるぶな伐採を調査した史料であり、藍染めの媒染剤は、ぶな灰であったことが研究されている。

②「北奥羽八戸藩の産業活動」　　2016年（平成28）　斎藤　潔

2016年に出版された本書は、斎藤氏が30年以上にわたって、主に藩庁日記類を調査研究するかたわら、八戸藩の造船や製塩、鉱山、琥珀、漁業、酒造などの主たる産業に関して、執筆されたものである。本書に掲載されている各産業の研究内容は、これまで各種の研究史や市町村史などで発表されてきたもので、今回、その内容を見直し手を加えて、一冊の書物に集約され再構成され出版されている。『北奥羽八戸藩の産業活動』では、藩全体における染色業が記述されている。

6-7　鉄産業

①「八戸藩の鉄山経営」（九戸地方史下巻）　1970年（昭和45）　森　嘉兵衛

岩手大学名誉教授森嘉兵衛により鉄産業の経営と農具工業、販売が記述されている。

②「八戸の鉄の歴史～八戸藩の鉄産業～」（八戸地域史第２号）　1983年（昭和58）　斎藤　潔

③「大谷鉄山について」（八戸地域史第7号）　1985年（昭和60）　斎藤　潔

④「八戸藩の鉄の生産・流通に係わる動向」（岩手史学研究）　1989年（平成元）　斎藤　潔

⑤「八戸鉄の流通について」（たたら研究）　1990年（平成2）　斎藤　潔

⑥「宝暦期八戸藩の鉄産業」（八戸地域史　30・31号）　1997年（平成9）　斎藤　潔

⑦「八戸藩の鉄の収支に係わる動向」・「天明期八戸藩の鉄山勘定についての一史料」（岩手史学研究）・「天保期（1830年代）八戸藩の鉄山収支について」（たたら研究）　1997年（平成9）　斎藤　潔

⑧「北奥羽八戸藩の鉄産業」　2018年（平成30）　斎藤　潔

斎藤潔が、ライフワークとして研究してきた鉄の産業の集大成で、八戸藩成立前から八戸藩時代を通して、明治初期までの鉄産業の歴史を、製鉄技術から鉄加工、鉄の流通について著述している。製鉄技術としては、二炉操業と日本唯一と思われる水車駆動式吹子に触れている。流通では仙台石巻の鋳銭座への供給、また江戸への移出も紹介され、経営面では藩政改革下の鉄産業が論じられている。

6-8 鉄工業

①「鉄工はちのへ史」（八戸鉄工協同組合）　1983年（昭和58）　竹下　豊美

八戸鉄工協同組合の創立50年周年記念事業として発刊されたもので、当時、日刊工業新聞者の記者の記者竹下豊美が執筆にあたった。新産業都市八戸の基幹産業ともいうべき鉄工業界に関して、その創設から成長発展の時代の大きな変化の下で、業界の編成について記録した資料が少ない中、取材を重ねて編集執筆した貴重な鉄工業界史である。

②「八戸市の鉄工業の現状と課題」（地方中核都市の産業活性化）

1986年（昭和61）　金田　昌司

八戸市の鉄工業界の発祥とその発展過程と業界の実態分析と他市の鉄工業との比較して調査分析を試みた調査報告書である。最後に、八戸市の鉄工業界の問題点のほかに、その抱える課題に関する対応について言及している。

6-9 航空機産業

①「青森県南地方の航空機産業の現状と今後の課題」（青森県航空宇宙産業研究会）

2015年（平成27）　髙橋　俊行

本書は、国内の航空機産業のビジネス市場の規模や産業構造に関する動向をはじめ、平成22年8月、八戸地域を中心に立ち上げた青森県航空宇宙産業研究会の経緯や、平成25年以降、同会員2社のJISQ9100の品質システムの認証取得の取得や装備品メーカーのサプライチェーンに参入した経緯や現状の受注状況などについて調査したものである。

とくに平成26年以降、新たに航空機関連の治工具などの整備用機材の工程加工に係わる中小製造メーカーに関する動向のほか、航空機産業としての産業基盤が暫時形成されるに至った状況や、今後の本格参入に向けての課題や行政・民間による一体化と戦略的支援体制について、同研究会の副会長である髙橋俊行が執筆している。

7　観光業

平成 14 年に東北新幹線八戸駅が開業するまでは、八戸地域において観光が産業として認知されておらず、観光産業に対する地元の調査研究は皆無であった。東北新幹線八戸駅開業を控え、八戸商工会議所観光サービス部会が委員会を立ち上げ、八戸の観光産業としての方向性や街づくりとしての観光戦略に関して作成したのが「八戸観光開発プラン」である。

その後、東北新幹線八戸駅開業に伴う経済波及効果の調査が随時行なわれたほか、2013 年に「新幹線八戸駅開業の経済波及効果 1,200 億円にみる 10 年間の軌跡」が執筆された。その他、観光関連に関しては、コンベンションによる経済効果のほか、ヴァンラーレ八戸ＦＣの経済波及効果、また三社大祭による経済波及効果などの調査が試みられている。

7-1　新幹線八戸駅開業関連

①「八戸観光開発プラン」（八戸商工会議所）　2000年（平成12）　髙橋　俊行

本書は、東北新幹線八戸駅開業前の平成 10 年に、八戸商工会議所における観光サービス部会内の観光振興対策検討委員会において、新幹線八戸駅開業に向けての観光事業の戦略プランについて議論を重ねた結果を踏まえ、委員の髙橋俊行が、同委員の中川原俊雄の協力を得て執筆した、八戸では初の観光振興のためのマーケティングプランである。

外部の専門家ではなく、市民の視点から地域の観光資源の現状分析を踏まえ、新たな地域連携による観光ルートなどの掘り起しなど、八戸の観光産業が、新幹線八戸駅開業を契機に、街づくりの中核としてどのように振興していくべきか、その観光戦略が築かれている。その後、この開発プランを基に推進特別委員会が立ち上がり、東北新幹線八戸駅開業に向けた実行委員会が組織化された。

②「新幹線八戸駅開業の経済波及効果1,200億円にみる10年間の軌跡」（八戸学院大学産業文化研究22）　2013年（平成25）　髙橋　俊行

東北新幹線八戸駅開業後 10 年間にもたらされた経済波及効果の試算とともに、八戸の観光産業が、どのようにして構築され、その牽引力は何であったのかについて調査分析し、観光事業を担った人々の熱意や行動力と主な観光事業の動向に関しても記述されている。

また、今後の八戸の新たな観光戦略として、コンベンション・シティ八戸のプロモーション活動や新たな観光資源のブランディング化による観光マーケティングの発想力、そして観光産業振興にとっての不可欠な地域マネジメントについても言及している．

7-2　コンベンション関連

①「冬季国体の経済波及効果と八戸の観光戦略を考える」（八戸短期大学紀要 第35号）

2012年（平成24）　髙橋　俊行

八戸市では、氷都八戸とも、スケートのメッカとも言われる。その八戸市で開催された国民体育大会冬季大会に関する経済波及効果と観光戦略に関する調査研究である。内容は、平成23年１月に八戸市をメイン会場に開催された第66回の冬季大会スケート競技会が調査の対象である。冬季国体としての大型スポーツ・コンベンションによる経済波及効果の算出のほか、地域の観光事業の新興という視点から、観光戦略のマーケティングについても言及している。

②「コンベンションの経済波及効果と新たな八戸の都市型観光戦略」

（八戸学院大学産業文化研究23）　2014年（平成26）　髙橋　俊行

八戸観光コンベンション協会より委託を受け、平成21年に八戸地域で開催されたコンベンションの経済波及効果を試算した調査研究である。本書の中で、今後、八戸市が「北東北のコンベンション・シティ八戸」を掲げ、都市型観光戦略を打ち立てることによって、コンベンション開催誘致のマーケティング・プロモーションによる観光によるまちづくり活性化が提案されている。

③「ヴァンラーレ八戸ＦＣの経済波及効果～地域に根ざしたサッカークラブを目指して」

2015（平成27）　八戸地域社会研究会

ヴァンラーレ八戸が、アマチュアリーグJFLからプロリーグJ3に参入することを想定して、経済波及効果を試算した調査研究で、デーリー東北新聞に掲載された。

7-3　祭り催事関連

①「八戸三社大祭の経済波及効果の実態調査から見た地域振興の課題研究」

（平成27年度「元気な八戸づくり」市民奨励金活用事業）

2016年（平成28）　八戸地域社会研究会

およそ300年の歴史を有する青森県南地方最大の夏祭りである、八戸三社大祭に関する経済波及効果と祭りによる観光振興に関する調査研究である。

本書の内容は、ヒアリングによる実態調査と地元の見物客や観光客を対象にアンケート調査を実施し、その経済波及効果を試算し、検証したものである。八戸三社大祭の入り込み客数の実態に基づく経済波及効果の産出とともに、祭りの運営のあり方や観光事業としての抱える問題点を捉え、観光マーケティングの視点から観光振興のための提言を試みている。

8　金融業

8-1　地域金融史

①「青森銀行史～青森県銀行沿革小史～」（青森銀行）　1968年（昭和43）

同書の小史に、明治から大正、昭和初期にかけ八戸町及び八戸市において存続した、金融機関の沿革が記述されている。内容は、第五十国立銀行、八戸節倹貯蓄銀行、階上銀行、八戸貯蓄銀行、八戸商業銀行、泉山銀行、八戸銀行の金融機関の沿革をはじめ、株主から役員構成、そして合併に至るまでの営業状況が記載された八戸地方の金融機関の産業史である。

②「地域経済の現状及び中小企業の課題と青森県の地域金融の役割」

（八戸学院短期大学紀要第37号）　2013年（平成25）　髙橋　俊行

東日本大震災被災後、青森県内の中小企業が抱えている金融機能に関する調査結果を基に、青森県の地域金融機関のあるべき姿やその役割について調査した研究報告書である。

本書には、八戸地域経済動向の現状分析とともに、県内の地域金融機関が、リレーションシップバンキングとして、どのような金融機能としての役割を担い、使命を果たすべきかに言及している、また協同組織金融機関が果たすべき使命や役割のほかに、地域金融機関の担い手としての行職員のマインドの高揚や行動力の重要性が説かれている。

9　水道事業

9-1　八戸市の水道事業

①「はちのへ水物語」(水道25年史) 八戸市水道部

1978年 (昭和53)　はちのへ水道物語編集委員会

本書は、西村嘉のプロデュースの下に、工藤欣一がチーフとなり、馬淵川と新井田川の水源に営まれてきた八戸地方の人々の水と文化の歴史と水道事業という産業との係わりが、大下由宮子 (八戸工業大学)、三浦忠司、堀田報誠 (八戸工業大学) の5人によって語られている壮大な水物語である。

内容は、世界の水から、水の伝説、藩政時代の水の利用、水道の夜明けから水利用の諸問題が取りあげられており、水道事業の産業史ではないが、水と人間の歴史の興味深いドラマが描かれている。

②「いのちの源泉を求めて」(八戸の水道50年史) 八戸圏域水道企業団

2000年 (平成12)　50年史編纂委員会

上述の「はちのへ水物語」の続編版で、島守光雄をチーフに、大下由宮子 (五戸町図書館アドバイザー)、三浦忠司、堀田報誠 (八戸工業大学)、熊野悦雄 (デーリー東北)、田中哲 (八戸大学) が執筆にあたっている。水道とともに歩んだ八戸圏域における信仰、風土、政治、経済、都市計画、労働、環境衛生、災害、科学、技術、コミュニケーションなどの推移が俯瞰できる、水道の社会史に挑戦している。

10　主な執筆者の経歴

・小野　久三　1904年（明治37）～1980年（昭和55）1946年東奥日報者入社、1967年デーリー東北新聞社論説委員、1963年八戸市図書館館長
・西村　嘉　　1922年（大正11）～
1950年八戸市役所、1979年八戸市立図書館館長
・中里　進　　1922年（大正11）～2008年（平成20）
1948年デーリー東北新聞社入社、1956年総合雑誌「北方春秋」創設、1958年八戸社会経済史研究会設立、1971年週刊情報誌「アミューズ」発刊
・山根　勢五　1925年（大正14）～2015年(平成27)
八戸鱗光冷蔵、清遠短歌会会長、八戸ペンクラブ顧問、八戸美術連盟顧問、歌人
・島守　光雄　1928年（昭和3)～2019年（令和元）
電通入社、八戸大学商学部教授、八戸市史編纂委員会副会長
・神山　恵介　1930年（昭和5）～1995年（平成7)
大学卒業後実家神山木材を継ぐ、1974年八戸プラザホテル設立、八戸大学教授就任、1958年八戸社会経済史研究会設立、1983年八戸地域社会研究会会長
・工藤　欣一　1932年（昭和7）～2005年（平成17)
大学卒業後実家工藤辰四郎商店継ぐ、1975年八戸総合卸センター副理事長、1981年八戸歴史研究会会長、1982年八戸商工会議所副会頭
・田名部清一　1937年（昭和12）～
（社）日本造園学会々員、（社）俳人協会々員、八戸歴史研究会々員、公益財団法人渋沢栄一記念財団会員、樹木医
・熊谷　拓治　1937年(昭和12)～
1984全国大型いか釣業協会副会長　1985海外大型いか出漁者組合組合長　2002年八戸漁連会長、2002年青森県漁連理事、2003年八戸みなと漁協組合長、2003年水産庁水産政策審議会特別委員、2005年八戸漁業指導協会会長
・斎藤　潔　1939年（昭和14）～
八戸工業高校教諭、八戸市文化財審議委員、八戸市史近世部会長
・髙橋　俊行　1946年（昭和21）～
1969年八戸信用金庫入庫、2001年八戸信用金庫理事、2004年同理事兼はちしん地域経済研究所所長、2009年八戸短期大学教授、八戸大学八戸短期大学総合研究所副所長、2014年弘前大学客員教授、現在、八戸地域社会研究会会長、青森県航空宇宙産業研究会副会長
・中居　裕　　1948年（昭和23）～
北海道大学、水産大学校、下関市立大学、東京水産大学、東京海洋大学、八戸学院大学教授．博士（学術）主な著書に「水産物市場と産地の機能展開」「産地と経済」「市場と安全」
・三浦　忠司 1948年（昭和23）～
1970年県立高校教諭､1981年八戸歴史研究会事務局長､1998年八戸市教育委員会･市立図書館参事･八戸市史編纂室長、2005年八戸歴史研究会会長、2009年安藤昌益資料館館長、現在、八戸市文化財審議委員長

おわりに

本書を締めくくるにあたり、カバーに作品を使わせていただいた故戸村春樹先生についてお伝えしたい。戸村先生は八戸学院大学教授として長く学生の指導に立つかたわら、メゾチントと呼ばれる銅版画の作品を長く創り続けてこられた作家である。メゾチントという技法は、銅版に無数の微細な凹凸を刻みこんでいく気の遠くなるような作業を繰り返していくもので、フランス語ではマニエル・ノワール（黒の手法）とも呼ばれる。戸村先生のメゾチントによる作品群は国内外の展覧会で高い評価を得ており、これまで数々の賞を受賞している。亡くなられてから2年後の2018年11月、ご家族と仲間の方々の尽力により、八戸市内で「戸村春樹のしごと」と題した展覧会が開かれ、作品をまぢかにじっくりと観賞する機会をいただいた。一つ一つの作品に見入り引き込まれていく中で、その奥から、普段の気さくなお人柄からは知られない、黙々と銅版に向き合う戸村先生のお姿と、祈りにも似た深い精神性が浮揚してくるような感覚に見舞われた。

戸村先生は、「時1」という作品について次のような文章を記されている。

「時Ⅰ」は、心ならずも失われてしまった、私にとってかけがえのない存在であったものたちに対する＜再生への祈り＞を、銅版画で象徴的に表現したものである。当時、身辺に起こった不条理な出来事を凝視し、沈黙と祈りの時を過ごす日々の中からある「光」とともに、いつしか心に映ってきた世界である。心身に「時と地の刻印」を受けながら二十世紀末のこの地に生かされている私という存在を通し、目に見える光と形に定着されていく祈り－これは私のイコンといえるのかもしれない。（「デーリー東北」紙　1999年7月6日付）

東方キリスト教のイコンは、単なる聖画ではなくその製作の過程そのものが祈りであり修行であると言われる。おそらく戸村先生にとって、アトリエは聖堂で、そこで創作に向き合う姿勢は、まさに祈りそのものであったのだろう。このような姿勢は、研究に携わる者にとって、あるいはもっと広く、あらゆる分野の真摯な仕事びとに通じるものがあると思われる。戸村先生の作品群から、地域という対象に向かって、今一度襟を正し、謙虚に見つめ直すべきことを教えていただいているような気がする。

本書のカバーに作品を使わせてほしいという私たちの願いを快く受け入れて下さった戸村先生のご家族に心より感謝申し上げる。カバーの作品「大地 90-1」は1990 年に制作されたメゾチントの版画で、階上岳方面から遠望した八戸の町が描かれたものである。

出版にあたっては、イー・ピックス社にたいへんお世話になった。地域振興に熱心にとりくまれている同社の一冊に加えていただいたことは、ありがたいことである。限られた予算の中で、複数の執筆者との骨の折れる労を引き受けて下さった熊谷雅也社長に深く感謝申し上げる。

編者一同

執筆者紹介（目次順）

田中 哲（たなか　あきら）　**第１章第１節**
1956年静岡県浜松市生まれ。法政大学経済学部、明治大学大学院商学研究科商学専攻博士前期課程を経て、同博士後期課程単位取得。1987年より八戸大学商学部専任講師、助教授を経て、現在、八戸学院大学地域経営学部教授。主著に野中郁江等編著『日本のリーディングカンパニーを分析する4』（唯学書房、2007年）、八戸市史編纂委員会編『新編八戸市史　通史編Ⅲ　近現代』（八戸市、2014年）等がある。

小柳達也（おやなぎ　たつや）　**第１章第２節**
1983年新潟県生まれ。日本社会事業大学大学院福祉マネジメント研究科及び岩手県立大学大学院社会福祉学研究科博士後期課程を修了。現在、八戸学院大学健康医療学部准教授及び岩手県立大学客員准教授。博士（社会福祉学）。近著に『社会福祉概論〔第4版〕：現代社会と福祉』（共著、勁草書房）、『産学官連携 その実践と拡大に向けて』（共著、和泉出版）、Advanced Management Science and Its Applications（共著、Izumi Publishing Co. Ltd）、Applied Management Information Systems（同）等がある。

中居 裕（なかい　ゆたか）　**第２章第１節**
1948年八戸市生まれ。北海道大学卒業。政治経済研究所、北海道大学、水産大学校、下関市立大学、東京水産大学、東京海洋大学（海洋工学部）、八戸学院大学を経て、東京海洋大学名誉教授。博士（学術）。主な著書に『水産物市場と産地の機能展開』（成山堂書店）、『産地と経済―水産加工業の研究―』（連合出版）、『市場と安全―水産物流通、卸売市場の再編及び食の安全―』（共著、連合出版）がある。

久保宣子（くぼ　のりこ）　**第２章第２節**
八戸市生まれ。放送大学大学院文化科学研究科生活健康科学専攻修了（学術修士）。看護師。医療現場での実務経験を経て、現在、八戸学院大学健康医療学部看護学科助教として看護学教育・研究に携っている。今回、生活者の立場から八戸地域の食文化に焦点を当てた研究プロジェクトに参加することになり、「漁家の海藻食」について執筆を担当した。

加来聡伸（かく　あきのぶ）　**第２章第２節**
1981年大阪府生まれ。東京農業大学生物産業学部産業経営学科卒業。同大生物産業学専攻博士後期課程修了。現在、八戸学院大学地域経営学部准教授。博士（経営学）。主な業績に『流域林業活性化と森林認証制度の課題』（共著、大成印刷）、『戦後林業政策における転換点と地域林業の再生―オホーツク地域を中心として―』（博士論文）がある。

堤 静子（つつみ　しずこ）　**第２章第３節**
青森県生まれ。青森公立大学大学院経営経済学研究科博士後期課程修了。博士（経営経済学）。八戸学院大学短期大学部を経て、2018年から八戸学院大学地域経営学部准教授。主な業績に「少子化要因としての未婚化・晩婚化」（国立社会保障・人口問題研究所編『季刊 社会保障研究』第47巻第2号）、「完結出生力と日本の女子労働市場」（共著、『青森公立大学経営経済学研究』第11巻第2号）がある。

中川雄二（なかがわ　ゆうじ）　**第２章第４節**
1961年熊本県生まれ。大阪外国語大学（現、大阪大学）卒業。広島大学大学院博士後期課程退学。広島県立大学、東京水産大学を経て、現在、東京海洋大学大学院教授。博士（経済学）。主な著書に『近代ロシア農業政策史研究』（お茶の水書房）、『地域ブランドの戦略と管理』（共著、農文協）、『市場と安全―水産物流通、卸売市場の再編及び食の安全―』（共著、連合出版）がある。

橋本 修（はしもと　おさむ）　**第３章第１節**
1958年八戸市生まれ。東京経済大学色川大吉ゼミナールで日本近代史を学ぶ。現在、株式会社香月園専務取締役、八戸菊研究会会員。2018年に弘前大学人文社会科学部渡辺真理子研究室と「八戸菊」について共同研究し、同年、成果報告会「八戸菊の世界」にて報告した。2019年に『菊作方覚書』を出版。

木鎌耕一郎（きかま　こういちろう）　**第３章第２節**
1969年神奈川県生まれ。南山大学文学部哲学科卒業。同文学研究科神学専攻博士前期課程修了。八戸学院大学助手等を経て、現在、神戸松蔭女子学院大学人間科学部教授。著書に『津軽のマリア 川村郁』（聖母の騎士社）、『青森 キリスト者の残像』（イー・ピックス）がある。

髙橋俊行（たかはし　としゆき）　**第３章第３節**
1946年八戸市生まれ。立教大学経済学部卒業。八戸信用金庫理事兼営業地区本部長、はちしん地域経済研究所所長、八戸短期大学教授、八戸大学総合研究所副所長、弘前大学客員教授を経て、現在、八戸地域社会研究会会長。八戸で最初に月例産業経済の調査や四半期毎の景気動向調査を実施。主な著書に「八戸観光開発プラン」（八戸商工会議所）、『八戸漁連30年史』（共著、八戸漁連）、『きたおうう人物伝』（共著、デーリー東北新聞社）、『信用金庫60年史』（共著、全国信用金庫協会）等がある。

カバー作品の制作者 戸村春樹（とむら はるき）氏について

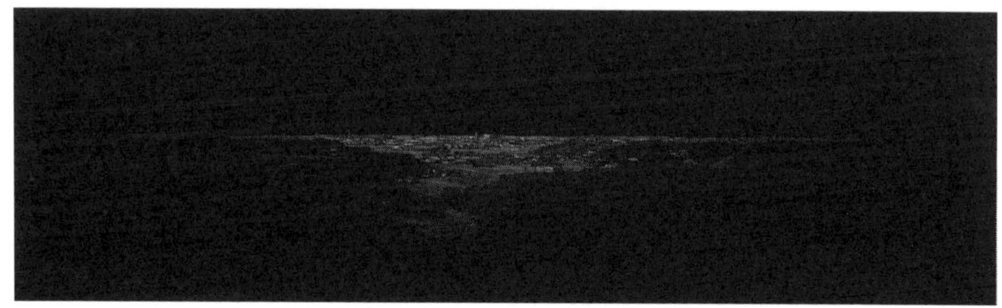

版画家。元八戸学院大学教授。1947年（昭和22）生まれ。1971年（昭和46）、多摩美術大学美術学部絵画科油画専攻卒業。1973年（昭和48）、同大学院美術研究科絵画専門課程油画専攻修了。1986年（昭和61）のスペインの第25回ホワン・ミロ国際デッサン・ドローイングコンクール展、1987年（昭和62）の国際芸術文化振興会による'87版画期待の新人作家大賞展（優秀賞受賞）、1993年（平成5）の特別展北奥羽の作家展（八戸市立美術館）の他、国内外の数多くの展覧会で作品が出展された。1989年（昭和64）に第8回オーバーン「紙の美術展」佳作賞受賞（アメリカ・オーバーン大学）、1989年（平成1）に和歌山版画ビエンナーレ展で美術館買い上げ賞受賞（和歌山県立近代美術館）、同年に第一回八戸市美術褒章を受章した。八戸市景観審議会の会長を長年つとめ、地域振興にも尽力した。2016年（平成28）逝去。

地域の基層と表層　八戸地域から考える

編　者　木鎌耕一郎　加来聡伸
発行所　イー・ピックス〔大船渡印刷出版部〕
発行日　2020年3月
代表者　熊谷雅也
〒022-0002　岩手県大船渡市大船渡町字山馬越44-1
電話0192-26-3334　http:/www.epix.co.jp
装　幀　Malpu Design（清水良洋）
本文デザイン　Malpu Design（佐野佳子）
印刷所　（株）平河工業社